Theodor W. Adorno

Noten
zur Literatur II

Suhrkamp Verlag

Neuntes bis zwölftes Tausend 1965
© Suhrkamp Verlag Frankfurt am Main 1961 · Alle Rechte vorbehalten.
Printed in Germany · Satz und Druck in der Baskerville Linotype von
Poeschel & Schulz-Schomburgk, Eschwege · Bindearbeiten L. Fleischmann

Inhalt

Für den Alexandrinismus, die auslegende Versenkung in überlieferte Schriften, spricht manches in der gegenwärtigen geschichtlichen Lage. Scham sträubt sich dagegen, metaphysische Intentionen unmittelbar auszudrücken; wagte man es, so wäre man dem jubelnden Mißverständnis preisgegeben. Auch objektiv ist heute wohl alles verwehrt, was irgend dem Daseienden Sinn zuschriebe, und noch dessen Verleugnung, der offizielle Nihilismus, verkam zur Positivität der Aussage, einem Stück Schein, das womöglich die Verzweiflung in der Welt als deren Wesensgehalt rechtfertigt, Auschwitz als Grenzsituation. Darum sucht der Gedanke Schutz bei Texten. Das ausgesparte Eigene entdeckt sich in ihnen. Aber beide sind nicht Eines: das in den Texten Entdeckte beweist nicht das Ausgesparte. In solcher Differenz drückt sich das Negative, die Unmöglichkeit aus; ein O wär' es doch, gleich weit von der Versicherung, daß es so sei, wie von der, es sei nicht. Die Interpretation beschlagnahmt nicht, was sie findet, als geltende Wahrheit und weiß doch, daß keine Wahrheit wäre ohne das Licht, dessen Spur in den Texten sie folgt. Das färbt sie als die Trauer, von welcher die Behauptung des Sinnes nichts ahnt und welche von der Insistenz auf dem, was der Fall sei, krampfhaft verleugnet wird. Der Gestus des interpretierenden Gedankens gleicht dem Lichtenbergischen »Weder leugnen noch glauben«, den verfehlte, wer ihn einebnen wollte auf bloße Skepsis. Denn die Autorität der großen Texte ist, säkularisiert, jene unerreichbare, die der Philosophie als Lehre vor Augen steht. Profane Texte wie heilige anschauen, das ist die Antwort darauf, daß alle Transzendenz in die Profanität einwanderte und nirgends überwintert als dort, wo sie sich verbirgt. Blochs alter Begriff der Symbolintention zielt wohl auf diese Art des Interpretierens.

*

Dem heute unversöhnlich klaffenden Widerspruch zwischen der dichterisch integren Sprache und der kommunikativen sah bereits der alte Goethe sich gegenüber. Der zweite Teil des Faust ist einem Sprachverfall abgezwungen, der vorentschieden war, seitdem einmal die dinghaft geläufige Rede in die des Ausdrucks eindrang, die jener darum so wenig zu widerstehen vermag, weil die beiden feindlichen Medien doch zugleich eins sind, nie ganz gelöst voneinander. Was an Goethes Altersstil für gewaltsam gilt, sind wohl die Narben, die das dichterische Wort in der Abwehr des mitteilenden davontrug, diesem selber zuweilen ähnlich. Denn tatsächlich hat Goethe keine Gewalttat an der Sprache begangen. Er hat nicht, wie es am Ende unvermeidlich ward, mit der Kommunikation gebrochen und dem reinen Wort eine Autonomie zugemutet, wie sie, durch den Gleichklang mit dem vom Kommerz besudelten, allzeit prekär bleibt. Sondern sein restitutives Wesen trachtet, das besudelte als dichterisches zu erwecken. An keinem einzelnen könnte das gelingen, so wenig wie in der Musik ein verminderter Septimakkord, nach der Schande, die ihm die Vulgarität des Salons antat, je wieder klingt wie jener mächtige am Anfang von Beethovens letzter Klaviersonate. Wohl aber flammt die heruntergekommene und zur Metapher verschlissene Wendung dort noch einmal auf, wo sie buchstäblich genommen ist. Dieser Augenblick birgt die Ewigkeit der Sprache am Schluß des Faust in sich. Der Pater profundus preist, als »liebevoll im Sausen«, den »Blitz, der flammend niederschlug, / Die Atmosphäre zu verbessern, / Die Gift und Dunst im Busen trug«. (11879/81). Auf den Vorsatz, die Atmosphäre zu verbessern, redet unterdessen das armseligste Konferenzkommuniqué sich heraus, wenn es den verängstigten Völkern vertuschen will, daß wieder nichts erreicht wurde. Schlachtet der scheußliche Brauch nicht selber bereits einen Goethevers aus, dessen Kenntnis freilich den zitierfreudigen Herren schwerlich zuzutrauen ist, so war an der eingängigen Phrase schon zu Goethes Zeiten kaum viel Segen. Er aber fügt sie in die Darstellung von Abgrund und Wasserfall ein, die mit ungeheurem Bogen den Ausdruck der permanenten Katastrophe in einen des Segens umschafft. »Die Atmosphäre zu verbessern« ist Werk der furchtbaren Liebesboten, die den in der Schwüle Erstickenden den Atem des ersten Tages zurückerstatten. Sie retten die Banalität, die es bleibt, und sanktionieren zugleich das Pathos der dröhnenden Naturbilder als eines erhabener Zweckmäßigkeit. Ruft wenige Verse vorm Finis die Mater gloriosa aus: »Komm, hebe dich zu höhern Sphären« (12094), so verwandelt ihr Stichwort die eitle Klage der bürgerlichen Mutter über den mangelnden Realitätssinn ihres Sprößlings, der allzu gern dort verweile, in die sinnliche Gewißheit einer Szenerie, deren Bergschluchten zur »höheren Atmosphäre« geleiten. – »Weichlich« ist ein pejoratives Wort, war es wohl auch damals. Fleht aber die Magna peccatrix »Bei den Locken, die so weichlich / Trockneten die heil'gen Glieder« (12043/4), so erfüllt sich die Form mit der wörtlichen Kraft der adverbiellen Bestimmung, empfängt die Zartheit des Haares, Zeichen der erotischen Liebe, in der Aura der himmlischen. Das Unzulängliche, hier wird's Ereignis, in der Sprache.

*

Berührung der Extreme: man ergötzt sich an dem Vers der Friederike Kempner, die anstelle des selber schon unmöglichen Miträupchens vom Miteräupchen spricht, um durch das souverän eingefügte e die ihren Trochäen fehlende Silbe einzubringen. So hält ein ungeschickter Knabe, wider die Regel, beim Eierlauf das Ei fest, um es ungefährdet ans Ziel zu tragen. Aber die Schlußszene des Faust kennt das gleiche Mittel, dort wo der Pater Seraphicus vom Wasserstrom, der abestürzt (11910) redet; auch in der Pandora braucht Goethe »abegewendet«. Die sprachgeschichtliche Begründung, daß es um die mittelhochdeutsche Form der Präposition sich handle, mildert nicht den Schock, den der Archaismus, Spur einer metrischen Not, bereiten könnte. Wohl aber die unermeßliche Distanz eines Pathos, das mit dem ersten Ton so weit weg ist vom Trug der natürlichen Rede, daß keinem diese einfiele und keinem das Lachen. Der Schritt vom Erhabenen zum Lächerlichen, welcher der kleinste sein soll, entscheidet über den hohen Stil; nur was an den Abgrund der Lächerlichkeit gezogen wird, hat soviel Gefahr in sich, daß daran das Rettende sich mißt und daß es gelingt. Wesentlich ist der großen Dichtung das Glück, das sie vorm Sturz bewahrt. Das Archaische der Silbe jedoch teilt sich mit, nicht als vergeblich romantisierende Beschwörung einer unwiederbringlichen Sprachschicht, sondern als Verfremdung der gegenwärtigen, die sie dem Zugriff entzieht. Dadurch wird sie zum Träger jener ungeselligen Moderne, von der Goethes Altersstil bis heute nichts einbüßte. Der Anachronismus wächst der Gewalt der Stelle zu. Sie führt die Erinnerung an ein Uraltes mit sich, welche die Gegenwart der leidenschaftlichen Rede als eine des Weltplans offenbart; als wäre es von Anbeginn so und nicht anders beschlossen gewesen. Der so schrieb, durfte auch den Chor der seligen Knaben ein paar Verse weiter singen lassen: »Hände verschlinget, / Freudig zum Ringverein« (11926/7) – ohne daß, was danach mit dem Wort Ringverein geschah, dem Namen Unheil brächte. Paradoxe Immunität gegen die Geschichte ist das Echtheitssiegel jener Szene.

*

In der Strophe der johanneischen Mulier Samaritana heißt es – abermals dem Vers zuliebe, abermals äußerste Tugend aus Not – anstatt Abraham Abram. Im Lichtfeld des exotischen Namens wird aus der vertrauten, von zahllosen Assoziationen überdeckten Figur aus dem Alten Testament jäh der östlich-nomadische Stammesfürst. Die treue Erinnerung an ihn wird mit mächtigem Griff der kanonisierten Tradition entrissen. Das allzu gelobte Land wird gegenwärtige Vorwelt. Ausgeweitet über die zur Idylle geschrumpften Patriarchenerzählungen hinaus, gewinnt sie Farbe und Kontur. Das auserwählte Volk ist jüdisch wie das Bild der Schönheit im dritten Akt griechisch. Sagt die mit Bedacht gewählte Bezeichnung Chorus mysticus in der Schlußstrophe mehr als das vage Cliché einer Sonntagsmetaphysik, dann zitieren die Sachgehalte, mochte Goethe es wollen oder nicht, jüdische Mystik herbei. Der jüdische Tonfall der Ekstase, rätselhaft in den Text verschlagen, motiviert die Bewegung der Sphären jenes Himmels, der über Wald, Fels und Einöde sich eröffnet. Er ahmt die göttliche Gewalt in der Schöpfung nach. Der Ausruf des Pater ecstaticus: »Pfeile, durchdringet mich, / Lanzen, bezwinget mich, / Keulen, zerschmettert mich, / Blitze, durchwettert mich!« (11858/61); vollends die Verse des Pater profundus: »O Gott! beschwichtige die Gedanken, / Erleuchte mein bedürftig Herz!« (11888/9) sind die einer chassidischen Stimme, aus der kabbalistischen Potenz der Gewura. Das ist der »Bronn, zu dem schon weiland / Abram ließ die Herde führen«, und daran hat Mahlers Komposition in der Achten Symphonie sich entzündet.

*

Wer Goethe nicht unter die Gipsplastiken geraten lassen möchte, die in seinem eigenen Weimarer Haus herumstehen, darf der Frage nicht ausweichen, warum seine Dichtung mit

Grund schön genannt wird, trotz der prohibitiven Schwierigkeiten, welche der Riesenschatten der geschichtlichen Autorität seines Werkes einer Antwort bereitet. Die erste wäre wohl eine eigentümliche Qualität von Großheit, die nicht mit Monumentalität zu verwechseln ist, aber der näheren Bestimmung zu spotten scheint. Am ähnlichsten ist sie vielleicht dem Gefühl des Aufatmens im Freien. Es ist kein unvermitteltes vom Unendlichen, sondern geht dort auf, wo es ein Endliches, Begrenztes überschreitet; das Verhältnis zu diesem bewahrt sie vorm Zerfließen in leeren kosmischen Enthusiasmus. Großheit selber wird erfahrbar an dem, was von ihr überflügelt wird; nicht zuletzt darin ist Goethe Wahlverwandter von Hegels Idee. In der Schlußszene des Faust ist diese rein in der Sprachgestalt gegenwärtige Großheit nochmals die von Naturanschauung wie in der Jugendlyrik. Ihre Transzendenz aber läßt konkret sich nennen. Die Szene beginnt sogleich mit der Waldung, die heranschwankt, der unvergleichlichen Modifikation eines Motivs aus Shakespeares Macbeth, das seinem mythischen Zusammenhang entrückt wird: der Gesang der Verse läßt Natur sich bewegen. Bald darauf hebt der Pater profundus an: »Wie Felsenabgrund mir zu Füßen / Auf tiefem Abgrund lastend ruht, / Wie tausend Bäche strahlend fließen / Zum grausen Sturz des Schaums der Flut, / Wie strack mit eignem kräftigen Triebe / Der Stamm sich in die Lüfte trägt: / So ist es die allmächtige Liebe, / Die alles bildet, alles hegt« (11 866/73). Die Verse gelten der Szenerie, einer hierarchisch gegliederten, in Stufen aufsteigenden Landschaft. Was aber in ihr sich zuträgt, der Sturz des Wassers, erscheint, als spräche die Landschaft ihre eigene Schöpfungsgeschichte allegorisch aus. Das Sein der Landschaft hält inne als Gleichnis ihres Werdens. Es ist dies in ihr verschlossene Werden, welches sie, als Schöpfung, der Liebe anverwandelt, deren Walten im Aufstieg von Faustens Unsterblichem

verherrlicht wird. Indem das naturgeschichtliche Wort das
verfallene Dasein als Liebe anruft, öffnet sich der Aspekt
der Versöhnung des Natürlichen. Im Eingedenken ans eigene Naturwesen entragt es seiner Naturverfallenheit.

*

Das Begrenzte als Bedingung der Großheit hat bei Goethe
wie bei Hegel seinen gesellschaftlichen Aspekt: das Bürgerliche als Vermittlung des Absoluten. Hart prallt beides zusammen. Nach den emphatischen Versen »Wer immer strebend
sich bemüht, / Den können wir erlösen« (11936/7), die nicht
umsonst von Anführungszeichen eingefaßt werden wie ein
Zitat, Maxime innerweltlicher Askese, fahren die Engel
fort: »Und hat an ihm die Liebe gar / Von oben teilgenom-
men, / Begegnet ihm die selige Schar / Mit herzlichem Will-
kommen« (11938/41): wie wenn das Äußerste, wonach die
Dichtung tastet, zum Streben nur als ergänzendes Akzidens
hinzukäme; lehrhaft streckt das »gar« den Zeigefinger in
die Höhe. Vom gleichen Geist ist die karge und herablas-
sende Belobigung Gretchens als der »guten Seele, die sich
einmal nur vergessen« (12065/6). Um die eigene Weither-
zigkeit unter Beweis zu stellen, meint der Kommentator
dazu, die Zahl der Liebesnächte werde im Himmel nicht
nachgerechnet, und markiert so erst das Philiströse des Passus, der klügelnd die entschuldigt, welche alle Schmach der
männlichen Gesellschaft zu erdulden hatte, während mit
ihrem Geliebten, dem Meuchelmörder ihres Bruders, weit
großzügiger verfahren wird. Lieber als bürgerlich das Bürgerliche vertuschen sollte man es begreifen in seinem Verhältnis zu dem, was anders wäre. Dies Verhältnis vielleicht
definiert Goethes Humanität und die des objektiven Idealismus insgesamt. Die bürgerliche Vernunft ist die allgemeine
und eine partikulare zugleich; die einer durchsichtigen Ordnung der Welt und eines Kalküls, der dem Vernünftigen

sicheren Gewinn verspricht. An solcher partikularen Vernunft bildet sich die allgemeine, welche jene aufhöbe; das gute Allgemeine realisierte sich nur durch den bestimmten Zustand hindurch, in dessen Endlichkeit und Fehlbarkeit. Die Welt jenseits des Tausches wäre zugleich die, in welcher kein Tauschender mehr um das Seine gebracht würde; überspränge Vernunft die Einzelinteressen abstrakt, ohne Aristotelische Billigkeit, so frevelte sie gegen Gerechtigkeit, und Allgemeinheit selber reproduzierte das schlechte Partikulare. Das Verweilen beim Konkreten ist unauslöschliches Moment dessen, was von der Partikularität sich befreit, während doch deren Bestimmtsein in solcher Bewegung ebenso als beschränkt bestimmt wird wie die blinde Herrschaft eines Totalen, das der Partikularität nicht achtet. Hat der junge Goethe, in einem Entwurf zum ersten Auftreten Gretchens, »das anmuthige beschränkte des bürgerlichen Zustands« gerühmt, so ist dies früh geliebte Beschränkte in die Sprache des alten eingedrungen. So wenig verschmilzt es mit ihr wie in der bürgerlichen Gesellschaft das Einzelne mit dem Ganzen. Aber an ihm nährt sich die Kraft des Übersteigens. Nämlich als Nüchternheit. Das Wort, das dissonierend noch inmitten des äußersten Überschwangs, sich selbst prüfend und abwägend, seiner mächtig bleibt, entgeht dem Schein von Versöhnung, der diese hintertreibt. Erst das Besonnene, Einschränkende, etwa im Sprachgestus der vollendeteren Engel, die von ihrem Erdenrest sagen »Und wär' er von Asbest, / Er ist nicht reinlich« (11956/7), sättigt die Elevation mit der Schwere des bloßen Daseins. Sie erhebt sich darüber, indem sie es mitnimmt, anstatt ohnmächtig, losgelöste Idee, es unter sich zu belassen. Human läßt die Sprache das Nichtidentische, in den protestierenden Worten des jungen Hegel Positive, Heteronome stehen, opfert es nicht der bruchlosen Einheit eines idealischen Stilisationsprinzips: im Eingedenken der eigenen Grenze wird der Geist zum Geist, der über jene hinwegträgt. Das Pedantische, dessen Einschlag der Schlußszene insgesamt nicht fehlt, ist nicht nur Eigenheit, sondern hat seine Funktion. Es giriert die Verpflichtungen, welche die Handlung umschreiben, ebenso wie die, welche die Dichtung selbst eingeht, indem sie die Handlung entfaltet. Nur dadurch aber, daß der Ausdruck Schuldverschreibung seine schwere Doppelbedeutung, die einer zu begleichenden Rechnung und die der Schuldhaftigkeit des Lebenszusammenhangs behält, bewegt sich das Irdische dergestalt, wie das Gleichnis der heranschwankenden Waldung es erheischt. Der Bodensatz des Pedestren, nicht vollends Spiritualisierten will durch seine Differenz vom Geiste dessen Vermögen zur Rettung verbürgen. Eingebracht wird die Dialektik des Namens aus dem Prolog im Himmel, wo Faust dem Mephistopheles der Doktor heißt, dem Herrn aber sein Knecht. Die Nüchternheit ist die des Geheimrats und die heilige in eins.

*

Das fiktive Zitat »Wer immer strebend sich bemüht« bezieht sich, wie man weiß, gleich den darauffolgenden Versen der jüngeren Engel auf die Wette, über die freilich bereits in der Grablegungsszene entschieden ist, wo die Engel Faustens Unsterbliches entführen. Was hat man nicht alles angestellt mit der Frage, ob der Teufel die Wette nun gewonnen oder verloren habe. Wie sophistisch hat man an den Potentialis »Zum Augenblicke dürft' ich sagen« sich geklammert, um herauszulesen, daß Faust das »Verweile doch, du bist so schön« des Studierzimmers gar nicht wirklich spreche. Wie hat man nicht, mit der erbärmlichsten largesse, Buchstaben und Sinn des Paktes unterschieden. Als wäre nicht die philologische Treue die Domäne dessen, der auf der Unterschrift mit Blut besteht, weil es ein ganz besonderer Saft sei; als hätte in einer Dichtung, die wie kaum eine andere deutsche dem Wort den Vorrang erteilt vorm Sinn, die dümmlich sublime Berufung auf diesen die geringste Legitimation. Die Wette ist verloren. In der Welt, in der es mit rechten Dingen zugeht, in der Gleich um Gleich getauscht wird – und die Wette selbst ist ein mythisches Bild des Tauschs – hat Faust verspielt. Nur rationalistisches, nach Hegels Sprachgebrauch reflektierendes Denken möchte sein Unrecht in Recht verbiegen inmitten der Sphäre des Rechts. Hätte Faust die Wette gewinnen sollen, so wäre es absurd, Hohn auf die künstlerische Ökonomie gewesen, ihm im Augenblick seines Todes eben die Verse in den Mund zu legen, die ihn dem Pakt zufolge dem Teufel überantworten. Vielmehr wird Recht selber suspendiert. Eine höhere Instanz gebietet der Immergleichheit von Credit und Debet Einhalt. Das ist die Gnade, auf welche das trockene »gar« verweist: wahrhaft jene, die vor Recht ergeht; an der der Zyklus von Ursache und Wirkung zerbricht. Der dunkle Drang der Natur steht ihr bei, aber gleicht ihr nicht ganz. Die Antwort der Gnade auf das Naturverhältnis, wie immer auch in diesem vorgedacht, springt doch umschlagend als neue Qualität hervor und setzt in die Kontinuität des Geschehenden die Zäsur. Diese Dialektik hat die Dichtung sichtbar genug gemacht mit dem alten Motiv des betrogenen Teufels, dem nach seinem Maß, dem rechtenden Verstande, der wie Shylock auf dem Schein besteht, das Verbriefte vorenthalten wird. Ginge die Rechnung so bündig auf, wie jene es wollen, welche die Gnade vorm Teufel verteidigen zu müssen glauben, der Dichter hätte sich den kühnsten Bogen seiner Konstruktion ersparen können: daß der Teufel, bei ihm schon der von Kälte, übertölpelt wird von der eigenen Liebe, die Negation der Negation. In der Sphäre des Scheins, des farbigen Abglanzes, erscheint Wahrheit selber als das Unwahre; im Licht der Versöhnung jedoch verkehrt diese Verkehrung sich abermals. Noch das Naturverhältnis der

Begierde, das dem Zusammenhang der Verstrickung ange-
hört, enthüllt sich als das, was dem Verstrickten entrinnen
hilft. Die Metaphysik des Faust ist nicht jenes strebende
Bemühen, dem im Unendlichen die neukantische Belohnung
winkt, sondern das Verschwinden der Ordnung des Natürlichen in einer anderen.

*

Oder ist es auch das noch nicht? Ist nicht gar die Wette »im
höchsten Alter« Faustens vergessen, samt aller Untat, die
der Verstrickte beging oder gestattete, selbst noch der letzten
gegen Philemon und Baucis, deren Hütte dem Herrn des
neu den Menschen unterworfenen Bodens so wenig erträg-
lich ist wie aller naturbeherrschenden Vernunft, was ihr nicht
gleicht? Ist nicht die epische Gestalt der Dichtung, die sich
Tragödie nennt, die des Lebens als eines Verjährens? Wird
nicht Faust darum gerettet, weil er überhaupt nicht mehr
der ist, der den Pakt unterschrieb; hat nicht das Stück in
Stücken seine Weisheit daran, wie wenig mit sich selbst
identisch der Mensch ist, wie leicht und winzig jenes »Un-
sterbliche«, das da entführt wird, als wäre es nichts? Die
Kraft des Lebens, als eine zum Weiterleben, wird dem Vergessen gleichgesetzt. Nur durchs Vergessen hindurch, nicht
unverwandelt überlebt irgend etwas. Darum wird der Zweite
Teil präludiert vom unruhigen Schlaf des Vergessens. Der
Erwachende, dem »des Lebens Pulse frisch lebendig schlagen«, der »wieder nach der Erde blickt«, vermag es nur, weil
er nichts mehr weiß von dem Grauen, das zuvor geschah.
»Dieses ist lange her.« Auch im Anfang des zweiten Akts,
der ihn nochmals im engen gotischen Zimmer, »ehemals
Faustens, unverändert«, zeigt, naht er der eigenen Vorwelt
nur sich als Schlafender, gefällt von der Phantasmagorie
des Künftigen, der Helenas. Daß im Zweiten Teil so spärlich
der Realien des ersten gedacht wird; daß die Verbindung

sich lockert, bis die Deutenden nichts in Händen halten als die dünne Idee fortschreitender Läuterung, ist selber die Idee. Wenn aber, mit einem Verstoß gegen die Logik, dessen Strahlen alle Gewalttaten der Logik heilt, in der Anrufung der Mater gloriosa als der Ohnegleichen das Gedächtnis an Gretchens Verse im Zwinger wie über Äonen heraufdämmert, dann spricht daraus überselig jenes Gefühl, das den Dichter mag ergriffen haben, als er kurz vor seinem Tod auf der Bretterwand des Gickelhahns das Nachtlied wieder las, das er vor einem Menschenalter darauf geschrieben hatte. Auch jene Hütte ist verbrannt. Hoffnung ist nicht die festgehaltene Erinnerung sondern die Wiederkunft des Vergessenen.

Balzac-Lektüre

Für Gretel

Kommt der Bauer in die Stadt, so sagt ihm alles: verschlossen. Die mächtigen Türen, die Fenster mit Rouleaux, die ungezählten Menschen, die er nicht kennt und zu denen er, bei der Strafe der Lächerlichkeit, nicht sprechen darf, selbst die Geschäfte mit unerschwinglichen Waren weisen ihn ab. Eine derbe Novelle von Maupassant weidet sich an der Blamage des Unteroffiziers, der im fremden Milieu einen respektablen Familienkreis mit einem Bordell verwechselt: diesem, dem Heimlichen und lockend Verbotenen, ähnelt in den Augen des Zugereisten jegliches Versperrte. Cooleys soziologische Unterscheidung primärer und sekundärer Gruppen danach, ob es Beziehungen von Angesicht zu Angesicht gibt oder nicht, bekommt schmerzhaft am eigenen Leib zu spüren, wer jäh von der einen in die andere verschlagen ist. Literarisch war Balzac wohl der erste solche paysan de Paris und behielt seinen Habitus, als er gründlich Bescheid wußte. Aber zugleich inkarnierten sich in ihm die Produktivkräfte des Bürgertums auf der Schwelle zum Hochkapitalismus. Als erfinderisches Ingenium reagiert er aufs Verschlossensein: gut, so werd ich mir ausdenken, was dahinter vorgeht, und da soll die Welt einmal etwas zu hören bekommen. Die Rancune des Provinzialen, der mit empörter Ignoranz an dem sich berauscht, was sie seiner Vorstellung zufolge selbst in jenen allerersten Kreisen treiben, wo man es am letzten erwarte, wird zum Motor exakter Phantasie. Zuweilen kommt die Groschenromantik heraus, mit deren kommerziellem Betrieb Balzac in seiner Frühzeit Kompagnie hatte; zuweilen der Kinderspott von Sätzen des Typus: jedesmal, wenn man freitags gegen elf Uhr vormittags an

dem Haus rue Miromesnil 37 vorbeigeht und die grünen
Läden des ersten Stocks noch nicht geöffnet sind, kann man
sicher sein, daß in der Nacht vorher dort eine Orgie stattfand. Zuweilen aber treffen die kompensatorischen Phan-
tasien des Weltfremden die Welt genauer denn der Realist,
als den man ihn pries. Die Entfremdung, die ihn zum Schreiben veranlaßte, wie wenn jeder Satz der emsigen Feder eine
Brücke ins Unbekannte schlüge, ist selber das geheime Wesen, das er erraten möchte. Was die Menschen voneinander
reißt und sie dem Dichter fernrückt, hält auch die Bewegung
der Gesellschaft in Gang, deren Rhythmus Balzacs Romane
nachahmen. Das abenteuerlich erdachte und unwahrschein-
liche Schicksal des Lucien de Rubempré wird ins Rollen
gebracht von den sachverständig beschriebenen technischen
Veränderungen des Druckverfahrens wie des Papiers, die
Literatur als Massenproduktion ermöglichten; Cousin Pons,
der Sammler, ist außer Mode auch darum, weil er als Kom-
ponist hinter den gleichsam industriellen Fortschritten der
Instrumentationstechnik zurückblieb. Solche Durchblicke
Balzacs wiegen so viel an Forschung auf, weil sie aus einem
Begriff der Sache kommen und ihn wiederum rekonstruieren, den die Forschung verblendet auszumerzen sich bemüht.
Seiner intellektuellen Anschauung ist aufgegangen, daß im
Hochkapitalismus die Menschen, nach dem späteren Ausdruck von Marx, Charaktermasken sind. Verdinglichung
erstrahlt in morgendlicher Frische, den leuchtenden Farben
des Ursprungs, schauerlicher als die Kritik der politischen
Ökonomie am hohen Mittag. Den Agenten eines Beerdi-
gungsinstituts um 1845, der dem Genius des Todes gleicht –
den hat keine Satire des Amerikanismus in den hundert
Jahren danach, auch die Evelyn Waughs nicht überboten.
Desillusion, wie sie einem seiner größten Romane und einer
literarischen Gattung den Namen schenkte, ist die Erfahrung, daß die Menschen und ihre gesellschaftliche Funktion

auseinander klaffen. Den Totalitätscharakter der Gesellschaft, den zuvor die klassische Ökonomie und die Hegelsche Philosophie theoretisch dachten, hat er schlagend aus dem Ideenhimmel zur sinnlichen Evidenz hinabzitiert. Keineswegs bleibt jene Totalität bloß extensiv, die Physiologie des gesamten Lebens in seinen verschiedenen Sparten, welche das Programm der Comédie humaine bilden mochte. Sie wird intensiv als Funktionszusammenhang. In ihr tobt die Dynamik: daß nur als ganze, durchs System hindurch, die Gesellschaft sich reproduziert, und daß es des letzten Mannes als Kunden dazu bedarf. Wohl erscheint das perspektivisch verkürzt, allzu unmittelbar wie stets, wenn Kunst die abstrakt gewordene Gesellschaft anschaulich zu beschwören sich vermißt. Aber die individuellen Schandtaten, mit denen sie sich gegenseitig, sichtbar, den unsichtbar bereits angeeigneten Mehrwert abjagen, lassen das Unwesen so plastisch hervortreten, wie es sonst einzig durch die Vermittlungen des Begriffs hindurch gelingen könnte. Die Présidente braucht zu ihrem Erbmanöver den Winkeladvokaten und die Concierge: Gleichheit ist verwirklicht insofern, als das falsche Ganze alle Klassen einspannt in seine Schuld. Selbst das Hintertreppenhafte, über das literarischer Geschmack wie Weltkenntnis die Nase rümpfen, hat seine Wahrheit: allein am Rande entblößt sich, was in den Schächten der Gesellschaft, der Unterwelt ihrer Produktionssphäre sich zuträgt, und woraus in einer späteren Phase die totalitären Greuel aufstiegen. Balzacs Stunde war solcher exzentrischen Wahrheit günstig, eine ursprünglicher Akkumulation[1]), altertümlicher Conquistadorenwildheit inmitten der französischen industriellen Revolution des früheren neunzehnten Jahrhunderts. Kaum je wohl hat überhaupt die Aneignung fremder Arbeit rein nach den Marktgesetzen sich vollzogen.

[1]) vgl. Georg Lukács, Balzac und der französische Realismus, Berlin 1953, S. 59.

Das Unrecht, das jenen Gesetzen selbst innewohnt, vermehrt sich in dem jeder einzelnen Handlung, ein Surplusprofit der Schuld. Versierte mögen Balzac der schlechten Psychologie von Filmen überführen. Es gibt gute genug bei ihm. Jene Concierge ist kein Ungeheuer schlechthin, sondern war, was ihre Mitbürger eine rührende Person nennen, ehe sie von deren social disease, der Gier, befallen wird. Ebensogut weiß Balzac, wie Kennerschaft – die Sache – das bloße Profitmotiv überflügelt, wie die Produktivkraft über die Produktionsverhältnisse hinausschießt; er weiß auch, wie die bürgerliche Individuation als Wucherung idiosynkratischer Züge zugleich die Individuen, eingefleischte Fresser oder Geizhälse, zerstört; er ahnt das Mütterliche als Geheimnis der Freundschaft; hat den Instinkt dafür, daß dem Edlen die geringste Schwäche zum Verhängnis gereicht, so wie Pons in die Maschinerie des Untergangs durch seine Gourmandise gerät. Daß Madame de Nucingen Dritten gegenüber von einer Aristokratin mit dem Vornamen spricht, um den Anschein zu erwecken, sie verkehre bei ihr, könnte bei Proust stehen. Wo aber Balzac wirklich seinen Personen marionettenhafte Züge leiht, legitimieren sich diese jenseits der psychologischen Sphäre. Im tableau économique der Gesellschaft agieren die Menschen wie die Marionetten auf dessen mechanischem Modell im Schloß von Hellbrunn. Nicht umsonst ähneln viele von Daumiers Karikaturen dem Polichinell. In seinem Geist demonstrieren Balzacs Geschichten die soziale Unmöglichkeit von Wohlgeratenheit und Integrität. Sie grinsen: wer kein Verbrecher ist, muß zugrunde gehen; manchmal schreien sie es heraus. Darum fällt das Licht des Humanen auf Verfemte, die Hure, fähig zur großen Passion und zur Selbstaufopferung, den Galeerensträfling und Mörder, der als interesseloser Altruist handelt. Weil dem physiologischen Verdacht Balzacs die Bürger Verbrecher sind; weil jeder, der unbekannt und undurchdringlich über die Straße flaniert, aussieht, als habe er die Erbsünde der gesamten Gesellschaft begangen – deshalb sind ihm die Verbrecher und Ausgestoßenen Menschen. Das erklärt vielleicht, daß er die Homosexualität, der die Novelle Sarrasine gewidmet ist und auf der die Konzeption Vautrins basiert, der Literatur entdeckte. Angesichts des unwiderstehlich sich durchsetzenden Tauschprinzips mochte er von der geächteten, vorweg hoffnungslosen Liebe etwas wie deren unverstümmelte Gestalt sich erträumen: er traut sie dem falschen Kanonikus zu, der als Banditenhäuptling den Äquivalententausch aufgekündigt hat.

*

Balzac hegte eine besondere Liebe zu den Deutschen, zu Jean Paul, zu Beethoven; sie wurde ihm von Richard Wagner entgolten und von Schönberg. Trotz des visuellen Penchant hat sein Werk überhaupt etwas Musikalisches. Erinnert viele Symphonik des neunzehnten und des beginnenden zwanzigsten Jahrhunderts in ihrem Hang zu großen Situationen, in leidenschaftlichem Anstieg und Sturz, in der ungebärdigen Fülle von Lebendigem an Romane, so sind dafür die Balzacschen, Archetypen der Gattung, musikhaft im Strömenden, Gestalten Hervorbringenden und wiederum in sich Hineinsaugenden, in Setzung und Abwandlung von Charakteren, die auf dem Band des Traums dahintreiben. Scheint die romanhafte Musik wie im Finstern, abgeblendet gegen die Konturen der Gegenständlichkeit, im Kopf deren Bewegung zu wiederholen, so schwirrt der Kopf dem, der, auf die Fortsetzung spannend, Balzacs Seiten umwendet, als wären all ihre Beschreibungen und Aktionen der Vorwand für ein wildes und buntes Getön, das ihn durchflutet. Sie gewähren, was dem Kind die Zeilen der Flöten, Klarinetten, Hörner und Pauken verhießen, ehe es recht Partitur lesen konnte. Ist Musik die im Innenraum entgegenständlichte Welt noch einmal, dann ist der als Welt nach außen projizierte Innenraum von Balzacs Romanen die Rückübersetzung von Musik ins Kaleidoskop. An seiner Beschreibung des Musikers Schmucke läßt sich denn auch entnehmen, worauf seine Germanophilie ging. Sie ist desselben Wesens wie die Wirkung der deutschen Romantik in Frankreich, vom Freischütz und von Schumann bis zum Antirationalismus des zwanzigsten Jahrhunderts. Nicht allein jedoch verkörpert gegenüber dem lateinischen Terror der clarté das deutsche Dunkle im Labyrinth von Balzacs Sätzen ebensoviel an Utopie, wie umgekehrt die Deutschen an der Aufklärung verdrängten. Darüber hinaus mag Balzac auf die Konstellation von Chthonischem und Humanität angesprochen haben. Denn Humanität ist das Eingedenken der Natur im Menschen. Er folgt ihr dorthin, wo Unmittelbarkeit vorm Funktionszusammenhang der Gesellschaft sich verkriecht und an ihm zuschanden wird. So archaisch ist aber auch die poetische Kraft, die in ihm das grimmige Scherzo der Moderne entbindet. Der Allmensch, das transzendentale Subjekt gleichsam, das hinter Balzacs Prosa zum Schöpfer, dem der in zweite Natur verhexten Gesellschaft sich aufwirft, ist wahlverwandt dem mythischen Ich der großen deutschen Philosophie und der ihr korrespondierenden Musik, das alles was ist aus sich selbst heraus setzt. Während solcher Subjektivität das Menschliche beredt wird durch die Kraft ursprünglicher Identifikation mit dem Anderen, als das sie sich selbst weiß, ist sie zugleich immer auch unmenschlich in der Gewalttat, die damit umspringt, es ihrem Willen untertan macht. Balzac rückt der Welt um so näher auf den Leib, je weiter er von ihr sich entfernt, indem er sie schafft. Die Anekdote, der zufolge er in den Tagen der Märzrevolution von den politischen Begebenheiten sich abkehrte und an den Schreibtisch ging mit den Worten: »Kehren wir zur Wirklichkeit zurück«, beschreibt ihn treu, auch wenn sie erfunden sein sollte. Sein Gestus ist der des späten Beethoven, der im Hemd, wütend vor sich hinbrummend, Noten des cis-moll-Quartetts riesenhaft vergrößert an die Wand seines Zimmers malte. Wie in der Paranoia spielen Wut und Liebe ineinander. Nicht anders treiben die Elementargeister ihren Schabernack mit den Menschen und helfen den Armen.

*

Freud ist nicht entgangen, daß der Paranoiker ein System hat wie die Philosophen. Alles hängt zusammen, überall walten Beziehungen, alles dient einem geheimen und sinistren Zweck. Was aber heranreift in der realen Gesellschaft, von der Balzac zuweilen redet, wie jene Gräfinnen, die bien, bien sagen, weil sie ein fließendes Französisch sprechen, ist davon nicht gar zu verschieden. Es formiert sich ein System universaler Abhängigkeiten und Kommunikationen. Die Konsumenten bedienen die Produktion. Können sie die Waren nicht bezahlen, so gerät das Kapital in die Krise, die jene vernichtet. Das Kreditwesen kettet das Schicksal des einen an das des anderen, mögen sie es wissen oder nicht. Das Ganze bedroht die, aus denen es sich zusammensetzt, mit dem Untergang, indem es sie reproduziert, und öffnete, solange seine Oberfläche noch nicht ganz dicht gefügt ist, den Durchblick auf dessen Potential. An den unerwartetesten Stellen der Comédie humaine tauchen als Passanten der Stollen wohlbekannte Personen wieder auf, die Gobsecks, Rastignacs und Vautrins, in Konstellationen, die nur der Beziehungswahn erdenken, nur das Dictionnaire biographique des personnages fictifs de la Comédie humaine ordnen kann. Aber die fixen Ideen, die überall dieselben Mächte am Werk vermuten, bewirken Kurzschlüsse, in denen für einen Augenblick der Gesamtprozeß aufleuchtet. Deshalb schlägt die Entfernung des

25

Subjekts von der Wirklichkeit durch Obsession mit ihr um in exzentrische Nähe.

*

Am frühen Industrialismus gewahrt Balzac, der mit der Restauration sympathisierte, Symptome, die man erst der Phase der Entartung zuzuschreiben pflegt. In den Illusions perdues antizipiert er den Angriff von Karl Kraus auf die Presse; dieser hat auf ihn sich berufen. Gerade die restaurativen Journalisten haben es bei ihm am schlechtesten; der Widerspruch zwischen ihrer Ideologie und dem a priori demokratischen Medium zwingt sie zum Zynismus. Derlei objektive Sachverhalte vertragen sich nicht mit Balzacs Gesinnung. Die Konflikte in der sich durchsetzenden neuen Produktionsweise sind so ungemildert wie seine Phantasie und setzen sich fort in der Struktur seiner Gebilde. Romantischer und realistischer Aspekt überblenden sich in Balzac geschichtlich. Die Financiers, Pioniere der noch nicht etablierten Industrie, sind Abenteurer aus dem Epos, dessen Kategorien der noch im achtzehnten Jahrhundert geborene Dichter ins neunzehnte hinüberrettet. Vor dem Hintergrund der erschütterten, aber fortbestehenden vorbürgerlichen Ordnung nimmt die losgelassene Rationalität etwas Irrationales gleich dem universalen Schuldzusammenhang an, der jene ratio bleibt; in ihren ersten Beutezügen präludiert sie die Irrationalität ihrer Spätphase. Die Normen des homo oeconomicus sind noch nicht zu standardisierten Verhaltensweisen der Menschen geworden; die Jagd nach dem Profit ähnelt noch der Blutgier undomestizierter Jäger, das Ganze der unerbittlich blinden Verkettung von Schicksal. Adam Smith's invisible hand wird bei Balzac zur schwarzen Hand an der Kirchhofsmauer. Wovor Hegels Spekulation in der Rechtsphilosophie ebenso erschrak wie der Positivist Comte, die sprengenden Tendenzen des

Systems, das die naturwüchsigen Strukturen verdrängt, das flammt Balzacs hingerissener Betrachtung als chaotische Natur auf. Seine Epik berauscht sich an dem, was die Theoretiker so wenig vertragen konnten, daß Hegel als Schiedsrichter den Staat beschwor und Comte die Soziologie. Balzac braucht beides nicht, weil in ihm das Kunstwerk selber als jene Instanz auftritt, welche mit weiter Gebärde die zentrifugalen Kräfte der Gesellschaft umfängt.

*

Der Balzacsche Roman lebt von der Spannung zwischen den Leidenschaften der Menschen und einer Verfassung der Welt, die tendenziell Leidenschaft, als Störung des Betriebs, bereits nicht mehr toleriert. Die Leidenschaften steigern sich an den Verboten und Versagungen, denen sie damals wie je unterworfen sind, zur Manie. Unerfüllt, werden sie deformiert zugleich und unersättlich, pathische Eigenheiten. Noch aber verschwinden die Triebe nicht durchaus in den gesellschaftlichen Schemata. Sie heften sich an die weithin noch unerreichbaren Güter, solche zumal, auf denen ein natürliches Monopol liegt, oder treten als Geiz, Geldgier und Gründerwut in den Dienst des expansiven Kapitalismus, der, solange er nicht ganz eingespielt ist, zusätzlicher Energien der Individuen bedarf. Die Parole enrichissez-vous bringt die Figuren Balzacs zum Tanzen. Während die frühindustrielle Welt den an sie noch nicht Adaptierten den Doppelsinn des Wortes Bazar, den von Tausendundeiner Nacht und Warenhaus, von Märchen und Kommerz bis ins zwanzigste Jahrhundert hinein entgegenkehrt – so ließ der Zufall den Namen eines der wichtigsten von Saint-Simons Schülern klingen –, tummeln davor die Leute sich wie Agenten und Irrfahrer zugleich, Agenten des Mehrwerts und Don Quixoten eines Reichtums, von dessen Erweiterung sie, wie Feudale ohne viel Arbeit, etwas zu ergattern hoffen, Glücksritter, anstürmend gegen die Windmühlen der Fortuna, die sie nach dem Gesetz der Durchschnittsprofitrate zu Boden schlägt. So bunt ist der Einbruch des Graus, so bezaubernd die Entzauberung der Welt, so viel läßt von dem Prozeß sich erzählen, dessen Prosa dafür sorgt, daß es bald nichts mehr zu erzählen gibt. Wie der Lyriker der Epoche hat auch ihr Epiker die Blumen des Bösen gepflückt, dort, wo auf dem sozialistischen Volksatlas »Sumpf des Kapitalismus« verzeichnet steht. Mag immer der romantische Aspekt von Balzacs Werk subjektiv von geschichtlicher Zurückgebliebenheit, vom vorkapitalistischen Blick dessen herrühren, der als Opfer der liberalen Gesellschaft sehnsüchtig zurückschaut und dennoch an ihren Prämien partizipieren möchte – er entstammt gleichwohl ebenso der gesellschaftlichen Realität und einer realistischen Formgesinnung, welche auf diese zielt. Balzac braucht nur mit ernüchtert verbissenem »So fürchterlich ist die Welt« sie zu schildern, und die katastrophischen Prätuberanzen werden zur Aureole.

*

Welcher deutsche Leser Balzacs, der gewissenhaft zum französischen Original greift, wäre nicht schon in Verzweiflung geraten über die unzähligen ihm unbekannten Vokabeln für spezifische Differenzen von Gegenständen, die er im Wörterbuch suchen muß, wenn nicht die Lektüre schwimmen soll; bis er dann resigniert und beschämt den Übersetzungen sich anvertraut. Die handwerkliche Genauigkeit des Französischen selber, der Respekt für Nuancen des Materials wie der Bearbeitung, in dem so viel von Kultur sich niederschlägt, mag dafür verantwortlich sein. Aber Balzac outriert das. Zuweilen setzt er die Kenntnis ganzer technischer Terminologien von Spezialgebieten voraus. Das fällt in einen umfassenderen Kontext seines Werkes. Dieser reißt oft mit den ersten Sätzen einer Erzählung den Leser in sich hinein. Präzision fingiert äußerste Nähe zu den Sachgehalten und damit leibhaftige Gegenwart. Balzac übt die Suggestion des Konkreten aus. Sie ist aber so überwertig, daß man ihr nicht arglos nachgeben, sie nicht der ominösen Fülle epischer Anschauung gutschreiben soll. Viel eher ist jene Konkretheit, worauf ihr Eifer verweist: Beschwörung. Um durchschaut zu werden, kann die Welt nicht mehr angeschaut werden. Dafür, daß der literarische Realismus überholt ward, weil er als Darstellung der Realität diese verfehlt, ist kein besserer Zeuge zu zitieren als derselbe Brecht, der dann in die Zwangsjacke des Realismus schlüpfte, als wäre sie ein Maskenkostüm. Er hat gesehen, daß das ens realissimum Prozesse sind, keine unmittelbaren Tatsachen, und sie lassen sich nicht abbilden: »Die Lage wird dadurch so kompliziert, daß weniger denn je eine einfache ›Wiedergabe der Realität‹ etwas über die Realität aussagt. Eine Photographie der Kruppwerke oder der AEG ergibt beinahe nichts über diese Institute. Die eigentliche Realität ist in die Funktionale gerutscht. Die Verdinglichung der menschlichen Beziehungen, also etwa die Fabrik, gibt die letzteren nicht mehr heraus.«[2]) Zu Balzacs Zeit war das noch nicht zu erkennen. Er rekonstruiert die Welt aus den Verdachten des Outsiders. Dazu bedarf er, reaktiv, der permanenten Versicherung, eben so sei es und nicht anders. Konkretion ersetzt jene reale Erfahrung, die nicht bloß den großen Dichtern des industriellen Zeitalters fast unvermeidlicher Weise mangelt, sondern dessen eigenem Begriff inkommensurabel wird. Die Absonderlichkeit Balzacs wirft Licht auf einen Zug der Prosa des neunzehnten Jahrhunderts insgesamt seit Goethe. Der Realismus, dem auch idealisch Gesonnene nachhängen, ist nicht primär, sondern

---

[2]) Bertolt Brechts Dreigroschenbuch, Frankfurt am Main 1960, S. 93 f.

abgeleitet: Realismus aus Realitätsverlust. Epik, die des Gegenständlichen, das sie zu bergen trachtet, nicht mehr mächtig ist, muß es durch ihren Habitus übertreiben, die Welt mit exaggerierter Genauigkeit beschreiben, eben weil sie fremd geworden ist, nicht mehr in Leibnähe sich halten läßt. Jener neueren Gegenständlichkeit, die dann in Werken wie Zolas Ventre de Paris zur Auflösung von Zeit und Aktion, zu einer sehr modernen Konsequenz getrieben ward, wohnt schon in Stifters Verfahrungsweise, ja in den Sprachformeln des späteren Goethe ein pathogener Kern inne, der Euphemismus. Analog setzen Zeichnungen Schizophrener nicht aus dem isolierten Bewußtsein eine Phantasiewelt. Vielmehr kritzeln sie die Details der verlorenen Objekte mit einer Akribie, die Verlorenheit selber ausdrückt. Das, keine ungebrochene Ähnlichkeit mit den Dingen, ist die Wahrheit des literarischen Konkretismus. Nach der Sprache der analytischen Psychiatrie wäre er ein Restitutionsphänomen. Darum ist es so töricht, realistische Stilprinzipien der Literatur einem – nach dem Cliché des Ostbereichs – gesunden, nicht dekadenten Verhältnis zur Wirklichkeit gleichzusetzen. Normal, das Wort emphatisch genommen, wäre dies Verhältnis, wo das dichterische Subjekt das gesellschaftliche Unwesen bannt, indem es die verhärtete und darum entfremdete Fassade der Empirie durchbricht.

*

Marx belegt eine Bemerkung über die kapitalistische Funktion des Geldes im Gegensatz zum altertümlichen Horten mit Balzac: »Verschluß des Geldes gegen die Zirkulation wäre gerade das Gegenteil seiner Verwertung als Kapital, und Warenakkumulation im schatzbildnerischen Sinn reine Narrheit. So ist bei Balzac, der alle Schattierungen des Geizes so gründlich studiert hatte, der alte Wucherer Gobseck schon verkindischt, als er anfängt, sich einen

Schatz aus aufgehäuften Waren zu bilden.«[3]) Der Weg aber, der Balzac zu jener »tiefen Auffassung der realen Verhältnisse« geleitet, die Marx anderswo[4]) ihm attestiert, verläuft in der Gegenrichtung der ökonomischen Analyse. Wie ein Kind fasziniert ihn das Schreckbild und die Narretei des Wucherers. Sein Emblem ist der Schatz, mit dem er infantil sich umgibt. Zur Narretei ist er erst geschichtlich geworden, das vorkapitalistische Rudiment im Herzen des Freibeuters der Zirkulation. Solche blinde Physiognomik, nicht theoretisch orientierte Dichtung genügt der dialektischen Theorie und trifft die Tendenz. Kein legitimes Verhältnis von Kunst und Erkenntnis wird dadurch gestiftet, daß die Kunst der Wissenschaft Thesen abborgt, sie illustriert, ihr vorausläuft, um von ihr eingeholt zu werden. Erkenntnis wird sie, wo sie ohne Vorbehalt der Arbeit an ihrem Material sich anvertraut. Das war aber bei Balzac die Anstrengung einer Phantasie, die nicht rastet, bis ihre Produkte so sehr sich selbst gleichen, daß sie auch der Gesellschaft gleichen, vor der sie retirieren.

*

Von der bürgerlichen Illusion, das Individuum sei wesentlich für sich, und die Gesellschaft oder das Milieu wirke von außen auf es ein, ist Balzac noch, oder schon, frei. Seine Romane stellen nicht nur die Übermacht gesellschaftlicher, zumal ökonomischer Interessen über die private Psychologie dar, sondern auch die gesellschaftliche Genese der Charaktere in sich selber. Vorab werden sie motiviert von ihren Interessen, denen von Karriere und Erwerb, dem Mischprodukt aus feudal-hierarchischem Status und bürger-

---

[3]) Karl Marx, Das Kapital, Berlin 1857, Erster Bd., Buch I, Der Produktionsprozeß des Kapitals, S. 618.
[4]) Karl Marx, a.a.O., Dritter Bd. Buch III, Der Gesamtprozeß der kapitalistischen Produktion, S. 60.

lich-kapitalistischer Verfügung. Dabei jedoch ist die Divergenz zwischen menschlicher Bestimmung und sozialer Rolle agnostiziert. Die kraft ihrer Interessen als Räder des Getriebes Fungierenden behalten ein Residuum an Eigenschaften, das sie in der späteren Entwicklung einbüßen. Es geht mit den Interessen und der Interessenpsychologie nicht zusammen. Die gleichen Personen, die als Wirtschaftsführer ihre Konkurrenten gleichermaßen mit ökonomischen und kriminellen Mitteln ruinieren, ruinieren bei Balzac sich selbst, wenn der Sexus sie übermannt, für den die Interessen ihnen keine Zeit ließen. Täppisch verfällt der ältliche, brutale und gewissenlose Nucingen der blutjungen Esther, die ihn nach Hurenart und besten Kräften um sich selber betrügt, weil sie der Engel ist, der vergebens unter die Glücksräder sich wirft, den Geliebten zu erretten.

*

Den von einem Tag zum anderen als Journalisten arrivierten Lucien Chardon sucht der Herzog de Rhétoré für die Sache des Royalismus zu gewinnen mit den Worten: »Vous vous êtes montré un homme d'esprit, soyez maintenant un homme de bon sens.« Er hat damit die bürgerliche Ansicht von Vernunft und Verstand kodifiziert. Sie ist das Gegenteil dessen, was Kant darüber verkündet. Geist – die »Ideen« – leiten, »regulieren« nicht den Verstand, sondern behindern ihn. Balzac diagnostiziert jene Gesundheit, die tödliche Angst davor hat, einer könne zu gescheit sein. Wer vom Geist beherrscht wird, anstatt ihn als Mittel zu beherrschen, dem geht es um die Sache als Zweck. Immer wieder unterliegt er, etwa in Gremien, solchen, denen diese gleichgültig ist, er hält sie nur auf. Sie können ihre ungeschmälerte Energie der Taktik widmen, etwas zu erreichen. Ihren Erfolgen gegenüber wird der Geist zur Dummheit. Reflexion, die in den je gegebenen Situationen, Forderungen, Notwendigkeiten nicht sich bescheidet, Unnaivetät also, versagt als Naivetät. Nicht bloß sind bon sens und esprit nicht dasselbe, sondern zwischen ihnen herrscht eine Antinomie. Wer esprit hat, wird die Desiderate des bon sens kaum recht kapieren: »Die Sprache der Menschen verstand ich nie.« Der bon sens aber ist allemal auf dem Qui-vive, den esprit als Versuchung zu eitler Ausschweifung von sich abzuwehren. Was der Psychologe Lipps die Enge des Bewußtseins nannte, die keinem Menschen allseitig, über den beschränkten Vorrat seiner libidinösen Kräfte hinaus sich zu aktualisieren erlaubt, das sorgt dafür, daß man nur das eine haben kann oder das andere. Die unangekränkelt mitspielen, verachten die anima candida als Trottel. Jene Unfähigkeit der Menschen, über ihre unmittelbare, von Aktionsobjekten angefüllte Interessensituation sich zu erheben, liegt nicht primär am bösen Willen. Der Blick, der das Nächste übersteigt, läßt es als Schlechtes hinter sich und erschwert zu funktionieren. Heutzutage fehlt es nicht an Studenten, die fürchten, durch Theorie allzu viel über die Gesellschaft zu lernen: wie sollten sie dann noch die Berufe ausüben, zu denen ihr Studium sie qualifiziert. Sie gerieten in das, was sie soziale Schizophrenie zu nennen lieben. Als wäre es die Aufgabe des Bewußtseins, damit es besser zurecht kommt, für sich Widersprüche wegzuräumen, die gar nicht im Bewußtsein ihren Ort haben sondern in der Realität. Ebensowohl stellt diese, als Reproduktion des Lebens, legitime Forderungen an die Individuen, wie sie durch die gleiche Reproduktion sich selbst und alle tödlich bedroht. Dem selbsterhaltenden Verstand gereicht zu viel Vernunft zum Schaden. Umgekehrt befleckt jegliche Konzession an den Betrieb der herrschenden Praxis nicht nur den Geist, der sich nicht beirren lassen will, sondern sistiert seine Bewegung, verdummt ihn.

*

Engels hat in jenem Altersbrief an Margaret Harkness, den man in der marxistischen Ästhetik verhängnisvoll kanonisierte, den Balzacschen Realismus verherrlicht[5]). Er mag ihn dabei für realistischer genommen haben, als sein œuvre siebzig Jahre später sich liest. Das dürfte der Doktrin des sozialistischen Realismus einiges von der Autorität entziehen, die sie mit dem Engels'schen Votum begründet. Wesentlicher jedoch ist, wieweit Engels selbst von der später offiziellen Theorie abweicht. Wenn er Balzac »allen vergangenen, gegenwärtigen und zukünftigen Zolas« vorzieht, kann er schwerlich etwas anderes gemeint haben als jene Momente, durch die der Ältere weniger realistisch ist als der szientifisch gesonnene Nachfahre, der nicht umsonst den Begriff des Realismus durch den des Naturalismus ersetzte. Wie in der Geschichte der Philosophie jeder Positivist dem auf ihn folgenden nicht positivistisch genug, sondern ein Metaphysiker ist, so geht es auch in der Geschichte des literarischen Realismus zu. In dem Augenblick aber, in dem der Naturalismus auf die protokollarische Darstellung der Fakten sich vereidigen ließ, schlug der Dialektiker sich auf die Seite dessen, was die Naturalisten nun als Metaphysik verfemten. Er sträubt sich gegen die automatisierte Aufklärung. Geschichtliche Wahrheit selber ist am Ende nichts anderes als jene im permanenten Zerfall des Realismus hervortretende, sich erneuernde Metaphysik. Gerade die Fassadentreue eines von den Balzacschen Deformationen gereinigten Verfahrens harmoniert wie in der Kulturindustrie so im sozialistischen Realismus mit eingelegten Intentionen, durch die Balzacs Erzählertum für keine Sekunde sich ablenken läßt: Planung bestätigt sich an entstrukturierten Daten, das literarisch Geplante aber ist die Tendenz.

[5]) Engels an Margaret Harkness, London April 1888; in: Karl Marx – Friedrich Engels, Über Kunst und Literatur, Berlin 1953, S. 122 f.

Gegen diese, und damit implizit gegen alle seit Stalin im Osten tolerierte Kunst, kehrt sich die Spitze der Sätze von Engels. Ihm bewährt die Größe von Balzac sich eben an den Darstellungen, die dessen eigenen Klassensympathien und politischen Vorurteilen entgegenlaufen, die legitimistische Tendenz desavouieren. Der Dichter ist mit dem Weltgeist, weil die Kraft ursprünglicher Erzeugung, die seine Prosa durchwaltet, kollektiv ist, eins mit der geschichtlichen. Engels nennt das den größten Triumph von Balzacs Realismus, die »revolutionäre Dialektik in seiner poetischen Gerechtigkeit«.[6]) Dieser Triumph aber war daran gebunden, daß Balzacs Prosa vor den Realien nicht sich beugt, sondern sie anstarrt, bis sie transparent werden aufs Unwesen. Lukács hat das zaghaft angemeldet[7]). Um so weniger handelt es sich bei Engels, wie jener sogleich wieder beteuert, »um die Rettung der unvergänglichen Größe seines« – des Balzacschen – »Realismus«. Dessen eigener Begriff ist keine konstante Norm: Balzac hat um der Wahrheit willen an ihr gerüttelt. Invarianten sind auch dann unvereinbar mit dem Geist von Dialektik, wenn der Hegelsche Klassizismus sie vindiziert.

*

Als Zirkulationsmittel, Geld, erreicht und modelt der kapitalistische Prozeß die Personen, deren Leben die Romanform einfangen will. In dem Hohlraum zwischen den Vorgängen an der Börse und den tragenden der Wirtschaft, von der jene temporär sich ablöst, sei's, daß sie ihre Bewegungen diskontiert, sei's, daß sie nach eigener Dynamik sich verselbständigt, drängt individuelles Leben inmitten

[6]) 13. Dezember 1883, an Laura Lafargue, Correspondance Friedrich Engels - Paul et Laura Lafargue, Paris 1956, S. 154.
[7]) Georg Lukács, Karl Marx und Friedrich Engels als Literaturhistoriker, Berlin 1952, S. 65.

der totalen Fungibilität sich zusammen und besorgt doch durch seine Individuation hindurch die Geschäfte des Funktionszusammenhangs: das ist das Klima der Rothschildfigur des Barons Nucingen. Aber die Zirkulationssphäre, von der Abenteuerliches zu erzählen ist – Wertpapiere stiegen und fielen damals wie die Tonfluten der Oper –, verzerrt zugleich die Ökonomie, mit der der Schriftsteller Balzac so leidenschaftlich sich engagierte wie in seiner Jugend als homme d'affaires. Die Inadäquanz seines Realismus datiert schließlich darauf zurück, daß er, der Schilderung zuliebe, den Geldschleier nicht durchbrach, kaum schon ihn durchbrechen konnte. Wo die paranoide Phantasie überwuchert, ist er denen verwandt, welche die Formel des über den Menschen waltenden gesellschaftlichen Schicksals in Machenschaft und Verschwörung von Bankiers und Finanzmagnaten in Händen zu halten wähnen. Balzac ist Glied einer langen Reihe von Schriftstellern, die von Sade, in dessen Justine die Balzacsche Fanfare »insolent comme tous les financiers«[8]) vorkommt, bis zu Zola und dem früheren Heinrich Mann reicht. Im Ernst reaktionär an ihm ist nicht die konservative Gesinnung sondern seine Komplizität mit der Legende vom raffenden Kapital. In Tuchfühlung mit den Opfern des Kapitalismus, vergrößert er zu Monstren die Exekutoren des Urteils, die Geldleute, die den Wechsel präsentieren. Die Industriellen aber werden, soweit sie überhaupt vorkommen, Saint-Simonistisch der produktiven Arbeit zugerechnet. Entrüstung über die auri sacra fames ist ein Stück aus dem ewigen Vorrat bürgerlicher Apologetik. Sie lenkt ab: die wilden Jäger teilen bloß die Beute. Auch dieser Schein aber ist nicht aus dem falschen Bewußtsein Balzacs zu erklären. Die Relevanz des Geldkapitals, das die Expansion des Systems bevorschußt, ist im Frühindustria-

8) Marquis de Sade, Histoire de Justine, Tome I, en Hollande 1797, p. 13.

lismus unvergleichlich viel größer als später, und dem entsprechen die Usancen, solche von Spekulanten und Wucherern. Dort kann der Romancier besser zupacken als in der eigentlichen Sphäre der Produktion. Eben weil in der bürgerlichen Welt vom Entscheidenden nicht sich erzählen läßt, geht das Erzählen zugrunde. Die immanenten Mängel des Balzacschen Realismus sind potentiell bereits das Verdikt über den realistischen Roman.

*

Was Hegel für den Weltgeist galt, die große geschichtliche Bewegung, war der Aufstieg des kapitalistischen Bürgertums. Ihn malt Balzac als Bahn der Verwüstung. Die Traumata, welche der ökonomische Sieg der Bourgeoisie in der traditionalistischen Ordnung zurückläßt, prophezeien in seinen Romanen die düstere Zukunft, welche das Unrecht, das die junge Klasse von der gestürzten alten ererbt hat und weiterträgt, an jener wiederum ahndet. Das hat die Comédie humaine noch im Veralten jung erhalten. Ihr Elan, ihre Dynamik aber ist die neugeborene des wirtschaftlichen Aufschwungs. Er verleiht dem Zyklus seinen symphonischen Atem. Noch der Widerstand gegen die Tendenz ist von dieser inspiriert. Was De Coster, der manche Züge mit Balzac teilt, freilich sie schon ins saftig Affirmative verdarb, seinem Hauptwerk als Untertitel beigab: ein fröhliches Buch trotz Tod und Tränen, darf auch der Autor der Contes drôlatiques reklamieren. Der gesamtgesellschaftliche Fortschritt, der die Comédie humaine durchfährt, ist nicht eins mit der Kurve des individuellen Lebens. Er überglänzt noch die Opfer all der Ränke derart, wie es heute selbst Glücklichen, falls solche in irgendeine Darstellung sich verirrten, nicht mehr zukäme. Die pubertäre Lust, Balzac zu lesen, nährt sich daran, daß über der Qual alles Einzelnen wortlos das Versprechen einer Gerechtigkeit des Ganzen regenbogenhaft sich wölbt. Das materielle Fundament der beiden Rubempré-Romane wird in der Geschichte von David Séchards Erfindung gelegt. Provinzielle Gauner betrügen ihn um deren Frucht. Aber die Erfindung setzt sich durch, und der Anständige erlangt nach allen Katastrophen durch Erbschaft doch noch bescheidenen Wohlstand. Ulrich von Hutten, der verfolgt und syphilitisch zugrunde geht und ausruft, es sei eine Freude zu leben, ist wie das Urbild von Balzacs Figuren, aus jener bürgerlichen Vorwelt, deren Schründe und Schroffen der Blick des Romanciers vom Gipfel herab wiedererkennt.

*

Lucien de Rubempré beginnt als schwärmerischer Jüngling mit hohen literarischen Ambitionen. Balzac mag zweifeln am Rang der Begabung dessen, der mit Blumensonetten und einer Nachahmung der bestseller-Romane von Walter Scott debütiert. Aber er ist zart, verletzlich, all das, was später differenziert und introvertiert heißt. Soviel Talent hat er jedenfalls, um einen neuen Typus feuilletonistischer Theaterkritik zu kreieren. Aus ihm wird ein Gigolo, der Komplize seines Retters, des großen Verbrechers, den er schließlich selber verrät. Wer naiv, ohne die Hände sich zu beschmutzen, mit dem Geist umgeht, der ist, nach den mores der Welt, die er sich nicht hat lehren lassen, verwöhnt. Er weigert sich der Trennung von Glück und Arbeit. Noch in dieser und ihrer Anstrengung sucht er nicht mit dem sich zu besudeln, womit paktieren muß, wer es zu etwas bringen will. Sehr präzis wählt der Markt aus zwischen dem, was ihm als geistige Selbstbefriedigung des Intellektuellen anrüchig ist, und dem Geschätzten, gesellschaftlich Nützlichen, das den Geist von Herzen anwidert, der es leistet; belohnt wird sein Opfer im Tausch. Wer nicht bereit ist, es zu bringen, will es auch sonst gut haben: das macht ihn anfällig. Die Konfiguration von Reinheit und Egoismus läßt ins Bereich des Weltfremden die Welt ein. Weil er den bürgerlichen Eid verweigerte, tendiert sie dazu, ihn unters Bürgerliche hinabzustoßen, den Bohémien zum feilen Schreiberling, zum Lumpen zu degradieren. Leichter versumpft er als die anderen, bemerkt es nicht einmal recht, und das nutzt der Weltlauf als strafverschärfenden Umstand. Vertrauensselig schliddert Lucien in Verhältnisse hinein, deren Implikationen der Trunkene nur halb durchschaut. Sein Narzißmus wähnt, Liebe und Erfolg gelte ihm selber, wo er von vornherein bloß als fungible Figur eingesetzt wird. Sein Glücksverlangen, noch nicht von realitätsgerechter Anpassung gedämpft und gemodelt, verschmäht die Kontrollen, die ihm anzeigen könnten, daß die Bedingungen seiner Befriedigung die geistiger Existenz – Freiheit – zerstören. Bewußtlos gewinnt in ihm das parasitäre Moment die Oberhand, das allen Geist verunstaltet: von dem, was die Bürger Idealismus nennen, ist nur ein Schritt zur Soldknechtschaft dessen, der, sei's auch zu Recht, sich zu gut ist, sein Leben durch bürgerliche Arbeit zu erwerben, und blind sich abhängig macht von dem Gleichen, wovor er zurückzuckt. Selbst die Grenze zwischen dem ihm Erlaubten und dem Verrat verwischt sich ihm: ihr Bewußtsein kräftigt sich allein in dem Treiben, über das er sich erhaben dünkt. Zwischen der enthusiastischen Liebschaft mit Coralie und der Korruption vermag Lucien nicht zu unterscheiden. Gar zu offen und plötzlich jedoch stürzt der Naive sich hinein, als daß es gut ausgehen könnte; die Abkürzung wird als Verbrechen gerächt, weil sie sozusagen unschuldig einbekennt, was auf den Dschungelpfaden bürgerlicher Äquivalenz sich versteckt. Dem Talent, das, anstatt in der Stille sich zu bilden, den Kopfsprung in den Strom der Welt wagt, winkt der Strick. Aus Antonio aber ist der zynische Moralist Vautrin geworden. Er klärt den gescheiterten Jüngling auf, der nicht nur seine Illusionen verlieren mußte, sondern zu dem Abscheulichen werden, worüber die Illusionen ihn betrogen.

*

Zu den Trouvailles des Literaten Balzac rechnet die Nichtidentität von Geschriebenem und Schreibendem. Ihre Kritik war seit Kierkegaard eines der bestimmenden Motive des Existentialismus. Balzac ist diesem überlegen. Er installiert nicht den Schreiber als Maß des Geschriebenen. Zu tief ist sein Ingenium mit Handwerk durchtränkt, zu genau weiß der Schriftsteller, daß Dichtung im reinen Ausdruck eines vermeintlich unmittelbaren Selbst nicht sich erschöpft, als daß er anachronistisch den Dichter mit der Pythia verwechselte, deren Stimme einzig von der Inspiration aus der eigenen Tiefe tönt. Von dem Muffigen einer solchen ideologischen Ansicht vom Dichter – der gleichen, die dann zur Hetze gegen den Literaten taugte – war der Katholik so frei wie vom sexuellen Vorurteil und jeglichem Puritanismus. Er gönnt dem Gedanken den Luxus, über die Person hinweg auszuschweifen, die ihn denkt. Lieber nehmen seine Romane das Wort des Seiltänzerkindes Mignon sich zur Richtschnur: So laßt mich scheinen, bis ich werde. Die gesamte Comédie humaine ist eine mächtige Phantasmagorie, ihre Metaphysik die des Scheins. In dem Augenblick, in dem Paris zur ville lumière wird, ist es die Stadt eines anderen Sterns. Die Bedingungen dafür, als solche sie zu erkennen, sind gesellschaftlich. Sie reißen den Geist hoch über die Zufälligkeit und Fehlbarkeit dessen, der zu seinem Besitzer wird; auch die geistige Produktivkraft multipliziert sich vermöge der Arbeitsteilung, welche die Existentialisten ignorieren. Was Lucien überhaupt an Talent hat, blüht hektisch auf im Widerspruch zu dem, was er ist, und zu seinem Ideal. Einzig dank dessen, was die Gediegenen als Windigkeit des Literaten in Wut versetzt, ist er ein paar

Monate lang wirklich ein Schriftsteller. Die Nichtidentität des Geistes mit seinen Trägern ist dessen Bedingung und dessen Makel in eins. Sie bekundet, daß er nur inmitten des Bestehenden, von dem er sich loslöst, das vertritt, was anders wäre, und daß er es schändet, indem er es bloß vertritt. Im arbeitsteiligen Betrieb ist er der Statthalter der Utopie und verhökert sie, macht sie dem Existierenden gleich. Allzu existentiell ist der Geist, nicht zu wenig.

Valérys Abweichungen

Für Paul Celan

Kurz nacheinander sind auf deutsch zwei Bände mit Prosa von Paul Valéry erschienen. Der Insel-Verlag bringt, in einer vorzüglichen Übersetzung von Bernhard Böschenstein, Hans Staub und Peter Szondi, eine Auswahl aus den Merkbüchern. Der Titel ›Windstriche‹ gibt das ›Rhumbs‹ des Originals wieder, Teilstriche auf der Windrose, sodann die Winkel zwischen einem dieser Striche und dem Meridian, also die Abweichung eines Kurses von der Nordrichtung; von Valéry gemeint sind »Abweichungen von einer bestimmten, von meinem Geist bevorzugten Richtung«. (W9) – Die Bibliothek Suhrkamp hat die ›Pièces sur l'art‹ aufgenommen und nennt sie verkürzt ›Über Kunst‹[1]). Die Übertragung stammt von Carlo Schmid, vermutlich dem ersten und einzigen deutschen Politiker von den front benches, der Valérys Rang und Namen kennt und heroisch die Zeit für derlei schwierige und anspruchsvolle Texte sich abringt. Die beiden Bände sind angesiedelt an den Gegenpunkten der Prosaschriftstellerei des Lyrikers. Der eine enthält Einfälle, deren er als Mann der Ordnung, einem Passus des Vorworts zufolge, kokett sich schämt; der andere offizielle Äußerungen bei Gelegenheit von Ausstellungen und Ähnlichem. In ihnen zeigt Valéry zuweilen den Gestus des Mitglieds der Akademie; ihm gefährlicher vielleicht denn der »Schein des Lebens« von Notizen, deren unterirdischer Zusammenhang ihnen mehr an Einheit und Form verleiht, als Außenarchitektur ihnen hätte verschaffen können.

Die späte Stunde der Publikation mag den beiden

---

[1]) Im folgenden steht W für ›Windstriche‹, K für ›Über Kunst‹.

Büchern in Deutschland günstig sein. Nicht nur vereinen sie, gleich Proust, das Fortgeschrittene mit einer heute hierzulande seltenen Autorität des Gelingens. Sondern das Spannungsfeld Valérys nimmt um dreißig Jahre das der gegenwärtigen Kunst: das von Emanzipation und Integration, vorweg. Hochmütig spricht Valéry gelegentlich sich selbst die Qualifikation zum Ästhetiker ab (K 114), will damit freilich das Versagen der Schulphilosophie vor den Fragen der aktuellen Produktion treffen, ähnlich wie er der Literarhistorie die sachliche Zuständigkeit abstreitet (K 161). Wohl ist er viel zu gescheit, um nicht einem Ressentiment sich verdächtig zu machen, dem er auf den Grund sah: »Man nennt den andern einen Sophisten, wenn man fühlt, daß man dümmer ist als er. Wer das Denken nicht angreifen kann, greift den Denkenden an.« (W 99) Aber sein Gedanke schärft sich durch rückhaltlose Preisgabe ans Objekt, nie durchs Spiel mit sich selber. Darüber zergehen ihm die Clichés, deren Demontage mittlere Intellektuelle der Eitelkeit dessen aufzubürden pflegen, der es um jeden Preis besser wissen wolle. Die Fähigkeit, Kunstwerke von innen, in der Logik ihres Produziertseins zu sehen – eine Einheit von Vollzug und Reflexion, die sich weder hinter Naivetät verschanzt, noch ihre konkreten Bestimmungen eilfertig in den allgemeinen Begriff verflüchtigt, ist wohl die allein mögliche Gestalt von Ästhetik heute. Sie bewährt sich daran, daß Valérys Formulierungen kaum andere Kritik dulden als eine, die sie weiterdenkt.

Das Wort Ästhetik hat mittlerweile jenen leise archaischen Klang angenommen, den Valérys Sensorium an so vielem anderen, wie der Tugend, als erster registrierte. Als Lehre vom Schönen, die dessen Gesetze ein für allemal aufrichten möchte – und der Wille dazu war Valéry nicht fremd, so wenig er auch ihm sich verschrieb –, ist sie so reaktionär geworden wie das mit jener Konzeption von

Kunst verschwisterte Pathos, das sie über die empirische Realität, die Gesellschaft, ins Absolute erhöht. Dies Pathos hat Valéry von Mallarmé ererbt, obwohl der Essay über Manets Triumphzug in den Stücken über die Kunst gebietend auch über die Parole l'art pour l'art sich erhebt, die man ihm so einfältig zuschiebt; er preist und deutet den Maler als den, welchen Zola nicht weniger geliebt habe als Mallarmé. Aber es ist in der französischen Avantgarde üblich geworden, Valéry unter die Reaktionäre einzureihen, und das wird gewiß seine deutsche Rezeption beeinträchtigen. Nach Bemerkungen von Pierre Jean Jouve gehörte er auf die Baudelairesche Rechte. Dorthin verweise ihn der herrschaftlich-klassizistische Kultus der Form, der samt seinen finstern politischen Implikationen schon einen Aspekt Baudelaires selber abgab und dann in Mallarmé von den sozialrevolutionären Impulsen der Fleurs du mal sich schied, während der linke Baudelaire über Rimbaud in den Surrealismus mündete. Die Surrealisten haben Valéry in Verruf gebracht. Er muß es sich schon gefallen lassen, daß man auf ihn selber eine Nietzsches würdige Stelle der Windstriche anwendet: »Der Haß bewohnt den Gegner, erforscht seine Tiefen und zergliedert die feinsten Wurzeln der Absichten, die er in seinem Herzen hegt. Wir erkennen ihn besser als uns selbst und besser, als er sich selber erkennt. Er vergißt sich, wir vergessen ihn nicht. Denn wir nehmen ihn durch eine Wunde wahr, und keiner unserer Sinne ist so stark, keiner vergrößert so sehr und bestimmt so genau, wovon er getroffen wird, wie ein verletzter Teil unseres Wesens.« (W 98) Den Büchern mangelt es nicht an schlicht Reaktionärem, von einer Verbeugung vor Mussolini als dem »machtvollen Willen, der jenseits der Berge das Regiment führt« (K 146), über die sich anbiedernde Behauptung, es bedürfe »gesellschaftlicher Ordnungen, die eine Aristokratie gelten lassen und erhalten, der es weder an Reichtum noch an Geschmack gebricht und die den Mut zu dem Gepränge in sich fühlt, das zu ihr gehört« (K 60), bis zur fatalen Moltkeschen Befriedigung: »Diese Welt süßer Beglückung ist nicht unsere Welt, und ich behaupte, daß man dessen im Grunde froh sein muß.« (K 67) Antipolitisch war Valéry wie der Thomas Mann der ›Betrachtungen‹. Pointiert jedoch hat er seine Haltung eher in Worten, die bei Karl Kraus stehen könnten: »Politik ist die Kunst, die Leute daran zu hindern, sich um das zu kümmern, was sie angeht.« (W 32) Die antipolitische Intention ist leicht genug der reaktionären des Privatiers gleichzusetzen. Aber der Vorwurf wäre zu kurzatmig. Valéry beschreibt eine politische Versammlung: »Einer besteigt die Tribüne, Tumult, tierische Schreie, die ›verstimmte‹ Opposition, usw. Er beginnt... Ist es eine Rede? Doch nach und nach tritt, eindringlich, die Arbeit des Denkens hervor, beginnt zu wirken. Das Denken selbst zeigt sich an der Arbeit. Es gibt keine billigen Lösungen mehr, keine einfachen Formeln, keine politischen Programme, keine parlamentarische Taktik, keine überraschenden Vergleiche, keine schlagkräftigen Entgegnungen... Sondern die ungeheure schöpferische Verlegenheit, die sich vortastet, unbekannte Zukunft, unvertraute Gegenwart, mangelhafte Logik, ungestaltetes Wissen, Verfolgung falscher Fährte, der ungreifbare Gegenstand, das grobschlächtige Wort, die Entscheidung immer in der Schwebe... Alles, was die Kunst des Redners verdeckt, alles, worin das Denken ursprünglich mit der wirklichen Wirrnis der Dinge übereinstimmt, wird sichtbar...« (W 32 f.) Den gleichen Widerwillen gegen das Überredende zeigt Valéry auch als Ästhetiker, etwa gegen Wagner. Er findet es allgemein »unwürdig, zu verlangen, daß die andern unserer Meinung seien« (W 67). Seine Aversion gegen Politik als Herrschaftstechnik und als Gestalt von Ideologie schießt hinaus über jenes engagement, das man dem Artisten so pharisäisch predigt. Was sich gebärdet wie das ça ne me regarde pas des Pariser Individualisten, sympathisiert insgeheim mit der Anarchie.

Dennoch affiziert Valérys antipolitisch-politischer parti pris auch sein künstlerisches Urteil. Dann geht er unter das Niveau; so wenn er bewundert, »daß man es einmal fertig gebracht hat, zwanzig menschliche Gestalten auf die Leinwand oder den Kalk zu werfen und dies in den mannigfaltigsten Haltungen, und daß es um sie her weder an Früchten, noch an Blumen, noch an Bäumen, noch an Baulichkeiten mangelte« (K 98). Weil man es heute so gut nicht mehr habe, passieren sogar Sätze wie: »Der ausschließliche Geschmack am Neuen verrät eine Entartung des kritischen Sinns, denn nichts ist einfacher, als über die Neuheit eines Werks zu urteilen.« (W 121) Oder: »Die Künste halten mit dem Hasten nicht Schritt. Zehn Jahre dauern unsere Ideale! Der abgeschmackte Wahnglaube an das Neue – der unheilvollerweise an die Stelle des alten und wohltätigen Glaubens an das Urteil der Nachwelt getreten ist – richtet vor dem eifernden Fleiße das trügerischste aller Ziele auf und mißbraucht ihn dazu, das Allervergänglichste zu schaffen, zu schaffen, was schon seinem Wesen nach vergänglich sein muß: den Reiz des Neuen.« (K 148) Veraltet auch an den Kunstwerken genau der »Reiz des Neuen«, so werden doch die, welche eines solchen Reizes entraten; welche nicht in ihm das eingeschliffene Bewußtsein ihrer Epoche durchbrechen, zu dem auch das dubiose Vertrauen aufs Urteil der Nachwelt rechnet, schwerlich alt werden.

Aber nur an den reaktionären Momenten ist abzulesen, was in Valéry weitertreibt. Denn über seine Bücher ist nicht Progressives und Regressives ausgestreut, sondern das Progressive wird dem Regressiven abgezwungen und transformiert dessen Schwerkraft in den eigenen Elan. Der Theoretiker Valéry hat, wie man es wohl auszudrücken pflegt, zwischen den Extremen Descartes und Bergson die

Brücke geschlagen. Aber dem Cartesianer in ihm, dem Hüter eingeborener ewiger Ideen, ebenso wie dem Bergsonianisch aufs Fließende, »Unbestimmte« Horchenden, das der begrifflichen Fixierung spottet, muß Hegel ursprünglich überaus fern gewesen sein, der bewegt denkt und doch in harten Umrissen, ohne jeglichen schwebenden oder fließenden Übergang. Um so nachdrücklicher das Plaidoyer für die Dialektik, zu der Valéry gegen Bildung und Temperament, lediglich durch die »Freiheit zum Objekt« genötigt wird, dem er denkend gerecht zu werden trachtet. Sein philosophisches Wesen, hartnäckig wie anschlagende Wellen, unterspült das Gemeinsame der beiden philosophischen Erzfeinde, die Illusion des Unmittelbaren als eines schlechterdings sicheren Ersten. Die Kritik am Ausgang vom je eigenen Bewußtsein als solcher Unmittelbarkeit und die implizite Wendung gegen die Reinheit dessen, der nicht sich zu entäußern vermag, hat Valéry selbst vollzogen in einem Gedankenexperiment, das man in der Phänomenologie, vielleicht auch in der Rechtsphilosophie des seit Cousin bis zur jüngsten deutschen Welle in Frankreich vergessenen Hegel vermutete: »Ein Mensch, der alles nur nach seiner Erfahrung einschätzen würde, der über nichts urteilen würde, was er nicht gesehen und erlebt hat, der sich nur selbständig entschiede, der sich ausschließlich aus den Tatsachen geschöpfte, vorläufige und begründete Meinungen erlaubte, der bei jedem Gedanken, der ihm käme, gleich hinzusetzte, er habe ihn selber erzeugt oder gelesen oder gehört (der eine sei zufälliger und unbekannter Herkunft, der andere nur ein Echo); und was er irgend denke oder verstehe, sei alles nur durch Zufall oder Widerhall vermittelt – der wäre wohl der ehrlichste, selbständigste und wahrhaftigste Mensch auf Erden. Doch seine Reinheit würde ihn hindern sich mitzuteilen, und seine Wahrhaftigkeit verurteilte ihn zum Nichtsein.« (W 33 f.) So wenig in der unmittelbaren Gewiß-

heit des ego cogitans autarkisch sich leben läßt, so wenig
stichhaltig ist der Glaube an Natur als Unmittelbarkeit:
»Keine Anschauung ist naiver als diejenige, die alle dreißig
Jahre zur Entdeckung der ›Natur‹ führt. Es gibt keine Natur. Oder genauer: was man als gegeben annimmt, ist allemal, früher oder später, hergestellt worden. Der Gedanke,
daß man Dinge wieder in ihrer Ursprünglichkeit erfaßt, ist
von erregender Kraft. Man stellt sich vor, es gebe ein solches
Ursprüngliches. Doch das Meer, die Bäume, die Sonnen –
und gar das Menschenauge –, all das ist Kunst.« (W 35)
In den Essays ›Über Kunst‹ erweitert sich das zu einer
Denunziation jenes ästhetischen Wald- und Wiesenbegriffs
vom Einfachen, den der Philister als Winckelmannsches
Erbe hütet: »Der Wille zum Einfachen in der Kunst ist
immer tödlich, wo er sich selbst genug sein will und uns
verführt, uns um eine anfallende Mühsal zu drücken.« (K 78)
Unmittelbares, Einfaches ist für Valéry wie für Hegel nicht
das Erste sondern Resultat einer Vermittlung. Das erläutert
er an einer Anekdote von chinesischer Schönheit: »Einer der
ruhmvollsten Meister der Reitkunst aller Zeiten erhielt, arm
und alt geworden, vom Zweiten Kaiserreich eine Stall-
meisterstelle in Saumur. Dorthin kam eines Tages, ihn zu
besuchen, sein Lieblingsschüler, ein junger Rittmeister und
glanzvoller Reiter. Baucher sagte zu ihm: ›Ich will für Sie
ein wenig in den Sattel steigen‹. Man hebt ihn auf ein
Pferd; er durchquert die Bahn im Schritt, kommt zurück ...
Der andere, geblendet, sieht einen vollkommenen Kentau-
ren daherkommen. ›So‹, sprach der Meister zu ihm, ›ich mag
keine Wichtigtuerei. Ich stehe auf dem Gipfel meiner Kunst:
Reiten im Schritt und dies fehlerlos.‹« (a.a.O.) Wie er das
Unmittelbare als vermittelt durchschaut, so ist er offen fürs
Unmittelbare als telos der Vermittlung. Das ist ihm Kultur.
Die Kunst der Renaissance habe dem italienischen Volk
»nicht als Dreingabe« gegolten, nicht »als etwas, das nur

in Ausnahmefällen zum Dasein gehört, sondern als eine seiner natürlichen und so gut wie notwendigen Bedingungen, deren Fehlen ihm eine spürbare Entbehrung bedeuten würde« (K 155). Von dem ist nicht weit zur Hegelschen Definition von Kunst als einer Erscheinung der Wahrheit. Die Wahlverwandtschaft reicht bis in die Logik hinein. In der Hegelschen des Wesens würden Analysen keine üble Figur machen wie: »Aussagen haben stets mehrere Bedeutungen, deren bemerkenswerteste sicherlich der Grund selber ist, warum die Aussage getan wurde. So bedeutet ›Quia nominor Leo‹ durchaus nicht ›Denn Löwe heiße ich‹, sondern: ›Ich bin ein grammatikalisches Beispiel.‹« (W 111) Dafür hat Hegel in Sätzen wie »Je schlechter der Künstler ist, desto mehr sieht man ihn selbst, seine Partikularität und Willkür« Valéry prophetisch plagiiert. Früh nahmen sie die Dynamik der Idee jenes Fortschritts vorweg, dessen Spätzeit noch Valéry, zumindest ästhetisch, zugehörte, der subjektivistischen. Ihre Träger sind ihm Manet, Baudelaire und Wagner, in denen sensuelle Reizsamkeit und Differenziertheit, wie Impressionismus und Symbolismus sie teilten, zum Prinzip geworden und aufs höchste gesteigert seien. Als einer der ersten verbuchte Valéry, was darüber an Kräften der Objektivation und Verbindlichkeit verlorenging. Selber vom Symbolismus geprägt, war er vor der laudatio temporis acti gefeit, schätzte jedoch den Preis ein, den die Stimmigkeit der Gebilde für ihre subjektive Durchdringung zu zahlen hat. Die nach-Valérysche moderne Kunst hat unabhängig von ihm daraus die Konsequenz gezogen. Was in Malerei und Plastik von der Ähnlichkeit mit dem Gegenstand, in der Musik von der Tonalität sich lossagt, wird wesentlich motiviert von dem Drang, dem Gebilde rein von sich aus etwas von jener Objektivität wieder anzuschaffen, deren es enträt, solange es beim subjektiven Reflex auf ein wie immer auch Vorgegebenes sein Bewenden hat. Je mehr das Kunstwerk all der Bedingungen kritisch sich entäußert, die seiner je eigenen Gestalt nicht immanent sind, desto mehr nähert es mittlerweile einer Objektivität zweiter Potenz sich an. Insofern hat die Radikalisierung der Kunst eingebracht, was Valéry retrospektiv am Fortschritt seiner eigenen Epoche noch bemängelte. Dazu stimmt, daß inmitten einer fortdauernd gefesselten Gesellschaft die Entfesselung des Subjekts, seine Pflicht und sein Glück, zugleich auch Schein bleibt und am allgemeinen Schein mitwirkt. Dem ästhetischen Subjekt ging die Autorität alles Traditionalen unwiederbringlich verloren. Es muß auf sich selbst rekurrieren, darf nur auf das sich verlassen, was es aus sich herauszuspinnen vermag; ihm wahrhaft ist der kritische Weg allein offen. Auf keine andere Objektivität kann es hoffen. Zurückverwiesen auf sich, ist es künstlerisch notwendig sich selbst das Nächste und Unmittelbarste. Gesellschaftlich aber bleibt es abgeleitet, bloßer Agent des Wertgesetzes. Je tiefer es seine je eigene Wahrheit als ihm allein erreichbare, von ihm allein zu füllende ausdrückt, desto mehr verstrickt es sich in die Unwahrheit. Diese Antinomie bezeugt Valérys gesellschaftlich bewußtlose Trauer ums Vergangene ebenso treu, wie die ästhetische Eigenständigkeit, die er im Gedanken an die authentischen Werke von einst verficht, durch ihre hermetische Abdichtung vom kommunikativen Unwesen mit Tendenzen solcher übereinkommt, denen Valéry anathema ist und die er selbst wohl ohne Zögern als Verfall verdammt hätte. Wenn in der Phase des Tachismus und der Experimente mit aleatorischer Musik Mallarmés Würfeltheorie aktuell geworden ist, so manifestiert darin sich ein Zusammenhang, in den das œuvre seines Schülers Valéry insgesamt fällt. Wie nach ihm die Spannung zwischen dem konstruktiven Gesetz und der Kontingenz in der Kunst bis zum Bersten sich steigerte, so wird schon seiner eigenen anachronistischen Insistenz auf Begriffen wie Ordnung,

Regelhaftigkeit und Dauer die Abweichung konstitutiv beigesellt. Sie ist ihm Bürgschaft der Wahrheit. Schroff widerspricht er der Ansicht des common sense von Erkenntnis: »Jede Sicht der Dinge, die nicht befremdet, ist falsch. Wird etwas Wirkliches vertraut, so kann es nur an Wirklichkeit verlieren. Philosophische Besinnung heißt vom Vertrauten auf das Befremdende zurückkommen, im Befremdenden sich dem Wirklichen stellen.« (W 144) In einer Gesellschaft, deren Totale sich fugenlos zur Ideologie abgedichtet hat, kann wahr nur sein, was der Fassade nicht gleicht. Das kritische Bewußtsein des konservativen Artisten vom Banalen als Trug geht über in Brechts Verfremdungseffekt. In seinen Gedanken so wenig wie in der Praxis der Künstler läßt das Allgemeine dem Besonderen so bruchlos sich versöhnen, wie es der traditionellen Kunst und Ästhetik vor Augen stand. Indem der Reaktionär Valéry dessen gedenkt, was auf dem Weg des Fortschritts vergessen wird; was der großen Tendenz sich entzieht, deren Fürsprecher er doch als einer der ästhetischen Naturbeherrschung selber ist, muß er auf die Seite der Differenz, des nicht Aufgehenden sich schlagen. Daher der nautische Name seiner Merkbücher. Keine Interpretation könnte das präziser herausstellen als seine eigene Formulierung vom »Akzidens, das meine Substanz ist« (W 80).

Dem hätte Valérys deklarierter Antipode Proust zugestimmt, dem klassische Rationalität und Ordnungsgefüge vorweg verdächtig sind: wozu Valéry widerstrebend sich nötigen läßt, ist das Formgesetz des Proustischen Gesamtwerks. Aber Prousts enthusiastisches Vertrauen auf den Wahrheitsgehalt des Inkommensurablen, der unwillkürlichen Erinnerung ist bei Valéry schwermütig gebrochen: »Die richtigen Gedanken sind immer unerwartet. Jeder unerwartete Gedanke ist einige Augenblicke lang richtig.« (W 108) Die Evidenz des Unwillkürlichen, der Zeitkern der Wahrheit als eines jeweils Neuen, die plötzlich erscheinende Wahrheit hat den Aspekt des Trügerischen und Hinfälligen. Das ist der Grund des Schmerzes, den die unwiderleglich jähe Einsicht Valéry wie Proust bereitet. Der Nachfahre Baudelaires, der die Lüge der Geliebten verherrlichte, bringt dessen spleen ein in eine leidvolle Physiognomik, wie Proust nicht anders an Albertine sie hätte entwerfen können. »Die Menschen flehen schweigend die Menschen an, ihnen zu sagen, was sie nicht denken. ›Sagt uns, was wir hören möchten!‹ ›Sag mir etwas Freundliches!‹ singen die Augen.« (W 137) Larochefoucauldsche Aufklärung und neuromantische Sensibilität verschränken sich in der Beobachtung. Gleich Proust hat Valéry die verhärtete Scheidung von Denken und Intuition widerrufen, an welche das verdinglichte Bewußtsein befriedigt sich klammert: »... es sei denn, man verstehe unter Inspiration eine so bewegliche, geordnete, scharfsinnige, unterrichtete und berechnende Kraft, daß man sie ebensogut Intelligenz oder Kenntnis nennen könnte« (W 48). Zuweilen reicht die Übereinstimmung bis in die philosophische These: »Die Vergangenheit ist ganz und gar nicht, was man dafür hält. Die Vergangenheit ist nicht, was einmal war; sie ist nur, was von dem, was einmal war, übrigblieb. Das sind Spuren und Erinnerungen. Sonst ist einfach nichts vorhanden.« (K 163) Die Besinnung über den klassischen Begriff des Dauernden und Bleibenden, den Valéry nicht antastet, führt zur Verneinung des monumentum aere perennius. In Valérys Geschichtsphilosophie öffnet sich ein Spalt im Gefüge der vérités éternelles. Der Generalnenner für Proust und Valéry ist aber kein anderer als jener Bergson, dem Valéry, unter der nationalsozialistischen Besetzung, die Totenrede hielt.

Nirgends kann man den Zwang, antithetisch über jene Art Position hinauszugehen, welche alle traditionelle Philosophie mit Besitzerstolz hütet, in Valéry deutlicher wohl erkennen, als an seinem Verhältnis zur Musik. Er hat sich unmusikalisch genannt, wenn nicht antimusikalisch: »Musik langweilt mich nach kurzer Zeit.« (W 118) Der einem mittleren Komponisten wie Honegger seinen »mächtigen Atem« (K 34) nachrühmt, beschreibt die opernhaften Züge jenes Racine, »dessen Tragödien Lulli sich so beflissen anzuhören pflegte und dessen Linienführung und Themen sich anhören, als seien sie unmittelbar in die schönen Formgebilde und die reinsten Durchführungen Glucks übergegangen« (K 31), nicht wissend, daß es bei Gluck kaum »Durchführungen« gibt und daß die Primitivität von dessen Formgestaltung ihn zum blutigen Hohn reizen müßte, wenn er ihr in der Malerei begegnete. Dennoch charakterisiert er unmittelbar danach Unmanieren beim Sprechen von Versen so, wie es wörtlich auf schlechte musikalische Interpretationen angewendet werden könnte: »Man zerschlägt sie, man unterschlägt sie; andere Male scheint es, als ob man nur ihre Zwänge zur Geltung bringen wolle; man unterstreicht, man übertreibt die Zeilenfügung, die Ecksilben der Alexandriner, eingebürgerte Formelemente, die meiner Meinung nach durchaus ihren Nutzen haben, die aber zu grobschlächtigen Wirkungsmitteln werden, wenn die Sprechweise sie nicht in die Gewänder ihrer Anmut hüllt.« (a.a.O.) So fern und nah war Valéry der Musik. Er fügte sich zunächst dem Schema, welches das Visuelle als statisch rational in einfachen Gegensatz rückt zum Fließenden und Chaotischen der begriffslosen Zeitkunst. Im Gegensatz zu Dichtung und Musik schreibt er der Malerei ein dinghaft positivistisches Moment zu. Daher seine Reservate gegen die magische Wirkung des Bildes. Der Symbolist Valéry hat es denn auch mit den Impressionisten gehalten und nicht mit Puvis de Chavannes: »Die Malerei darf, bei Vermeidung von Gefahren, sich nicht herausnehmen, uns den Traum vorzutäuschen. Die Einschiffung nach Kythera scheint mir nicht vom Besten Watteaus zu sein. Die Zauberwelten Turners bringen es bisweilen fertig, mich zu entzaubern.« (K 90) Nicht wenn Kunst desperat ihr magisches Erbe hütet, nur wenn sie es sich versagt, durch die Ernüchterung hindurch, kann sie überleben und übergehen in jene Sprache, als welche Valéry sie las. Darin terminiert seine Interpretation Manets. Die »Naturalisten«, denen er ihn in diesem Zusammenhang zuzählt, haben, analog zu Baudelaire, »ein wirkliches Verdienst: sie haben in Gegenständen oder Vorwürfen, die bis auf ihre Zeit für schmählich oder bedeutungslos galten, Poesie entdeckt (oder vielmehr darein eingebracht) und bisweilen solche vom höchsten Range« (K 110). Aber er war nicht so intransigent gegen Musik wie gegen die Pseudomorphose an sie. Schon zu Beginn der Windstriche ist, in erstaunlicher Parallele zu Kierkegaard, vom »philosophischen Ohr« die Rede (W 16). Valéry besaß es selber. Der den musikalischen Sinn sich aberkannte, konnte als Lyriker nicht darüber sich täuschen, daß »die Wege der Musik und der Dichtung sich kreuzen« (W 57). »Es war die Zeit des Symbolismus: wir waren, ein jeder wie es seiner Anlage und seiner Schule entsprach, reichlich damit beschäftigt, nach besten Kräften das Maß an Musik zu mehren, das die französische Sprache in die Aussage einzuführen erlaubt« (K 35). Aber er beharrt nicht auf dem synästhetischen Programm von Verlaines Art Poétique, sondern legt seine widerspruchsvolle Erfahrung auseinander. Den Witz: »Gute Verse vertonen, heißt ein Gemälde durch ein Kirchenfenster beleuchten« (W 61), meint er boshaft gegen die Musik. Er zielt zu kurz: kaum sonst könnte die Qualität von Liedern so sehr abhängen von der der Gedichte; jene siedeln sich eher in deren Hohlräumen an, stehen ihnen eher in ihrer Fehlbarkeit bei, als daß sie sie verdoppelten. Dafür aber ist die Verfremdung eines Bildes durch den Strahl, der durch gemalte Scheiben bricht, kein schlechtes

Gleichnis für die Transfiguration guter Verse in einem guten Lied. Valéry gesteht sich denn auch zu, was Goethe nicht Wort haben mochte: seine antimusikalische Haltung wehrt eine bedrohliche Lockung ab, der er dann doch unerschrocken folgt. »Meine ›Ungerechtigkeit‹ gegen die Musik kommt vielleicht von dem Gefühl, eine solche Macht wäre imstande, selbst dem Absurden Leben zu verleihen« (W 63), Sinnzusammenhänge jenseits des rationalen zu stiften: ». . . habt vor allem keine Eile, an die Schwelle des Sinnes zu gelangen« (K 32). Danach umschreibt Valérys Postulat jener reinen Dichtung, welche den Sinn der Sprache unter sich lasse, die Kriterien eines seiner selbst bewußten Musikers: »Welche Schande, zu schreiben, wenn man nicht weiß, was Sprache, Wort, Metapher sind, Gedankenübergänge und Wechsel im Ton; wenn man die Struktur der zeitlichen Folge eines Werks und die Voraussetzungen für seinen Schluß nicht begreift, kaum das Warum kennt und schon gar nicht das Wie! Die Scham darüber, eine Pythia zu sein . . .« (W 166) Die Sehnsucht, daß der Sinn im Vers verschwinde, ist beheimatet in der Musik, die Intentionen kennt nur als untergehende. Das Korrelat dazu bemerkt Valéry an der Sprache: »Wenn der Klang, der Rhythmus dem Sinn zum Bewußtsein kommen, machen sie sich nur für einen Nu geltend: als eine sich im Augenblick aufbrauchende Notwendigkeit, als Hilfsorgan der Sinnbedeutung, die sie herführen, und die sie dann unverzüglich aufzehrt« (K 29)[2]. Es zeugt für die gegensätzliche Einheit der beiden Medien, daß, wo in der Lyrik musikalische Strukturen die meinende Sprache überflügeln, die Musik strukturell der Prosa sich anähnelt, vor deren Spuren Valéry den Vers schützen möchte. Die Ästhetik des Antimusikalischen klingt zuzeiten wie eine Musikästhetik: »Alle Teile eines Werks

[2] vgl. Th. W. Adorno, Musik, Sprache und ihr Verhältnis im gegenwärtigen Komponieren; in: Jahresring 1956/57, Stuttgart, S. 99.

müssen ›arbeiten‹.« (W169) Nicht anders verwendet die musikalische Terminologie den Begriff thematischer Arbeit. Dies bewußtlose Einverständnis Valérys mit der Musik kommt manchmal Werken zugute, die er nie hörte. »In sehr kurzen Werken erreicht die Wirkung des geringsten Details die Größenordnung der Gesamtwirkung« (W 170) – das ist die Physiognomik Anton von Weberns. Dem optisch-kristallinischen Valéry verwandelt am Ende jegliche Kunst sich in die von ihm gefürchtete Musik; nicht bloß ist ihm, wie in Benjamins Jugendwerk, alle Kunst Sprache, sondern es gibt »Schauseiten, Formen, Zustände auch in der Welt des Sichtbaren, die Gesang sind« (K 83). Ihn entdeckt der saugende Blick des Dichters auf Farben und Formen.

Seine diffizile Stellung zur Musik ist aber relevant nicht bloß für die allgemeine Abgrenzung der Künste gegeneinander und ihre Einheit. Ein Fragenkomplex, um den Valéry kreist, rückte heute ins Zentrum des Komponierens: die Beziehung integraler Konstruktion, wie sie den Gedanken der Autonomie des Werks, seine Unabhängigkeit vom je Aufnehmenden zu Ende denkt, zum Zufall. In der Idee des integralen, in sich lückenlos geschlossenen und bloß seiner immanenten Logik verpflichteten Kunstwerks, welche aus der Gesamttendenz der abendländischen Künste zur fortschreitenden Naturbeherrschung, konkret: zur vollkommenen Verfügung über ihr Material folgt, ist etwas ausgelassen. Kunst, die dem zivilisatorisch-rationalen Zug sich einfügt und ihm die historische Entfaltung ihrer Produktivkräfte verdankt, meint doch zugleich auch den Einspruch gegen ihn, das Eingedenken dessen, was in ihm nicht aufgeht und was er eliminiert; eben das Nichtidentische, worauf das Wort Abweichung anspielt. Sie verschmilzt darum nicht bruchlos mit der totalen Rationalität, weil sie dem eigenen Begriff nach Abweichung ist, nur als solche in der rationalen Welt ihr Lebensrecht hat und die Kraft, sich zu behaupten. Wäre sie bloß identisch mit der Rationalität, sie verschwände in dieser und stürbe ab, während sie ihr doch nicht ausweichen darf, wenn sie nicht hilflos Reservate besiedeln will, ohnmächtig gegenüber der unaufhaltsamen Naturbeherrschung und ihren gesellschaftlichen Verlängerungen, und gerade als geduldete erst recht jener hörig. Die ästhetisch aktuelle Figur solcher Paradoxie ist der Zufall, das mit ratio Nichtidentische, Inkommensurable als Moment der Identität selber, einer rationalen Gesetzlichkeit von eigenem Typus, der statistischen, deren Valéry häufig gedenkt. Als Zufall schlägt die sich selbst entfremdete Gestalt der Subjektivität im objektiven Kunstwerk durch, dessen Objektivität nie eine an sich sein kann, sondern durchs Subjekt vermittelt wird, während es keinen unmittelbaren Eingriff des Subjekts mehr dulden möchte. Zugleich bekundet der Zufall die Ohnmacht eines Subjekts, das zu nichtig wurde, um legitimiert zu sein, im Kunstwerk überhaupt unmittelbar noch von sich zu reden. Er negiert das Gesetz der ästhetischen Freiheit zuliebe und bleibt doch in seiner Heteronomie Widerspiel der Freiheit. Das bestätigt Valéry, als spräche er wider den gegenwärtigen Traum total determinierter und vom Subjekt schlechterdings unabhängiger Musik: »In allen Künsten – und darum gerade sind sie ja Künste – kann das Aus-Notwendigkeit-so-geworden-sein, das uns ein glückliches zu Ende gebrachtes Werk glaubhaft machen muß, nur durch einen Akt freier Schöpfung ins Leben gerufen werden. Der Fug und der abschließende Zusammenklang der voneinander unabhängigen Eigenschaften, die es zu verweben gilt, werden nie durch ein Rezept oder einen Automatismus erzielt, sondern durch das Wunder oder schließlich und endlich durch Bemühung – durch Wunder im Verein mit Bemühungen, die ein Wille trägt.« (K 18 f.) Darum bleibt nach seinem Willen wie dem der jüngsten Kunst der Zufall gesteuert, der

57

Rationalität des Ganzen unterworfen. Aber er markiert doch auch die Grenze der Rationalität an dem Material, das sie zurichtet; nur ist es von jener schon so ausgelaugt, daß seine Abstraktheit wiederum mit der bloßen Gesetzmäßigkeit, der formalen Einheit des Begriffs, zusammenfällt, der der Zufall opponiert: das Nichtidentische als Identisches. Was der Zufall an Sinnfremdheit in jedes Gebilde hineinträgt, ahmt die des Zeitalters nach; indem er unbeschönigt die Sinnfremdheit der Totale einbekennt, erhebt er Einspruch gegen sie. Die Erfahrungen alles dessen hat Valéry gemacht. Dabei sympathisiert er wie Mallarmé ohne apologetische Vorbehalte, großartig unbekümmert um den Widerspruch zu seiner primären Neigung, mit dem Zufall, obgleich sein ganzes Pathos daher rührt, daß der Geist seiner selbst mächtig werde, indem das Kunstwerk seiner mächtig wird. Die Konstellation beider Momente ist entworfen in dem Essay der Pièces sur l'art über die Würde der künstlerischen Verfahrungsweisen, an denen das Feuer beteiligt ist. »Doch all die Wachsamkeit des erlauchten Handwerkers am Feuerofen, alles, was seine Erfahrung, seine Wissenschaft von der Hitze, den gefährlichen Zuständen, den Temperaturen für die Schmelze und die Reaktion der Stoffe vorauszusehen erlauben, lassen die adelnde Ungewißheit in ihrer Unermeßlichkeit bestehen. Sie alle schaffen den Zufall nicht ab. Seine hohe Kunst bleibt unter der Herrschaft des Wagnisses und wird dadurch gleichsam geheiligt.« (K 12) Was der Notwendigkeit entschlüpft, schlägt er nicht geringer an als diese und vom Zufall erhofft er sich die Indifferenz von beidem. Gerade das sinnfremde Moment des Zufalls, wahrhaft eines Grenzwertes im temps espace, assoziiert er mit dem Bergsonschen temps durée, dem unwillkürlichen Eingedenken als der einzigen Gestalt des Überlebens. Denn in der Anarchie der Geschichte ist dies Eingedenken selbst zufällig: das definiert bei Valéry die Würde des Zufalls. Von einer Keramikausstellung sagt er: »Nichts gleicht dem bis zum heutigen Tage angehäuften Kapital unserer Kenntnisse, unserem Haben im Buche der Geschichte so, wie diese Sammlung von Dingen, die der Zufall uns erhalten hat. All unser Wissen ist wie sie ein Rückstand. Unsere Geschichtsurkunden sind Strandgut, das ein Zeitalter einem anderen überläßt, wie es der Zufall will, und in vollem Durcheinander.« (K 164) Gleichwohl mildert diese Rettung nicht sein Mißtrauen gegen die unmittelbare Zufälligkeit des künstlerischen Produktionsprozesses, gegen das Zu leicht. Der Nachdruck, den er auf widerstrebende Materialien legt, die den Zufall ins Kunstwerk tragen, rührt her von eben diesem Mißtrauen gegen den Zufall bloßer Subjektivität. »Darum befällt in allen Künsten, deren zugeordneter Stoff nicht schon durch sein bloßes So-sein gegenwirkende Widerstände häuft, die wahren Künstler das Gefühl der Gefahren und der Langeweile allzu großer Leichtigkeit des Schaffens.« (K 9 f.) Mag der Zufall, als ein dem schaltenden Künstler Entzogenes, mit der freilich heute bereits ein wenig antiquierten Vorstellung vom »Akt freier Schöpfung« unvereinbar sein – ihre Unvereinbarkeit definiert die Frage, wie Kunst überhaupt noch möglich sei.

Valérys Widersprüche insgesamt haben ihre gesellschaftlich-historische Seite. Wie die Essays über die italienische Malerei der Renaissance, zumal Veronese, nach neuromantischer Sitte Herrschaft schlechthin, die große Allüre, die souveräne Verfügung adorieren, die im bürgerlichen Individualismus zur Formlosigkeit zersplittert dünkt, so mag Valéry in den Musikanten windige Leute beargwöhnt haben, deren flüchtige Spektakel so wenig fest, verbindlich, zuverlässig im Raum angesiedelt und der Ordnung immanent sind wie die Herumziehenden selber. Unter seinen Idealen ist nicht das letzte das einer Kunst, die des Vagan

tentums sich entäußert hätte, ihres wie immer auch subli-
mierten gesellschaftlichen Odiums, während doch dies Va-
gantische, der Kontrolle seßhafter Ordnung nicht gänzlich
Unterworfene allein der Kunst erlaubt, inmitten von Zivilisation zu überleben. Aber die Lauterkeit eines Gedankens,
der von der Ideologie nicht sich fesseln läßt, auf die er ver-
eidigt ist, hält auch vor diesem Motiv nicht inne. Valéry,
der als Kind des rationalen Zeitalters die säuberliche Scheidung von Produktion und Reflexion in der Kunst nicht
anerkennt, ist viel zu reflektiert, um sich darüber zu täuschen, daß auch solche Künstler, welche die Rücksicht auf
den Markt verschmähen, an die prekäre Stellung des Geistes in der herrschaftlichen Gesellschaft gekettet bleiben, der
sie noch als opponierende willfahren müssen. Künstler heute
sind Intellektuelle, sie mögen es akzeptieren oder nicht,
und als solche das, was die Theorie der Gesellschaft dritte
Personen nennt: sie leben von abgezweigtem Profit. Während sie selber keine »gesellschaftlich nützliche Arbeit« leisten, nichts zur materiellen Reproduktion des Lebens beitragen, repräsentieren sie allein die Theorie und alles
Bewußtsein, das über den blinden Zwang der materiellen
Verhältnisse hinausweist; so wehrlos gegen das Mißtrauen
des Bestehenden, von dem sie leben, ohne ihm zuverlässig
zu dienen, wie gegen das seiner Feinde, denen sie nichts
sind als ohnmächtige Agenten der Macht. Sie ziehen darum
als neuralgischer Punkt der Gesellschaft den Haß der ganzen
Welt auf sich. Nicht aber sind sie durch die abstrakte An-
preisung des Geistes zu verteidigen, sondern einzig dadurch, daß auch ihr Negatives ausgesprochen wird. Erst
wenn die ideologische Hülle ihrer eigenen Existenz fällt;
erst in der schonungslosen Selbstreflexion, die zugleich eine
der Gesellschaft wäre, gelangten sie zu ihrer gesellschaftlichen Wahrheit. Dazu hilft Valéry. Den Makel, der jeden
Gedanken befleckt, nimmt Valéry in diesen hinein: »Ohne

ihre Schmarotzer, Diebe, Sänger, Mystiker, Tänzer, Helden, Dichter, Philosophen, Geschäftsleute wäre die Menschheit eine Gesellschaft von Tieren; oder nicht einmal eine Gesellschaft: eine Gattung; die Erde wäre ohne Salz.« (W 36) Die gleiche Liste der dritten Personen könnte bei Marx stehen, dessen Namen Valéry kaum über die Lippen gebracht hätte. Auch der Zusammenhang des Geistes und der geistigen Produktion mit dem, was in der Sprache der politischen Ökonomie Zirkulationssphäre heißt, ist ihm nicht fremd. »Wenn ›Handel treiben‹ bedeutet, daß man einkauft, mit der Absicht wiederzuverkaufen, so ist der Künstler oder Autor ein Handelsmann, der nur darum anschaut, reist, liest, ja lebt, um zu produzieren, um seinen Eindruck auf den Markt zu bringen. – Statt für sich selber zu erwerben. – Aber, wer weiß, für sich selber erwerben ist vielleicht sinnlos.« (W 41 f.) Der unbestechlich auf der Reinheit des Werkes um seiner selbst willen insistiert, durchschaut zugleich, wie sehr diese Reinheit des ästhetischen An sich einem Für anderes, dem Markt, sich verdankt; wo mesquine Künstler vom Schöpfertum schwafeln und gerade, indem sie es ideologisch anpreisen, des allgemeinen Einverständnisses auf dem Markt sicher sind, gesteht Valéry den paradoxen Zusammenhang des autonomen Werks mit seinem Warencharakter zu. Es wird überhaupt erst zu einem Objektiven, indem der Produzierende nicht unmittelbar zu seinen Erfahrungen ist, sondern diese vergegenständlicht; die sich selbst entfremdete Wahrheit wird zum eingestandenen Modell des absoluten Gebildes. Was sich selbst Ursprünglichkeit und Genius ist, ist gesellschaftlich ein natürliches Monopol. Darauf spielt eine jener witzigen Bemerkungen an, die, laut Nietzsche, das kaum bemerkbare Lächeln erzeugen: »Wie, könnte ein Genie zu sich selber sagen, – so bin ich also ein Kuriosum ... Und was mir so natürlich erscheint, das Bild, das mir da einfiel, ein unmittelbar einleuchtendes

Wort, eines, das mich nichts gekostet hat, flüchtiges Ergötzen meines inneren Auges, meines heimlichen Hörens, meiner Stunden, und dann die Zufälle beim Denken und Reden... machen sie aus mir ein Ungeheuer? – Seltsam ist meine Seltsamkeit. So wäre ich nur eine Rarität? Und ohne daß ich mich im geringsten zu ändern brauchte, genügten hunderttausend meinesgleichen, und ich würde nicht mehr auffallen... Und bei einer Million wäre ich gar irgendein Trottel... Ein Millionstel meines früheren Wertes...« (W 68 f.) Derlei Erwägungen kulminieren in einer erstaunlichen Gleichung von Geist, Selbstentfremdung und Warencharakter: »Je ›bewußter‹ ein Bewußtsein ist, desto mehr scheinen ihm seine Person, seine Meinungen, seine Taten, seine Eigenheiten und seine Gefühle befremdlich, – fremd. So neigt es dazu, über seinen eigensten und persönlichsten Besitz als über etwas Äußeres und Zufälliges zu verfügen.« (W 146) Eine selbstzerstörerische Spitze ist dabei unverkennbar. Anti-intellektuelle Motive fehlen neben exponierten Rettungen des Anfälligsten am Geist so wenig wie bei Nietzsche. Stimmgeräusche aus der Ära des Vorfaschismus lassen sich vernehmen: »Das Geschäft der Intellektuellen ist es, mittels Zeichen, Namen, Symbolen alles aufzurühren, ohne das Gegengewicht wirklicher Handlungen. Das macht ihre Reden verblüffend, ihre Politik gefährlich, ihr Vergnügen oberflächlich. Es sind soziale Reizmittel, mit den Vorteilen und Gefahren aller Reizmittel.« (W 37) Aber wo Valérys spezifische Erfahrung sitzt, in der künstlerischen Produktion, gewährt er derlei Flausen keinen Raum. Intuition, der Markenartikel der Anti-Intellektuellen, kommt bei ihm schlecht weg. Er polarisiert sie in die Extreme von Bewußtsein und Zufall und heftet spottend den gelben Fleck der dritten Personen gerade an die offiziell Begnadeten: »Unerträglich ist oder sollte den Dichtern die Vorstellung sein, wonach sie das Beste ihrer Werke von erdichteten

Mächten empfangen haben. Mittelsmänner – eine demütigende Auffassung. Ich, für mein Teil, will davon nichts wissen. Ich berufe mich nur auf den Zufall, der allen Menschen zugrunde liegt; und dann auf eine zähe Arbeit, die gegen eben diesen Zufall wirkt.« (W 95)

Was in solchen Modellen sich zuspitzt, aber insgesamt den Rhythmus von Valérys denkender Bewegung definiert, wäre, nach dem Brauchtum der offiziellen Philosophiegeschichte, der Widerstreit von rationalistischen und irrationalistischen Motiven. Ihr Stellenwert in Frankreich jedoch ist umgekehrt als in Deutschland. Hier ist man gewohnt, den Rationalismus dem Fortschritt zuzurechnen und den Irrationalismus, als romantisches Erbe, der Restauration. Bei Valéry aber ist das traditionale Moment eins mit dem Cartesianisch-rationalistischen, und irrationalistisch die Selbstkritik des Cartesianismus. Das rational-konservative Moment bei Valéry ist das herrisch-zivilisatorische, die deklarierte Verfügung des autonomen Ichs übers Unbewußte. »Die Träume abschütteln, die Schlacken, die Dinge, denen Abwesenheit und Nachlässigkeit erlaubt hat, zuzunehmen und sich breit zu machen; die Naturprodukte, Unrat, Irrtümer, Torheiten, Schrecken, Bedrängnisse. Die Tiere kriechen wieder in ihr Loch. Der Meister kehrt von der Reise zurück. Der Hexenspuk ist gestört. Weggang und Rückkehr.« (W 17) Nach wie vor wird solche Herrschaft Cartesianisch gerechtfertigt durch clara et distincta perceptio. Valérys Zweifel noch an den bündigen Antworten, Ferment seiner irrationalen Abweichungen, mißt sich an jener Bündigkeit: »Aber unsere richtigen Antworten sind überaus selten. Die meisten sind schwach oder nichtig. Wir spüren das so genau, daß wir uns zuletzt gegen unsere Fragen wenden. Damit aber sollte man gerade beginnen. Man sollte eine Frage in sich ausbilden, die allen anderen vorausgeht und jede auf ihren Wert hin befragt.« (W 70) Der

Cartesianismus überschlägt sich kraft seines eigenen methodischen Motors, des Zweifels: »Ich stelle mir oft einen Menschen vor, dem alles zur Verfügung stände, was wir an genauen Verfahren und Vorschriften kennen, dem aber alle Begriffe und Bezeichnungen unbekannt wären, die keine klaren Vorstellungen erwecken, die nicht zu einheitlichen und wiederholbaren Handlungen führen. Er hat nie von Geist, von Denken, von Substanz reden hören, nie von Freiheit und Willen, von Zeit und Raum, von Kräften, von Leben, Instinkt, Gedächtnis, Ursache, von Göttern, nie von Moral, nie von Ursprüngen; kurz: er weiß alles, was wir wissen und kennt nicht, was uns unbekannt ist, aber er kennt nicht einmal die Namen davon. So setze ich ihn den Schwierigkeiten aus und den Gefühlen, die sich aus ihnen ergeben; so lasse ich ihn entstehen. Jetzt setze ich ihn in Bewegung und liefere ihn den Umständen aus.« (W 148 f.) Das Beharren auf der Forderung des absolut Gewissen endet im Offenen, nach Descartes' Kriterien Ungewissen. Das sum cogitans wird der Zufälligkeit seiner bloßen Existenz überführt, auf die bei jenem nicht reflektiert war und die den Meditationen den Boden unter den Füßen weggezogen hätte. Ausdrücklich wird daraus die volle erkenntnistheoretische Konsequenz gezogen, die der Nichtidentität des Seienden mit seinem Begriff: »Die kleinen, unerklärten Fakten enthalten in sich immer genug, um alle Erklärungen der großen Fakten zu entkräften.« (W 140) Valéry bringt den Rationalismusstreit, ohne Entscheidung sich anzumaßen, auf die mathematisch elegante Formel: »Was nicht festgehalten wird, ist nichts. Was festgehalten wird, ist tot.« (W 112) Darf etwas den Namen von Philosophie überhaupt noch beanspruchen, dann solche Antithesen. Indem sie unversöhnt stehenbleiben, drückt der Gedanke die eigene Grenze aus: die Nichtidentität des Gegenstandes mit seinem Begriff, der ebenso jene Identität fordern, wie ihre Unmöglichkeit begreifen muß.

Auch der Rationalismusstreit hat bei Valéry seine geschichtsphilosophische Dimension, die einer Dialektik der Aufklärung. Von ihr hat er ein Zentrales gewahrt, das Heraufkommen eines bloß noch instrumentellen Denkens, den Triumph subjektiver über objektive Vernunft vermöge des Fortschritts von Rationalität als solcher: »Hinzu kommt, daß die Ideen, selbst die grundlegenden, allmählich den Charakter von Wesenheiten verlieren und zu Werkzeugen werden.« (W 38) Er zögert nicht vor der Folgerung, daß damit die entfesselte Vernunft sich gegen sich selbst wendet: »Die Wissenschaft hat das Gewissen der Vernunft und des gesunden Menschenverstandes zerstört.« (a.a.O.) Den Schauder, der ihn befällt, hat seitdem das Grauen der Praxis schon überboten: »Mit dem Einwand des gesunden Menschenverstandes weicht der Mensch vor dem Unmenschlichen zurück, denn im gesunden Menschenverstand liegt nichts als der Mensch, seine Vorfahren, die Maßstäbe des Menschen und die menschlichen Fähigkeiten und Beziehungen. Doch die Forschung und selbst die Mächte rücken vom Menschen ab. Die Menschheit wird sich daraus retten, so gut sie kann. Die Unmenschlichkeit hat vielleicht eine große Zukunft.« (W 39) Die Verschränktheit der losgelassenen subjektiven Rationalität und der Selbstentfremdung des Subjekts ist ihm so wenig entgangen wie der Zusammenhang dieser Tendenz mit der totalitären: »Eine zu genaue Vorstellung vom Menschen, eine zu deutliche Wahrnehmung seines Mechanismus, das vollständige Fehlen von Aberglauben in menschlichen Dingen, die kategorische Weigerung, den Menschen als Ding an sich, als sein eigenes Ziel zu betrachten, eine zu statistische Sicht der Lebenden, eine zu genaue Voraussicht ihrer Reaktionen, der heute schon feststehenden Wandlungen und Rückfälle, die ihre Gefühle in einigen Wochen oder Jahren erfahren werden, ein zu starkes Gefühl für Ordnung und für das Staatsideal – all dies ist an der Spitze vielleicht nicht am richtigen Platz. Wenn der Verstand herrschen sollte? ...« (W 100 f.) Vom neuen Staatsideal redet er in Gleichnissen wie Karl Kraus: »Der Staat ist ein riesengroßes, furchtbares und schwaches Wesen. Ein Zyklop von berüchtigter Kraft und Ungeschicklichkeit, das mißgestaltete Kind der Gewalt und des Rechts, die es aus ihren Widersprüchen gezeugt haben. Er lebt nur dank den unzähligen Männlein, die linkisch seine trägen Hände und Füße bewegen, und sein großes Glasauge sieht nur Pfennige und Milliarden. Der Staat ist jedermanns Freund und jedes Einzelnen Feind.« (W 100)

So heikel steht es um Valérys Konservativismus. Bei aller Aversion gegen die verwaltete Welt verschmäht er es, hinter Invektiven gegen Dekadenz und Perversion sich zu verschanzen. Was der Vernunft, den Menschen als deren Trägern, dem Subjekt widerfährt, ist ihr eigenes Prinzip: »Das Denken ist brutal, es kennt keine Schonungen. Was ist brutaler als ein Gedanke?« (W 109), oder gar: »Das Gemeinste auf der Welt, ist es nicht der Geist? Der Körper weicht vor Schmutz und Unrat zurück. Der Geist rührt gleich einer Fliege an alles. Weder Abscheu noch Ekel, weder Bedauern noch Reue stammen von ihm; sie sind ihm nur ein Gegenstand der Neugier. Die Gefahr spricht ihn an, und wäre der Körper nicht so mächtig, der Geist führte ihn mit einer Art Torheit und einer absurden und drängenden Gier nach Erkenntnis ins Feuer.« (W 144) Reiner Geist beichtet in Valéry die eigene Unwahrheit. Seine Komplizität mit dem Abscheulichen ist aber nichts anderes als die Erbschaft der Gewalt, die er seit Jahrtausenden all dem widerfahren läßt, was ist, indem er es dem Prinzip seiner eigenen Selbsterhaltung unterwirft. Bei Valéry ist Geist gestählt genug, um seinem Geheimnis ins Auge zu sehen.

Dem, der soviel riskiert, ist auch die Kunst nicht tabu. Als vergeistigte ist sie in Fortschritt und Wissenschaft zum Guten und zum Unheil verstrickt. »Es gibt in allen Künsten einen Naturgesetzen unterworfenen Bereich, den man nicht mehr betrachten und behandeln kann wie ehedem: es ist nicht möglich, ihn den Unternehmungen des Erkenntnisvermögens und der Schaffenskraft von heute vorzuenthalten.« (K 46) Valérys Stolz richtet in keinem Elba von Irrationalität wie in einem Fürstentum sich ein: »Weder die Materie, noch der Raum, noch die Zeit sind in den letzten zwanzig Jahren geblieben, was sie vordem seit jeher waren. Man muß damit rechnen, daß so bedeutsame Neuerungen die ganze Technik der Künste umwandeln, damit auf den schöpferischen Vorgang selbst wirken – so sehr, daß sie vielleicht in erstaunlicher Weise bestimmen könnten, was künftig unter Kunst zu verstehen sein wird.« (a.a.O.) Der Erzfeind des Naturalismus schont nicht die Romantiker: »Ihr Geist suchte sich eine Fluchtburg in einem Mittelalter, das sie sich zurechtmachten; an der Esse des Alchimisten brachten sie sich vor dem Chemiker in Sicherheit. Wohl fühlten sie sich nur in der Welt der Sage oder der Geschichte, das heißt bei den Gegenfüßlern der Physik. Sie retteten sich vor den Bedingtheiten eines durch die Mechanismen der Gesellschaft geprägten Daseins durch die Flucht in die Leidenschaft und die Wallungen des Gemüts, deren Pflege und Ausbeutung sie zu einer Institution ausbauten (und sogar zu einer Komödie). Auf die Vergötzung des Fortschritts antwortete man mit der Vergötzung der Verdammung des Fortschritts; das war alles und ergab zwei Gemeinplätze.« (K 118 f.) Freilich gelangt in dem fast Max Weberschen Gestus, mit dem der Artist für die Rationalität der Kunst Partei nimmt, das reaktionäre Element nach oben als Einverständnis mit Entwicklungen, deren Träger bis heute die Kulturindustrie war. Wahr ist, daß der Geist und was ihm nicht gleicht in der Kunst von Anbeginn sich verbanden und dichter stets sich durchdrangen: »Nun hat der Gang der Zeit, oder, wenn man lieber will, der Dämon der unverhofften Verkettungen (jener, der aus dem, was ist, die überraschendsten Folgerungen zieht und münzt und daraus zusammenbraut, was sein wird), sich damit vergnügt, zwei einstmals genau entgegengesetzte Begriffe in wunderlicher Weise durcheinander zu werfen.« (K 120) Definiert aber Valéry jene »Begriffe« als »das Wunderbare und das Gegebene« (a.a.O.) und hofft er darauf, »daß diese beiden Feinde von ehedem sich verschworen haben, um unsere Lebensordnungen in eine unbegrenzte Abfolge von Wandlungen und Überraschungen zu verwickeln« (a.a.O.), so ähnelt dies Vertrauen allzusehr der Begeisterung von Poeten für die Möglichkeiten des Visionären, die der Film eröffnen werde. Die Übermacht der mechanischen Massenmedien verschlägt manchmal selbst Valéry den Gedanken, ob der Fortschritt der rationalen Naturbeherrschung nicht in Ideologie sich verkehrt, wenn er ausgespitzt als Kunst Zauber destilliert. Auch Valéry zollt einem Zeitalter Tribut, in welchem das positivistisch »Gegebene«, von dessen Kultus seine Meditationen mehr als bloß die Spur tragen, mit der Verzauberung der Welt mühelos übereinkommt: die Übermacht dessen, was der Fall ist, wird ihr zur magischen Aura.

Valéry ist nicht blind gegen die Untaten der Kulturindustrie und ihren gesellschaftlichen Grund: »Von der Herstellung der Wunderwelt-Fabriken leben Tausende und Abertausende von Menschen. Der Künstler jedoch hat an dieser Herstellung von Wunderdingen keinerlei Anteil genommen. Sie ist Tochter der Wissenschaft und des Kapitals. Der Bürger hat sein Geld in Traumfabriken angelegt und spekuliert auf den Untergang des gesunden Menschenverstandes.« (K 121) Aber die Kritik bleibt zweideutig. Sie wappnet Valéry nicht gegen eine Banalität,wie sie ihm sonst als Index des Unwahren gilt: »Schließlich sind dann fast alle Träume, die die Menschheit geträumt hatte und die in unseren Märchen verschiedenster Ordnung ihren Niederschlag gefunden haben, nunmehr aus dem Gehege des Unmöglichen und des Gedachten herausgetreten.« (a.a.O.) Er vergißt hinzuzufügen, daß, wie in den Märchen selbst, bis heute die Erfüllung der Wünsche einer Menschheit nicht zum Segen geriet, die inmitten aller utopischen Abschlagszahlungen im Bann von Versagung verharrt. Valéry meint: »Ludwig XIV. hat auf dem Gipfel seiner Macht nicht den hundertsten Teil der Macht über die Natur und die Mittel besessen, sich ein Vergnügen zu schaffen, seinen Geist zu bilden oder ihm Erlebnisse zu bieten, die heutzutage so vielen Menschen recht mittelmäßigen Herkommens zu Gebote stehen.« (a.a.O.) Derlei Vergleiche sind prekär. Was in verschiedenen Zeiten Glück war, läßt kaum sich vergleichen. Aber man möchte doch glauben, daß die Lust des Roi Soleil die vor dem Fernsehschirm einigermaßen übertraf. 1928, als Valéry jene Gedanken niederschrieb, mochte in Europa noch nicht abzusehen gewesen sein, wohin es mit der Konsumentenkultur hinauswollte. Sicherlich hat seitdem der Weltlauf Valéry widerlegt, wenn er den »Menschen unserer Zeit« verherrlicht, der hinfliegen kann, wohin er will, sich »jeden Abend in einem Palaste zum Schlafe« (K 122) niederlegt, sich hundert Lebensformen zu eigen machen könne und in einem jeden Augenblick in einen glücklichen Menschen sich verwandeln. Denn die hundert Lebensformen verstecken nicht länger das Skelett ihrer standardisierten Einheit. Sie sind auch gar nicht das einheimische Reich dessen, dem sie aufgezwungen werden; sein Glück ist bloß dessen subjektives Zerrbild und vielfach nicht einmal das. So preiswert war die Einheit von Kunst und Wissenschaft nicht zu haben, wie Valéry sardonisch es ausmalt. Freilich betrach-

tete er als Modelle rationaler Kunst wohl eher die technischen Utopien von Futuristen und Konstruktivisten als das
juste milieu von Radio und Kino. »Ein schönes Buch ist vor
allem eine vollkommene Lesemaschine, deren Bedingtheiten
recht genau durch die Gesetze und Methoden der physiologischen Optik bestimmt werden können; gleichzeitig ist es
ein Kunstgegenstand, ein Ding.« (K 21) Klee taufte ein
berühmtes Bild »Zwitschermaschine«.

Um so unbestechlicher hat Valéry visiert, was die jüngsten
Entwicklungen für die traditionellen Kulturgüter bedeuten:
»Geben wir doch zu, daß wir nur noch aus Pflichtgefühl
bewundern, was uns zwingt, der Vielschichtigkeit des Vor-
wurfs, den scharfen Bedingungen, denen ein Künstler sich
unterworfen hat, unsere Achtung zu zollen.« (K 98) Denn
»alle Werke vergehen« (W 92). Anstatt den Verfall der
traditionellen Werke larmoyant zu beklagen, läßt er von
der eigenen Erfahrung dessen Unausweichlichkeit sich mit-
teilen. Genug vom fin de siècle dauerte in ihm fort, um
ihn vor Krokodilstränen über den Verlust der Mitte durch
die Moderne zu behüten: »All das – ich habe es gesagt – ist
nur durch das Vorangehen einiger Männer vom ersten
Range möglich geworden. Nur solche sind es, die je und je
die Wege bahnen: um einen Verfall einzuleiten, bedarf es
nicht geringeren Könnens als erforderlich ist, um etwas
seinen möglichen Höhepunkten zuzuführen.« (K 103) Jener
Verfall, der der Werke selbst wie ihrer Rezeption, ist objektiv diktiert durchs Schrumpfen historischen Bewußtseins,
des Sinnes für Kontinuität überhaupt. Valéry gibt davon
wohl als der erste, vor Huxleys Brave New World, Rechenschaft: »Angenommen, die maßlose Umwandlung, deren
Zeugen wir sind, die wir erleben und die uns umtreibt,
entwickle sich weiter, richte vollends zugrunde, was noch an
Bräuchen übriggeblieben ist, bringe Bedürfnisse und Mittel
des Lebens in völlig anderen Fug – dann wird das zu etwas

ganz Neuem gewordene Zeitalter bald Menschen in seinem Schoße austragen, die durch keinerlei Gewöhnung des Geistes mehr mit der Vergangenheit verbunden sein werden. Die Geschichtsbücher werden ihnen Berichte zur Verfügung stellen, die ihnen fremd, ja unverständlich vorkommen werden, denn für kein Ding ihrer Zeit wird die Vergangenheit ein Musterbild gestellt haben, und nichts aus der Vergangenheit wird in ihre Gegenwart hinein überleben« (K 123). Zugestanden wird, daß Kultur die heraufziehende Barbarei verdiente. Als schuldhaft entblößt sie sich durch ihre beginnende Komik: »So ist es eine der sichersten und grausamsten Wirkungen des Fortschritts, daß er dem Tod eine Nebenstrafe beigibt, die sich in dem Maße, in dem der Umsturz der Bräuche und der Denkbilder deutlichere Formen annimmt und sich überstürzt, ganz von selber immer weiter verschärft. Es war nicht genug zu vergehen: man muß darüber hinaus unverständlich, ja lächerlich werden, und – möge man Racine oder Bossuet gewesen sein – seinen Platz bei den wunderlichen, buntscheckigen, tätowierten, dem Grinsen preisgegebenen und ein wenig grauslichen Gestalten einnehmen, die in den Galerien umherstehen und übergangslos an die zu Menschen erklärten Endprodukte der Stammesgeschichte des Tierreichs anschließen . . .« (K 124) Was die Kultur ereilt, enthüllt sie als das, worüber sie noch nicht hinauskam, bloße Naturgeschichte. Valéry verifiziert den Satz Kafkas, ein Fortschritt habe noch gar nicht angefangen.

Das wirft Licht auf seine Lehre von der Zeit. Sie weist unmittelbar auf Baudelaire zurück, den Kultus des Todes als le Nouveau, als des schlechthin Unbekannten, der einzigen Zuflucht des spleen, der die Vergangenheit verlor und dem der Fortschritt den Makel der Immergleichheit trägt. Mit Kierkegaardscher Paradoxie vermummt die Utopie sich in das X: »Man rettet sich in das Unbekannte. Man verbirgt sich in ihm vor dem Bekannten. Das Unbekannte ist die Hoffnung der Hoffnung. Im Unbestimmten hätte das Denken ein Ende. Die Hoffnung ist jener innerste Akt, der Unwissenheit schafft, die Mauer zur Wolke wandelt – und kein Skeptiker, kein Zweifler zerstört Urteil und Vernunft, Evidenz und Wahrscheinlichkeit, wie dieser rasende Dämon Hoffnung.« (W 27) Aber noch diese wolkige Stelle wird von Valéry zerdacht. Er bestimmt sie als Augenblick, als einzig Erfülltes; als das Differential, das die verlorene Vergangenheit und die hoffnungslose Zukunft um ein Geringes überragt. Valérys Passion für den Impressionismus gilt der Verewigung des Augenblicks in künstlerischen Verfahrungsweisen, die zur obersten Tugend des Geistes Geistesgegenwart erheben: »Das Genie hängt an einem Augenblick. Liebe entsteht auf einen Blick; und ein Blick genügt, ewigen Haß zu erzeugen. Und wir sind nichts, wenn wir nicht imstande waren und imstande wären, einen Augenblick außer uns zu sein.« (W 28) Das äußerste Gegenbild dieser Idee ist der bürgerliche Begriff der abstrakten Arbeitszeit, nach der die Waren sich tauschen lassen. Idiosynkratisch sträubt Valéry sich gegen das Heraufdämmern eines Zeitalters ohne Zeit: »Die Meinung ›Zeit ist Geld‹ ist der Gipfel der Gemeinheit. Zeit ist Reifung, Einteilung, Ordnung, Vollendung. Die Zeit schafft den Wein und die Güte des Weins, solcher Weine, die sich langsam verändern und die man trinken soll, wenn sie ein bestimmtes Alter erreicht haben, wie eine Frau eines bestimmten Typus ihr Alter hat, das man abwarten muß, oder nicht verpassen darf, um sie zu lieben. Dieselben großen Nationen, denen der verfeinerte Sinn fehlt für die reiche Zusammensetzung der Weine, für das verborgene Gleichgewicht ihrer Qualitäten, für die Jahre, die sie brauchen und für die, die für sie ausreichen, haben auch jene unmenschliche ›Zeitgleichung‹ eingeführt und der Welt aufgenötigt. Ihnen fehlt auch der Sinn für Frauen und für die Nuancen der Frauen.« (W 28 f.) Eindringlicheres ist selten zur Verteidigung des verurteilten Europa gesagt worden. Zeitbewußtsein konstituiert sich zwischen den Polen der Dauer und des hic et nunc; was droht, kennt beides nicht mehr, die Dauer wird kassiert, das Jetzt vertauschbar, fungibel. Dem wirft Valéry, Enkel von Baudelaires vieux capitaine, als heroisch Scheiternder sich entgegen: »Der Geist verabscheut die unendliche Wiederkehr, und nun grüßen ihn die Wellen, die untergehen werden, den ganzen Tag...« (W 81) Solchem Geist wird Sonnenuntergang zur Baudelaireschen Allegorie seines eigenen: »Das Gefühl einer Enthauptung liegt in der Tiefe, die dieser Dauer innewohnt. Langsam fällt das Haupt dieses Tages. Die Scheibe ertrinkt.« (a.a.O.)

Todverfallener Geist sympathisiert mit dem Stofflichen, nicht selber Geistigen mitten im Geist. In einem Materialismus zweiten Grades trifft Valéry sich mit Walter Benjamin, dessen Ästhetik mehr wohl von ihm lernte als von irgendeinem anderen. Ihm sind die Stoffe Gegengift gegen den sich selbst zerstörenden Geist, den er ohnehin, wie Nietzsche, als »Schallverstärker« beargwöhnt, der Erfahrung durch Steigerung fälsche. Einer verwegenen Meditation sind Stoffe, Brot und Wein, Bedingungen der Logosreligion, des Christentums: »Wo Brot und Wein selten sind oder gar fehlen, wirkt die Religion, die sie heiligt, entwurzelt, wie eine Fremde, die nur von ungewohnten, fernher kommenden Speisen leben kann. Im Lande des Reises, der Bataten, der Bananen, des Biers, der sauren Milch und des klaren Wassers sind Brot und Wein exotische Produkte, und die heilige Handlung, die auf dem Eßtisch das Einfachste ergreift, um es zum Erhabensten zu machen, ist dem Leben entfremdet, dessen Hunger nach Übersinnlichem sie in Gestalt dessen stillen wollte, was das Leben physisch erneuert und verlängert.« (W 30) Er rührt damit an ein Moment der unwiderstehlichen Auflösung von innen her, das der Enthusiasmus für Bindungen eifrig übertäubt: daß der Gehalt des Christentums so wenig wie der der anderen großen Religionen isoliert werden kann von Sachgehalten des Lebens, die geschichtlich dahin sind. Sagt es von allem Stofflichen, in Raum und Zeit Bestimmten sich los, wird es reiner Geist, überantwortet es sich wahrhaft der Entmythologisierung: dann zieht es sich nicht nur die Autorität unter den eigenen Füßen weg, sondern verflüchtigt sich, durch bloße Symbolik hindurch, schließlich in Menschliches und büßt jene Substantialität ein, vor deren Schrumpfen durch die liberale Theologie die dialektische warnte, ohne doch den Prozeß aufhalten zu können. Daß Valéry, der Ästhetiker, all das verschweigt, steigert bloß die Spannkraft von Denkmodellen wie dem von Brot und Wein. Das Stoffliche ehrt er als die Schicht, in der allein der künstlerische Geist seiner selbst mächtig wird. Je tiefer dieser produzierend in das sich versenkt, woran er sich abarbeitet, je mehr seine eigene Form dem sich anbildet, was ihm widerstrebt, um so höher erhebt er sich selber: »Dichter ist, wer durch die eigentümliche Schwierigkeit seiner Kunst auf Einfälle kommt – und der ist es nicht, bei dem sie ihretwegen ausbleiben.« (W 46) Gerade der spirituelle Artist hat die Naivetät verloren, in der Kunst irgend etwas zu tolerieren, was nicht auswendig geworden wäre; Pathos der Objektivation und Sympathie mit dem Stoff werden eines. Mit dem Gestus des Justament nimmt er im Gedicht lieber fürs Schriftbild Partei als für den Sinnzusammenhang: »Der Geist des Schriftstellers blickt sich im Spiegel an, den ihm die Druckerpresse liefert.« (K 21; vgl. K 17) Dabei glorifiziert Valéry, der Anti-Idealist, keineswegs die Stoffe Fichteanisch als Vehikel des Geistes, um sie damit wiederum zu erniedrigen. Trauernd vielmehr spricht er ihnen den Sieg zu, den Geist bloß usurpiert. So ephemer ist er, daß alle Artefakte Opfer der zerstörenden

Gewalt der Stoffe ebenso wie der eigenen Insuffizienz werden: »Bücher haben dieselben Feinde wie der Mensch: das Feuer, die Feuchtigkeit, Tiere, die Zeit – und den eigenen Inhalt.« (W 161) Solche Trauer macht jedoch insgeheim gemeinsame Sache mit der Hinfälligkeit. Geist wird zum Geist erst, wo er der eigenen Naturwüchsigkeit innewird: »Die einen Denker haben das Verdienst klar zu sehen, was alle übrigen undeutlich sehen; die andern, undeutlich zu sehen, was noch keiner sieht. Sehr selten findet man diese Verdienste vereint. Die einen werden schließlich von jedermann eingeholt. Die andern gehen in diesen auf oder werden völlig vernichtet, spurlos und für immer. Die einen verschwinden in der Menge, in der sie sich auflösen; die andern in diesen oder einfach in der Zeit. Das ist das Los der Denker.« (W 65) Es zu denken, anstatt mitleidlos von Essen und Trinken sich loszureißen, wäre ihre humane Freiheit. Dies Äußerste spricht Valéry epigrammatisch, als Witz aus in Betrachtungen über die Töpferkunst: »Eine bestimmte Gattung der Dichtkunst könnte es darauf anlegen, vom Grunde unserer Teller abgelesen zu werden.« (K 162)

Für Valérys ästhetische Erfahrung bewähren Kraft und Spontaneität des Subjekts sich nicht in seiner Bekundung sondern, Hegelisch, in seiner Entäußerung: je gründlicher das Gebilde vom Subjekt sich ablöst, desto mehr hat das Subjekt darin vollbracht. »Ein Werk dauert gerade insofern es ganz anders zu erscheinen vermag, als es sein Verfasser geplant hat.« (W 175) Schneidend kritisiert Valéry, was zu schwach ist, sich zu objektivieren, die bloßen Intentionen; was immer Dichter sich bei Werken denken oder in Werke legen, ohne daß es von ihnen sich emanzipierte und zu einem an sich Beredten und Verbindlichen würde. »Wenn ein Werk erschienen ist, hat die Deutung, die ihm sein Verfasser gibt, nicht mehr Gewicht als die eines andern ...

Meine Absicht ist nur meine Absicht, und das Werk ist das Werk.« (W 171) Er, in dem das dichterische Vermögen und das philosophische sich wie kaum bei einem anderen wechselseitig produzierten, haßte die »philosophischen Dichter«, die »einen Maler von Seestücken mit einem Schiffskapitän verwechseln« (W 61); »in Versen philosophieren hieß und heißt immer noch, nach den Regeln des Damespiels Schach spielen zu wollen« (W 92). Seine Selbstreflexion der Kunstwerke wird kontrapunktiert von dem, was am schwersten begreift, der jene von außen betritt: daß sie nicht ihrem Autor gehören, nicht wesentlich dessen Abbild sind, sondern daß er mit dem ersten Zug der Konzeption an diese und sein Material gebunden ist, zum Vollzugsorgan dessen wird, was das Gebilde will: »Ganz andere Kräfte als ein ›Verfasser‹ arbeiten an einem Werk.« (W 48) Künstlerische Produktivkraft ist die der Selbstauslöschung. »Wir schreiben immer, selbst in der Prosa, notwendig solches, was wir nicht schreiben wollten. Was wir wollten, will es.« (W 167) Schließlich wird das Convenu vom schöpferischen Künstler antithetisch berichtigt: »Das Werk verändert den Autor. Bei jeder Bewegung, die es aus ihm herausholt, erfährt er eine Veränderung. Ist es vollendet, wirkt es nochmals auf ihn. Er wird dann, zum Beispiel, derjenige, der fähig war, es zu erzeugen. Hinterher wird er irgendwie zum Erbauer des verwirklichten Ganzen – das ein Mythus ist.« (W 90) Verschlüsselt ist damit erreicht, daß das ästhetische Subjekt nicht das produzierende Individuum in seiner Zufälligkeit ist sondern ein latentes gesellschaftliches, als dessen Stellvertreter der einzelne Künstler agiert. Daher Valérys Verachtung für die Lehren von der Inspiration: ihm ist das Werk kein dem Subjekt als Privateigentum Geschenktes sondern ein Forderndes, das ihm Glück verweigert und es zu unbegrenzter Anstrengung anspornt. Einen großen Künstler läßt er von seinem Werk sagen: »... die unmittelbare

Gesamtwirkung, die plötzliche Erschütterung, die Entdek-
kung, und am Ende die Geburt des Ganzen, die vielfältige
Stimmung, all dies ist mir verwehrt, all dies ist nur für die
Menschen, die dieses Werk nicht kennen, die nicht mit ihm
zusammengelebt haben, die nichts ahnen von langsamen
Tastversuchen, von Widerwillen und Zerfall ... die nur
einen großartigen Plan auf einmal erfüllt sehen« (a.a.O.).
Als Geburtshelfer solcher Objektivität ist der Künstler das
Gegenteil dessen, wozu die bürgerliche Kunstreligion ihn
stilisiert: »Jeder Dichter wird schließlich soviel taugen, wie
er als Kritiker (seiner selbst) getaugt hat.« (W 126) Implizit
erteilt das dem ästhetischen Relativismus Bescheid. Die
Objektivität der Kunst, die von der Gestalt des Problems
vorgezeichnet ist und nicht von der Intention des Autors,
zeitigt jeweils verbindliche Maßstäbe, ohne daß diese doch
auf abstrakte Regeln, auf apriorische Kategorien zu bringen
wären: »Das Ziel der Malerei ist unbestimmt.« (W 117) Der
Valérysche Künstler ist ein Bergmann ohne Licht, aber die
Schächte und Stollen seines Baus schreiben ihm im Dunkeln
seine Bewegung vor: der Künstler als Kritiker seiner selbst
ist bei Valéry der, welcher »ohne Maßstäbe« urteilt (K 36).
Indem der Produktionsprozeß zu dem der Reflexion auf das
wird, was das sich entäußernde Werk von seinem Urheber
ebenso wie vom Rezipierenden will, legitimiert sich das
Denken über Kunst, dessen Fusion mit dem künstlerischen
Prozeß bei Valéry das Normalbewußtsein permanent herausfordert. Das Werk entfaltet sich in Wort und Gedanken;
Kommentar und Kritik sind ihm notwendig: »Alle Künste
leben von Worten. Jedes Kunstwerk verlangt, daß man ihm
antworte; und zu dem, was den Menschen treibt, Werke zu
schaffen, gehört ebenso wie zu den Geschöpfen dieses ab-
sonderlichen Instinkts untrennbar eine ›Literatur‹, sei diese
nun zu Papier gebracht oder nicht, entspringe sie der Unmittelbarkeit des Erlebens oder denkerisch bewältigter Ver-

innerlichung.« (K 72) Was für divergent gilt, ästhetische Irrationalität und ästhetische Theorie, erkennt Valéry, geschichtsphilosophisch, in seiner Einheit: »Dies veranlaßt mich, darauf aufmerksam zu machen, daß die Künstler, die versucht haben, aus den Mitteln, die ihnen eigneten, die kräftigste Wirkung auf die Sinne herauszuholen; die von der Eindringlichkeit, den Kontrasten, dem Mitschwingenlassen, den Klangwirkungen einen Gebrauch gemacht haben, der an Mißbrauch grenzt; die die schärfsten Reize mischten, die auf die Tiefenschichten des Empfindungsvermögens, und ihre Allgewalt, die auf die irrationalen Entsprechungen der oberen Nervenzentren mit dem Vagus und dem Sympathikus setzten – unsere unbeschränkten Herren –, daß diese Künstler zugleich die ›intellektuellsten‹, am meisten theoretisierenden, am eifrigsten auf Gesetze der Ästhetik versessen gewesen sind. Delacroix, Wagner, Baudelaire – insgesamt sind sie große Theoretiker, insgesamt sind sie darauf aus, die Seelen auf dem Wege über die Sinne in ihre Gewalt zu bekommen.« (K 75) Organon dieser Einheit ist die künstlerische Technik, die über die unwillkürliche Regung und das heteronome Material gleichermaßen verfügt. »Der Künstler hat ... durch sein ›Handwerk‹ und seiner Art gemäß darzutun, was er will und was er denkt.« (K 180) Der schwere Akzent, den bei Valéry das Werk trägt, die Absage an die Dichtung als Erlebnis, richtet schließlich auch das ideologische Bedürfnis von Kunden, Kunst müsse ihnen etwas geben. Valérys Humanismus denunziert den vulgären Anspruch, Kunst solle menschlich sein: »Gewisse Leute glauben, die Lebensdauer eines Werks hänge von seiner ›Menschlichkeit‹ ab. Sie bemühen sich, wahr zu sein. Doch welche Werke sind älter als Wundergeschichten? Das Falsche und das Wunderbare ist menschlicher als der wahre Mensch.« (W 124) Der Abhebung des objektivierten Kunstwerks von der menschlichen Unmittelbarkeit verdankt Valéry eine bedeutende Einsicht, die er mit Benjamin abermals teilt, bei dem sie in der Kritik der Goetheschen Wahlverwandtschaften in metaphysischem Zusammenhang auftritt: daß die Kunst zur Darstellung des Moralischen überhaupt nicht und kaum zur Psychologie fähig ist; von all dem zu reden, wäre Valéry zufolge so sinnvoll, wie wenn man Betrachtungen über die Leber der Venus von Milo anstellen wollte (W 61). Die Objektivation des Kunstwerks geht auf Kosten der Abbildung von Lebendigem. Leben gewinnen die Kunstwerke erst, wo sie auf Menschenähnlichkeit verzichten. »Der Ausdruck eines unverfälschten Gefühls ist immer banal. Je unverfälschter, um so banaler. Um es nicht zu sein, muß man sich anstrengen.« (W 127) »Literarischen Aberglauben« nennt er »jede Überzeugung, die nicht von der Einsicht in die sprachliche Bedingtheit der Literatur ausgeht. Das gilt etwa für die Eigenexistenz und Psychologie von Figuren, Geschöpfen ohne Eingeweide.« (W 180) Aber die imaginären Geschöpfe haben dafür ein Leben eigener Struktur mit Entfaltung, Blüte und Absterben: »Erst sind sie zur Freude da, dann zur Unterweisung, zuletzt als Dokument.« (W 93) Die Morphologie solchen Lebens terminiert in einer geschichtsphilosophischen Bestimmung des Klassischen, die leicht alles aufwiegen dürfte, was über den verbrauchtesten Begriff der Ästhetik je gedacht wurde: »Die klassischen Werke sind vielleicht jene, die erkalten können, ohne zu vergehen, ohne sich zu zersetzen, und es lohnte, einmal den Willen zur Bewahrung, den die Begriffe ›Vollendung‹ und ›geschlossene Form‹ enthalten, in den Prinzipien, Regeln, im Kanon und in den Gesetzen der Kunst jener Epochen aufzudecken, welche man die klassischen nennt.« (W 121) Das aber sprengt Valérys Klassizismus. Denn klassische Werke überleben durch ihre Autorität, durch Ruhm, und der ist überschattet vom blinden Zufall: »Der Ruhm von heute geht bei der Vergoldung älterer Werke nicht planvoller vor als ein Brand oder ein Holzwurm bei ihrem Zerstörungswerk in einer Bibliothek.« (W 52) Der tödliche Autoritätsverlust so vieler traditioneller Kunst heute hat Valérys Verdacht gründlich bestätigt. Dafür hat alle Kunst, auch die avancierte, an sich bereits etwas Konservatives angenommen, den Gestus des Überwinterns. Noch wer zum Äußersten geht, und vielleicht er am ehesten, arbeitet, unter höchst ungewissen Auspizien, an einem Vorrat, über den erst eine versöhnte Menschheit verfügte; was er tut, ist nicht so aktuell, wie er vermeint, sondern möchte an besseren Tagen einmal erwachen. Auch das ist Valéry nicht entgangen: »Dichtung ist Fortleben. In einer Epoche, da sich die Sprache vereinfacht, da die Formen vernachlässigt und entstellt werden, in einer Zeit der Spezialisierung ist Dichtung ein Bewahrtes. Heute, heißt das, würde man den Vers nicht erfinden.« (W 163)

Trotz alledem jedoch verstockt Valérys objektivistische Ästhetik sich nicht dogmatisch. Seine Reflexion ereilt die fetischhaften Züge ihrer Baudelaireschen Ursprünge: noch die Entmenschlichung des Kunstwerks wird aufs Subjekt reduziert, auf seine Naturwüchsigkeit und Sterblichkeit. Das objektivierte Kunstwerk will Dauer, die wie immer auch ohnmächtige, selber sterbliche Utopie des Überlebens; insofern führt Valéry Nietzsches Programm einer zugleich antimetaphysischen und ästhetischen Philosophie aus. Ihr zuliebe stellt er anthropologische Spekulationen an: »Es gibt jedoch andere Auswirkungen unserer Wahrnehmungen, die jenen ganz und gar entgegengesetzt sind: sie erregen in uns das Verlangen, das Bedürfnis, die Zustandsänderungen, denen eigen ist, die auslösenden Wahrnehmungen bewahren oder neu finden oder auch nachvollziehen zu wollen. Wenn ein Mensch Hunger hat, wird dieser Hunger ihn tun lassen, was es braucht, um ihn so rasch wie möglich zu beseitigen; wenn aber die Speise ihm köstlich dünkt, wird dieses Köstlichsein in ihm weiterdauern, sich fortsetzen und neu erstehen wollen. Der Hunger drängt uns, eine Empfindung abzukürzen; das Köstlichsein, eine zweite sich entfalten zu lassen; und diese zwei Strebungen werden sich bald selbständig genug gemacht haben, um den Menschen lernen zu lassen, auf die Verfeinerung seiner Nahrung Bedacht zu nehmen und zu essen, ohne Hunger zu haben. Was ich vom Hunger sagte, läßt sich leicht auf das Liebesbedürfnis erstrecken – und im übrigen auf alle Arten von Empfindungen, auf alle Erscheinungsformen des Empfindungsvermögens, in die bewußtes Handeln einzugreifen vermag, um das wiederherzustellen, zu verlängern oder auch zu steigern, zu dessen Beseitigung das Handeln aus dem Reflex allein ausdrücklich geschaffen zu sein scheint. Sehen, Tasten, Riechen, Hören, Bewegen, Sprechen führen uns insgesamt ein Mal ums andere in die Versuchung, uns in den Eindrücken häuslich einzurichten, die sie uns bescheren, sie am Leben zu erhalten oder sie neu entstehen zu lassen.« (K 142 f.) Daraus springt die Theodizee der Kunst hervor: »Der Inbegriff dieser von mir eben herausgeschälten Auswirkungen, deren Wesen darin besteht, auf Un-endlichsein auszugehen, könnte die Ordnung der Dinge bestimmen, die dem Bereich des Ästhetischen zugehören. Um diesem Wort ›Un-endlichkeit‹ sein Recht und seine scharf umrissene Bedeutung zu geben, braucht man nur daran zu erinnern, daß innerhalb dieser Ordnung die Befriedigung das Bedürfnis wiedererstehen läßt, die Antwort die Frage zu neuem Leben ruft, das Dasein in seinem Schoße das Nichtdasein austrägt und das Besitzen das Verlangen.« (K 143) »Denn alle Lust will Ewigkeit.« Kein anderes Motiv hat Proust zur Konstruktion des Lebens aus der gewaltlosen, unwillkürlichen Erinnerung bewogen. Ein Moment des Desperaten, Jugendstilhaften; der Gestus des sich selbst aus dem Sinnverlassenen herausprojizierenden Sinnes ist dabei unverkennbar. Ästhetisches Bewußtsein, das den Sturz der Religionen – ausdrücklich bei Baudelaire, implizit auch bei Valéry – voraussetzt, kann nicht Kategorien aus dem theologischen Bereich wie die der Ewigkeit umstandslos zur Kunst säkularisieren, als ob solche Transposition deren Anspruch und Wahrheitsgehalt nicht selber berührte. Die Kritik, die Valéry an der Gottähnlichkeit des künstlerischen Selbst übte, dürfte auch vor der Idee der Dauer der Werke nicht verstummen, an deren Realität er ohnehin zweifelte. Seitdem hat die moderne Kunst Grenzen überschritten, die Valérys Generation respektierte und in denen seine Ästhetik veraltete.

Unter den Idealen seines in sich reflektierten, gebrochenen Klassizismus fehlen auch die etwas gipsernen Attribute der Reife und Vollkommenheit nicht (vgl. W 57), während doch die exemplarischen Werke keineswegs die runden und vollkommenen sind sondern jene, in denen der Konflikt zwischen der Intention auf Vollkommenheit und ihrer Unerreichbarkeit die tiefsten Spuren hinterließ. An archaischen Gebilden sieht Valéry wohl Ähnliches: »Wenn große Epen schön sind, so sind sie es trotz ihrer Größe und nur bruchstückweise... Zu Beginn einer Literatur gibt es keine reinen Dichter, wie ja auch die ersten Handwerker keine reinen Metalle kannten.« (W 59) Ihm ist gleich Nietzsche gegenwärtig, wie sehr Ordnung, der Kanon von Klassizität, dem Chaotischen abgezwungen ist; den Alten kam, Valéry zufolge, »die irdische Welt ... sehr wenig geordnet vor« (W 176). »Unrein«, heißt es darum, »ist kein Tadel.« (W 60) »Ein Gedicht zu fügen, das nur Dichtung enthielte, ist unmöglich. Wenn es nur Dichtung enthält, ist es nicht gefügt, ist es kein Gedicht.« (W 167) Das kommt auch der Moderne zugute. »An den Exzessen der Neuerer von gestern verwundert uns immer ihre Ängstlichkeit.« (W 46) Tatsächlich erweisen sich heute die Werke der Generation von Schönberg und Picasso als durchsetzt von Elementen, die ihrer reinen

Konsequenz und Durchbildung sich widersetzen; von Rudimenten dessen, wovon sie abstießen. Aber das beeinträchtigt nicht die Qualität. Die Authentizität solcher Produkte könnte gerade in dem Prozeß zwischen dem noch nicht Gewesenen und dem Gewesenen ihre Substanz haben, an dem das Neue sich reibt und seine Gewalt vermehrt. Diese Spannung haben die Gebilde etwa aus dem Dezennium vor dem Ersten Weltkrieg vor den stimmigeren nach dem Zweiten voraus, und sie erlaubt ihnen zu überleben; der Spannungsverlust in so vielem Späteren könnte eine Funktion sein von dessen eigener Konsequenz. Trotz dieser Verteidigung des Stilbrüchigen aber war für Valéry Dauer, das bürgerliche Rudiment in seinem Denken, eine nach dem Modell des Besitzes vorgestellte Wahrheit, eins mit Ordnung. Als einzige Macht, die den Menschen »über die Geschehnisse« gegeben sei, »denen gegenüber sein direktes Handeln nichts ausrichtet«, ist ihm, wie allen Klassizisten, »Ordnen göttlich« (W 177). Seinen Klassizismus stützt er mit dem kräftigen Argument, daß ans gelungene Kunstwerk der herkömmliche Stilunterschied von klassisch und romantisch nicht heranreiche[3]). »Der Unterschied zwischen klassisch und romantisch ist ganz einfach der zwischen einem, der sein Handwerk versteht, und einem, der es nicht versteht. Ein Romantiker, der seine Kunst gelernt hat, wird zum Klassiker. Deshalb führte die Romantik schließlich zur Schule der Parnassiens.« (W 179) Die Dauer verleihende Ordnung heißt ihm Form. Sie rückt, durch Valérys Kritik alles Inhaltlichen, und wäre es auch selber geistig, nämlich die vom Werk vermeinte Philosophie, ins Zentrum seiner Ästhetik. Aber ihr eigener Begriff bleibt schwächlich. »Man gelangt zur Form, wenn man danach strebt, dem Leser sowenig Mitarbeit wie nur möglich einzuräumen und auch sich selber

[3]) vgl. Th. W. Adorno, Klangfiguren, Berlin und Frankfurt 1959, Klassik, Romantik, Neue Musik, S. 182 ff.

möglichst wenig Unsicherheit und Willkür.« (W 169) So
wahr es ist, daß jede bewältigte künstlerische Form Zwang
auf den Rezipierenden ausübt, der als das Authentische des
Gebildes erfahren wird, so wenig verbürgt er allein dessen
Rang. Gerade Valéry hat darauf bestanden, daß im ästhetischen Formbegriff keine wie immer geartete Rücksicht auf
den Empfangenden oder den Produzierenden enthalten sei.
Aber er gleitet darüber hinweg; vielleicht weil sonst die
Kunstmetaphysik selbst gefährdet würde. »Form«, sagt er
im Einverständnis mit dem abgestandenen Formalismus,
»ist wesentlich an Wiederholung gebunden« (a.a.O.); als
hätten nicht schon zu seiner Zeit die authentischsten Kunstwerke ihr Formgesetz am Ausschluß des äußerlichen und
regressiven Formmittels der Wiederholung gesucht; als
schriebe er nicht ein paar Seiten später: »Der Geist aber er-
trägt keine Wiederholung.« (W 172) Nur einen akademischen Formbegriff kann er wirksam vorgeblicher Neue-
rungssucht kontrastieren: »Die Anbetung des Neuen ist
demnach dem Bemühen um die Form entgegengesetzt.«
(W 169) Form, die über ihre Parodie, das Schulstück, sich
erhebt, wäre schwerlich noch von der Obsession mit dem
Neuen zu trennen. Aber Valéry zeigt sich darin mit dem
Neoklassizismus verschworen, daß er von außen gesetzte
Formen rechtfertigt, unabhängig von der Immanenz der
Form in der Gesetzmäßigkeit des je einzelnen Gebildes.
Der nichts einem anderen als dem Ingenium verdanken
möchte, läßt von masochistischer Freude an Typen sich verlocken, die heteronome und unbestätigte Autorität ausüben;
vergafft in den Reiz zweideutiger, als Gesetz maskierter
Zufälligkeit, der so schnell sich verbrannte zur Asche der
Langeweile. Manches aus den Windstrichen könnte in Strawinskys musikalischer Poetik stehen: »Ein großer Erfolg
des Reims ist es, die einfältigen Leute zu ärgern, die naiv
genug sind zu meinen, es gebe auf der Welt Wichtigeres als

eine Übereinkunft. Sie haben den arglosen Glauben, irgendein Gedanke könne tiefer und dauerhafter sein – als jede
beliebige Konvention...« (W 167) Den ästhetischen Objektivismus Valérys trägt, genetisch-literarisch und auch sachlich, ein Subjekt, das der Substantialität der Formen sich
unwiderruflich entfremdet weiß und gleichwohl das Bedürfnis danach bewahrt. Es zitiert sie als disziplinieren-
des Mittel, als Schwierigkeit herbei, welche die Kunst sich
selber bereiten müsse, um vollkommen zu werden; als wäre
nicht die künstlerische Praxis durch jene Mittel allzu bequem geworden. Ihn verleitet die Willkür einer Subjektivität, die weder an jene Formen noch wesentlich gebunden
ist, noch kraft der eigenen Arbeit und Anstrengung, die
Valéry sonst zu fordern nicht müde wird, Form aus sich
selbst, ihrer Selbstversenkung, unbekümmert um Muster
und vergangene gesellschaftliche Übereinkunft, konstituier-
te. In solcher Gesinnung preist Valéry, nicht ohne die Ironie
des Provokativen, eine dichterische Form, die vor andern
den Verdacht des mechanisch Klappernden erregt: »Zuweilen bin ich einer, der, falls er in der Unterwelt dem Er-
finder des Sonetts begegnete, ihm mit viel Hochachtung sagen würde (gesetzt den Fall, daß davon in der anderen
Welt etwas übrigbleiben sollte): ›Lieber Herr Kollege, ich
begrüße Sie in aller Demut. Ich weiß nicht, was Ihre Verse,
die ich nie gelesen habe, taugen, und ich wette, daß sie
nichts taugen, weil schon immer viel dafür gesprochen hat,
darauf zu wetten, daß Verse schlecht sind. Doch so schlecht,
so flach, so blöd, so durchsichtig, so einfältig, so kindlich sie
auch gefügt sein mögen – ich stelle Sie unter allen Umständen in meinem Herzen über alle Dichter der Erde und
der Unterwelt! Sie haben eine Form gefunden, und im Gesetz dieser Form fanden die Größten ihr Maß.‹« (K 24 f.)
Wohl möchte man fragen, wie der Gedanke an die Erfindung einer Form mit ihrer Würde sich verträgt, welche

doch diesen Gedanken erweckte. Das ist die Schwelle, die Valéry von deutschen Erfahrungen trennt, mit denen sonst seine Spekulation konvergiert. Damit Kunst ihm das Oberste bleibe, muß er krampfhaft die Augen verschließen. Sie ist ihm am Ende doch nicht, wie für Hegel, eine Entfaltung der Wahrheit, sondern, mit jenem zu reden, ein angenehmes Spielwerk. Das Moment des weltläufig Zivilisatorischen darin ist unverächtlich genug gegenüber der Befangenheit in einem Reich des Geistes, das der Befangene buchstäblich nimmt und verabsolutiert. Gleichwohl verhindert es Valéry daran, den vollen Begriff des Kunstwerks als eines Kraftfeldes von Subjekt und Objekt zu erreichen. Noch das hat er empfunden. Er versichert sich, im Gegensatz zur Toleranz fürs nicht ganz Ernste, der Unvereinbarkeit der geistigen Gebilde miteinander, die doch widerstrebend aufeinander verwiesen sind: »Keinen von ihnen« – den bedeutenden Künstlern – »kann ich mir einzeln vorstellen; und dabei hat sich doch jeder verzehrt, damit keiner neben ihm bestehe.« (W 95) Darum demontiert er ein Cliché, das, heruntergekommen aus der großen Philosophie, nur noch zum Vorwand jener bürgerlichen Kultur taugt, die, wo Notwendigkeit sein sollte, Freiheit verhimmelt, weil Notwendigkeit herrscht, wo Freiheit sein sollte: »Über Geschmack und Farben soll man streiten.« (W 34) Keineswegs verläßt er sich auf die in Frankreich sakrosankte Kategorie des Geschmacks: »Wer nie den guten Geschmack verletzt, hat sich nie sehr weit in sich vorgewagt. Wer gar keinen Geschmack hat, hat es getan, ohne daraus Nutzen zu ziehen.« (W 169) Er hätte schwerlich, wie der Musicien Français Debussy, die Pariser Erstaufführung von Mahlers Zweiter Symphonie protestierend verlassen. Dennoch behält bei ihm das Kunstwerk etwas Unverbindliches. Seine oberste ästhetische Kategorie, das Formgesetz, gründet sich auf Wahl, Entschluß und Reminiszenz. Er sperrte sich dagegen, daß eben durch den Überschuß einer im Subjekt nicht eingeschmolzenen Objektivität, an dem sein Objektivismus sich orientiert, Objektivität selber herabgesetzt wird zum Trug, zur bloßen subjektiven Veranstaltung. Und damit zu einem ideologisch Schmückenden. Trotz aller Polemik gegen Kommunikation und Wirkungszusammenhänge fügt sich das Valérysche Kunstwerk zustimmend in den Bannkreis der Gesellschaft, den romanisches Denken zögert zu überschreiten, nach Cocteaus Wort stets dessen eingedenk, wie weit man zu weit gehen darf. »Ein Gedicht muß ein Fest des Intellekts sein. Es kann nichts anderes sein. Ein Fest: das heißt ein Spiel, aber ein hohes, geregeltes, voller Bedeutung; ein Bild dessen, was man gewöhnlich nicht ist, eines Zustandes, in dem die Anstrengung im Rhythmus erlöst ist. Man feiert etwas, indem man es in seiner reinsten und schönsten Form vollendet darstellt.« (W 162) Man darf durch die Spiritualisierung der Idee vom Fest nicht darüber sich täuschen lassen, daß das festliche Kunstwerk eingeschworen bleibt auf die Bejahung dessen, was ist. Der ästhetische Konformismus der Valéryschen Lehre von der Form ist gesellschaftlich zugleich.

Selbst sein Neoklassizismus jedoch enträt nicht des Gärstoffs. Die neoklassizistische Bewegung in Frankreich war ingesamt, wie man weiß, kunststrategisch ein Gegenschlag gegen Wagner. Die stipulierte Ordnung sollte dem rauschhaften Wesen, der trüben Vermischung der Künste, dem deutschen Hang zum Superlativ (W 49) widerstehen. Diesem Programm hat Valéry auch als Dichter sich verschrieben in dem Plan des musikalischen Dramas Amphion, das, nachdem Debussy spröde sich gezeigt hatte, schließlich von Honegger vertont wurde. Neoklassizistisch ist nicht nur der griechische Stoff sondern die Idee. Sie beruht auf jener scharfen Distinktion der Künste durch Valéry, die das Wagnerische Musikdrama vorweg negiert. Er hat sie an der eigenen Ent-

wicklung erfahren als die der Architektur, der seine erste
Liebe gehörte, und der Musik; hat es aber nicht bei der
Distinktion sein Bewenden haben lassen und damit auch
nicht bei Stilkopien des siebzehnten und achtzehnten Jahrhunderts. In seinem Medium, der Sprache, das ihm musikalisch war und keines der begrifflichen Signifikation, hielt er
der Architektur die Treue. Dazu inspirierte ihn, daß beide
Kunstgattungen insofern verwandt sind, als sie nichts Ge-
genständliches nachahmen oder bezeichnen. Er spricht an
auf die coincidentia oppositorum: »Die Komposition – das
heißt die Verknüpfung des Ganzen mit dem Einzelnen – ist
in den Werken der Musik und der Architektur viel spür-
barer und gebotener als bei den Künsten, deren Gegenstand
die Wiedergabe sichtbarer Dinge ist: da diese ihre Elemente und ihre Musterbilder der Welt außer uns entnehmen –
der Welt der ganz und gar schon zu Ende geschaffenen
Dinge und der schon festgelegten Schicksale – entspringt
daraus ein gewisser Mangel an Reinheit der Form, einige
Anspielung auf jene andersartige Welt, manch ein Eindruck, der mehrdeutig bleibt und zufällig ist.« (K 38) Das
erst spezifiziert seine Idee von Form: die Wiederkunft des
Architektonischen im Musikhaften. »Noch bei den unge-
wichtigsten Stücken muß man an das denken, was Dauer
verleiht, und das heißt an das, was in der Erinnerung zu
bleiben vermag, an die Form also, so wie die Erbauer der mit
ihrem Filigran schwerelos in den Himmel ragenden Turm-
spitzen an die Gesetze denken, die den Halt des Baues verbürgen.« (K 37) Der Künstler, dem die Reflexion auf Kunst
und diese eins sind, zieht daraus den Impuls seines Musik-
dramas. Sein Vorwurf ist die Urgeschichte der Musik in
ihrem Gegensatz zur Architektur, die zugleich in der dramatischen Einheit durcheinander vermittelt sind. Gleichgültig jedoch, ob das Projekt gelang oder nicht: nachdem
einmal Valéry auf das Abenteuer solcher Vermittlung sich

einließ, geht es Kategorien wie der säuberlichen Trennung der Künste, dem an der Optik orientierten Primat von Ordnung, schließlich dem Neoklassizismus ans Leben. Enthusiastisch grüßt er die Beschreibung eines von Musik Besessenen durch E. T. A. Hoffmann, der »glaubt, einen Ton von außerordentlicher Eindringlichkeit und Reinheit zu vernehmen den er den Euphon nennt und der ihm das unendliche und eigene Weltbild des Gehörsinns aufschließt ... So erlebt sich innerhalb der Ordnung der Bildenden Kunst der Mensch, der sieht, unversehens als Seele, die singt, und dieser Zustand – ›Ich singe ja!‹ – läßt in ihm einen Durst nach Schöpfung entstehen, der das Geschenk des Augenblicks festhalten und verewigen möchte.« (K 94) Er verfällt darauf, »daß einer den Plan fassen könnte, die Notenschrift zu diesem Tanze aufzuzeichnen. So könnte man einer gegebenen Plastik ein bestimmtes Musikstück zuordnen, das ganz auf dem Rhythmus der Hantierung des Künstlers aufgebaut wäre.« (K 174)

Das Baudelairisch-neuromantische Motiv der Synästhesie wird sublimiert: nicht länger verschwimmen Töne und Düfte in der Luft des Abends, sondern das Getrennte wird synthesiert kraft seiner harten Getrenntheit. Auch das wäre mit einem dogmatischen Begriff von Form unvereinbar. Ihn sprengt Valérys verzehrendes Bewußtsein, das bei keiner festen Bestimmung sich ausruht, durch die Interpretation der Kunst als einer Sprache eigenen Wesens. Sie ist Nachahmung; nicht eines Gegenständlichen, sondern mimetisches Verhalten. Noch die ästhetische Kategorie, welche als die subjektive schlechthin erscheint, die des Ausdrucks, wird im Namen solcher Nachahmung zu einem Objektiven: zur Nachahmung der Sprache der Dinge selber. Sie ist daran gebunden, daß das Gebilde der Ähnlichkeit mit jenen sich entschlägt. »Dichtung ist der Versuch, mit den Mitteln der artikulierten Sprache das darzustellen oder wiederherzustellen, was Schreie, Tränen, Liebkosungen, Küsse, Seufzer usw. dunkel auszudrücken versuchen, und was die Dinge scheinbar ausdrücken wollen in dem, was wir für ihr Leben und ihre Absicht nehmen.« (W 163) Der musikalische Sprachgebrauch kennt in der Vortragsbezeichnung espressivo, die gleichgültig ist gegen das Ausgedrückte wie gegen das ausdrückende Subjekt, etwas nah Verwandtes. Als Metaphysik der Nachahmung tastet Valérys Ästhetik am Ende des Essays über die Würde der Künste, an denen das Feuer teilhat, nach dem Äußersten: »Die Künste, die das Feuer wirkt, wären damit die verehrungswürdigsten von allen, ahmen sie doch so genau das überirdische Wirken eines Weltschöpfers nach.« (K 14) Kunst ist Nachahmung nicht von Geschaffenem sondern des Aktes der Schöpfung selber. Diese Spekulation steht hinter Valérys provokatorischer, entschlossen alexandrinischer Ansicht, der künstlerische Produktionsprozeß sei zugleich der wahre Gegenstand der Kunst: »Warum sollte man denn die Ausführung eines Kunstwerkes nicht auch als Kunstwerk ansehen dürfen?« (K 174) Das zerstört wie kaum eine andere Theorie die Illusion vom Kunstwerk als einem Sein. Gerade als objektives verwandelt es sich ins Werden, während die vulgäre These es statisch vorstellt und sein dynamisches Moment dem vermeintlichen Schöpfungsakt des Künstlers zumißt, der bei Valéry in jener höchsten Nachahmung erlischt. Die Paradoxie erhellt sich damit, daß die objektiv gerichtete Ästhetik Valérys, die das Werk so wenig als Nachahmung eines Äußeren wie als die eines Inneren, der Seele des Autors, dulden möchte, gleichwohl nicht so sehr von dem »unmittelbaren Vergnügen«, das die Werke der Kunst ihm geben, berührt wird, »als durch die Vorstellung, die sie mir vom Tun dessen, der sie schuf, eingeben« (K 170). Nach der abgründigen Passage von jenem Menschen der Vorwelt, der, »gedankenabwesend ein beliebiges grobes Gefäß liebkosend, in sich den Gedanken keimen fühlte, ein anderes Gefäß auszuformen, nur um es liebkosen zu können« (K 13), wäre Kunst vielleicht Nachahmung der schöpferischen Liebe selber. Als Nachahmung eines Schöpfungsaktes anstatt der geronnenen Gegenstände gerät Kunst in Gegensatz zur Natur: »Wir spüren in uns gewisse Sehnsüchte, denen die Natur nicht zu genügen vermag, und uns sind Vermögen eigen, die ihr abgehen.« (K 67) So kommen Baudelaires paradis artificiels nach Hause, Mimesis dessen, was aller Dinglichkeit vorausgeht, durch die künstlerische Freiheit, die dem Bann der Dinge entrückt ist. Diese Theorie der Nachahmung verbindet vollends mit dem Ideal des l'art pour l'art, daß die Ähnlichkeit des Kunstwerks – nicht länger eine mit etwas – zur Funktion seiner immanenten Form gemacht wird. »Man darf nicht vor jeglichem Dinge die Ähnlichkeit wollen; diese muß vielmehr aus der Übereinstimmung einander zugewandter Beobachtungen und Verrichtungen hervorgehen, die in die Form des Ganzen eine ständig sich mehrende Vielheit von Bezogenheiten der einzelnen Teile speichern, die der Künstler wahrgenommen hat. Es kennzeichnet die Güte einer Arbeit, daß man sie immer weiter der Genauigkeit zu vorantreiben kann, ohne daß man ihre Anlage oder die Bezugspunkte zu ändern brauchte.« (K 176) Kunstwerke wären um so ähnlicher, je vollkommener sie durchgebildet sind bei sich selber: »Für sie gab es eben richtigerweise die Ähnlichkeit nur in ihrer Bezogenheit auf das allgemeine Prinzip der Kunst und deren eigentlichen Gegenstand.« (K 177) Es wird nicht genannt und ist zugehängt, aber sein Gleichnis ist der Schöpfungsakt, und das Kunstwerk rangiert um so höher, je mehr es diesem gleicht; je ähnlicher, ließe pleonastisch sich sagen, es sich selber ist. Denn in der Ähnlichkeit mit sich selbst wird es zum Gleichnis des Absoluten, dem es unmittelbar, in seiner Partikularität, nicht zu ähneln vermag. »Was aber schön ist, selig scheint es in ihm selbst« – das ist die Utopie in ihrer ästhetischen Gestalt. Auf sie, die reine Möglichkeit, zielt Valérys denkende Bewegung. »In meinen Gedanken suche ich mit all dieser Zaubermacht des Meeres zurechtzukommen, indem ich mir sage, daß es nicht aufhöre, meinen Augen das Mögliche vorzuführen.« (K 130) Nur durch die verblendete Besessenheit mit sich selber, nicht durch die durchsichtige Intention auf das, was mehr wäre, wird das Kunstwerk mehr, als es ist. Seine Ähnlichkeit mit sich selber macht es zur Sprache. Allein in solcher Sprachähnlichkeit hat alle Kunst ihre Einheit. Ihre Idee ist von der meinenden Sprache so geschieden wie ästhetische Ähnlichkeit überhaupt von der mit den Dingen. Die Inkommensurabilität der Sprachen gerade verweist auf diese Schicht: »Es gibt Lehren, die nicht vertragen, in eine fremde Sprache übersetzt zu werden, die nicht die ihrer ursprünglichen Formulierung ist. Das Vertrauen darauf, daß man ihnen Glauben schenkt, der Zauber, die Scheu gehen dabei verloren, die ihnen eigen waren, seitdem sie sich in Worte kristallisierten; in Worte, die sich verschleiert und nur ihnen geweiht haben.« (W 147) In der Konzeption ungegenständlicher Ähnlichkeit wird der neuromantische Kultus der Nuance theoretisch heimgebracht. »Das Schöne erfordert vielleicht die sklavische Nachahmung dessen, was in den Dingen unbestimmbar ist« (W 94), lautet der schönste Satz der Windstriche. Das Unbestimmbare ist das Unnachahmliche, und die ästhetische Mimesis wird zu einer des Absoluten, indem sie im Bedingten solches Unnachahmliche nachahmt. Daran haftet das utopische Versprechen: »Merk auf dieses feine, unaufhörliche Geräusch; es ist die Stille. Horch auf das, was man hört, wenn man nichts mehr vernimmt.« (W 76)

Valérys Utopie geht über in die Prousts: »Die Blumen, die das Blumenmädchen gegenüber, unter dem großen Palasttor, verkauft, bringen allen Menschen Botschaften und Träume der Liebe. Was nie eintreffen, niemals geschehen kann, duftet, riecht gut.« (W 20 f.) An sie heftet sich die Sehnsucht des Denkers nach einem Denken, das des eigenen Zwangscharakters ledig wäre: »Am schönsten wäre es, in einer selbsterfundenen Form zu denken.« (W 72) Unbegrenzte Mühsal des Denkens will auf dessen Untergang in der Erfüllung hinaus; die intellektuelle Anstrengung auf die Abschaffung der Gewalt von »selbstgegebenen Gesetzen« (K 74). Wohl ist unstillbar Valérys Drang, seiner selbst mächtig zu werden, und seine Kunsttheorie möchte Autonomie dorthin noch ausdehnen, wo ihr sonst bloß Kontingenz sich entgegensetzt. »Weder das Neue noch das Geniale verlocken mich – sondern die Herrschaft über sich selbst.« (W 69) Aber dies Ideal transzendiert den eigenen Subjektivismus. »Wer arbeitet, sagt sich: Ich will mächtiger, gescheiter, glücklicher sein – als – Ich.« (W 128) Schrankenloses Verfügen des Subjekts über es selber meint dessen Aufhebung in einem Objektiven. Das Werk, das die Sprache der Dinge als Ebenbildlichkeit mit dem Schöpfungsakt nachahmt, bedarf der Herrschaft des Produzierenden, den es wiederum unterjocht. So wird es für Valéry zugleich Strafe: »Und zu deiner Strafe wirst du sehr schöne Dinge herstellen. Dies hat ein Gott, der keineswegs Jehova ist, dem Menschen nach dem Sündenfall in Wahrheit gesagt.« (W 89) Aber mit Strafe will er sich nicht gemein machen. Sie untergrabe, heißt es, abermals in Nietzsches Tonfall, »die Moral, denn sie schafft für das Verbrechen einen deutlich begrenzten Ausgleich. Aus dem Grauen vor dem Verbrechen macht sie ein bloßes Grauen vor der Strafe; – eigentlich spricht sie frei; sie macht das Verbrechen zu etwas Verkäuflichem und Meßbarem: feilschen wird möglich.« (W 151) Valéry, der Denkende, durchschaut die Befleckung von Denken selber als einem Kalkül durch den Tausch: »Das Wertvollste darf nichts kosten. Und den andern (Gedanken): darauf am meisten stolz sein, wofür man am wenigsten kann.« (W 165) So wird im Denken dessen Prinzip, Herrschaft selber, widerrufen. Der alles an seine Macht als Künstler setzt, denunziert die Kunstwerke, insoweit sie Macht ausüben. »Nichts liegt Corot ferner als die Sorge dieser gewaltigen und umgetriebenen Geister, die so angstvoll sich mühten, an diesen gebrechlichen und verborgenen Punkt des Wesens heranzukommen und zu etwas von ihnen Besessenem (im diabolischen Verstand dieses Wortes) zu machen, der es auf dem Umwege über die Tiefenschichten des Organismus und die Eingeweide ganz und gar ausliefert. Sie wollen verknechten. Corot will zu dem von ihm Erfühlten hinverführen. Er denkt nicht daran, sich zum Herren über einen Sklaven zu machen. Doch hofft er, aus uns sich Freunde zu schaffen, Gefährten seines glückhaften Schauens an einem schönen Tage vom silbernen Morgen bis an die Schwelle der Nacht.« (K 76) Die Idee der unversöhnlichen Anstrengung von Kunst ist Versöhnung als ihr Ende.

Gegen kleine Kommentare zu einigen Abschnitten aus der ›Suche nach der verlorenen Zeit‹ ließe sich sagen, daß bei dem verwirrend reichen und krausen Gebilde der Leser mehr der orientierenden Überschau bedürfe, als daß er noch tiefer ins Einzelne verstrickt werden möchte, aus dem ohnehin nur schwer und mühsam der Weg zum Ganzen sich bahnen ließe. Der Einwand scheint mir der Sache nicht gerecht zu werden. An großen Übersichten fehlt es nicht länger. Das Verhältnis des Ganzen zum Detail jedoch bei Proust ist nicht das eines architektonischen Gesamtplans zu seiner Ausfüllung durchs Spezifische: eben dagegen, gegen das gewalttätig Unwahre einer subsumierenden, von oben her aufgestülpten Form hat Proust revoltiert. Wie die Gesinnung seines Werkes die herkömmlichen Vorstellungen von Allgemeinem und Besonderem herausfordert und ästhetisch ernst macht mit der Lehre aus Hegels Logik, das Besondere sei das Allgemeine und umgekehrt, beides sei durcheinander vermittelt, so kristallisiert sich das Ganze, allem abstrakten Umriß abhold, aus den ineinandergewachsenen Einzeldarstellungen. Eine jede birgt Konstellationen dessen in sich, was am Ende als Idee des Romans hervortritt. Große Musiker der Epoche, Alban Berg etwa, wußten, daß die lebendige Totale gerät nur durchs vegetabilisch wuchernde Gerank hindurch. Die produktive Kraft zur Einheit ist identisch mit dem passiven Vermögen, schrankenlos, ohne Rückhalt ans Detail sich zu verlieren. Der inneren Formzusammensetzung des Proustschen Werkes aber, das den Franzosen seiner Zeit nicht bloß um der langen und dunklen Sätze willen so deutsch dünkte, wohnt trotz seiner vorwiegend optischen Begabung, und ohne alle billige Analogie mit dem Komponieren, ein musikalischer Impuls inne. Er bewährt sich am eindringlichsten in der Paradoxie, daß der große Vorwurf, die Rettung des Vergänglichen, durch die eigene Vergängnis, die Zeit hindurch gerät. Die Dauer, der das Gebilde nachfragt, konzentriert sich in ungezählten, vielfach voneinander isolierten Augenblicken. Einmal verherrlicht Proust mittelalterliche Meister, die in ihren Kathedralen Zierate so verborgen angebracht hätten, daß sie wissen mußten, es werde nie ein Mensch sie erblicken. Die Einheit ist keine fürs menschliche Auge veranstaltete, sondern unsichtbar mitten im Zerstreuten, und erst einem göttlichen Betrachter würde sie offenbar. Im Gedanken an jene Kathedralen ist Proust zu lesen, beharrend vorm Konkreten und ohne vorwitzigen Griff nach dem, was bloß durch die tausend Facetten hindurch, nicht unmittelbar sich gibt. Darum will ich weder bloß auf vorgebliche Glanzstellen hinweisen noch eine Interpretation des Ganzen vorbringen, die noch im glücklichsten Fall bloß wiederholte, was der Autor von sich aus an Intentionen ins Werk hineintat. Sondern ich hoffe, durch Versenkung ins Bruchstück etwas von jenem Gehalt aufleuchten zu lassen, der sein Unverlierbares von nichts anderem empfängt als von der Farbe des hic et nunc. Mit solchem Verfahren glaube ich Prousts eigener Intention besser die Treue zu halten, als wenn ich sie abzudestillieren versuchte.

Zu ›In Swanns Welt‹, 115–123

Henri Bergson, Prousts Verwandter nicht nur im Geist, vergleicht in der ›Einleitung in die Metaphysik‹ die klassifizierenden Begriffe der kausal-mechanischen Wissenschaft Konfektionskleidern, welche um den Leib der Gegenstände schlotterten, während die Intuitionen, die er preist, so genau auf der Sache säßen wie Modelle der haute couture. Könnte ein wissenschaftliches oder metaphysisches Verhältnis ebenso bei Proust in einem Gleichnis aus der Sphäre der mondanité ausgesprochen sein, so hat er umgekehrt nach der Bergsonschen Formel sich gerichtet, mochte er sie kennen oder nicht. Freilich nicht durch bloße Intuition. Deren Kräfte balancieren sich in seinem Werk mit denen französischer Rationalität, einer gehörigen Portion welterfahrenen Menschenverstandes. Erst die Spannung und Zusammensetzung beider Elemente macht das Proustische Klima aus. Wohl aber ist ihm eigentümlich die Bergsonsche Allergie gegen die Konfektion des Gedankens, das vorgegebene und etablierte Cliché: unerträglich ist seinem Takt, was alle sagen; solche Empfindlichkeit ist sein Organ für die Unwahrheit, und damit für die Wahrheit. Während er in den alten Chor über gesellschaftliche Heuchelei und Unwahrhaftigkeit miteinstimmte, aber gleich jenem Chor am gesellschaftlichen Grund nirgends ausdrückliche Kritik übte, ist er dennoch gegen seinen Willen, und darum um so authentischer, zum Kritiker der Gesellschaft geworden. Er respektierte weithin ihre Normen und Inhalte; als Erzähler indessen hat er ihr Kategoriensystem suspendiert, und damit ihren Anspruch auf Selbstverständlichkeit, den Trug, sie wäre Natur, durchbrochen. Nur der wird Proust begreifen, gefeit dagegen, ihn als den verzärtelt in sich selbst Verliebten zu verkennen, der er freilich auch war, wer die ungemessene Energie des Widerstandes gegen die Meinung spürt, der tendenziell jeder Satz des Platonikers Proust abgerungen ist. Dieser Widerstand, die zweite Entfremdung der entfremdeten Welt als Mittel zu ihrer Restitution, verleiht dem Raffinierten seine Frische. Er macht ihn so untauglich zum literarischen Vorbild wie nur Kafka, denn jede Nachahmung seines Verfahrens setzte diesen Widerstand als bereits geleistet voraus, dispensierte sich von ihm und verfehlte damit vorweg, was Proust traf. Die Anekdote von jenem alten Mönch, der in der ersten Nacht nach seinem Tod einem befreundeten Ordensbruder im Traum erscheint und ihm »Alles ganz anders« zuflüstert, könnte Prousts Recherche zur Maxime dienen, als einem corpus von Recherchen darüber, wie es denn nun im Gegensatz zu dem, worin alle einig sind, wirklich gewesen sei: der ganze Roman ist ein einziger Revisionsprozeß des Lebens gegen das Leben. Die Epsiode von der Entzweiung mit dem bewunderten Onkel Adolf enthüllt am Schluß die völlige Disparatheit von subjektiven Motiven und objektiv Geschehendem. Die Kokotte aber, die ohne Schuld das Unheil auslöst, bleibt trotz jenes Bruchs dem Roman unverloren. Sie wird als Odette Swann eine seiner Hauptfiguren und bringt es zu den größten gesellschaftlichen Ehren, so wie der Sohn des Kammerdieners jenes Onkels, Morel, Tausende von Seiten später den Sturz des hochmögenden Barons Charlus herbeiführt. In Prousts Werk ist eine der sonderbarsten Erfahrungen aufgefangen, eine, die jeglicher Verallgemeinerung sich zu entziehen scheint und darum im Sinne der Recherche das Urbild wahrer Allgemeinheit ist: daß die Menschen, mit denen wir im Leben entscheidend zu tun haben, wie von einem unbekannten Autor designiert und abgezählt auftreten, als hätten wir sie an dieser und keiner anderen Stelle erwartet; und daß sie, auch aufgeteilt zwischen mehrere Personen, uns immer wieder begegnen. Diese Erfahrung aber läuft wohl darauf hinaus, daß gegen ihr Ende die liberale Gesellschaft, die sich noch als offene verkennt, nach Bergsons Begriffen zu einer geschlossenen wird, einem System prästabilierter Disharmonie.

Unter den verhärteten Vorstellungen, welche das allgemeine Bewußtsein wie einen Besitz hütet und welche Prousts
Eigensinn, der eines Kindes, das es sich nicht ausreden läßt,
zerstört, ist die wichtigste vielleicht die von der Einheit und
Ganzheit der Person. An kaum einer Stelle speichert sein
Werk so heilsames Gegengift gegen falsche Heiltümer von
heutzutage auf als an dieser. Die Vormacht der Zeit holt
ästhetisch den von Hume abgeleiteten Satz Ernst Machs ein,
das Ich sei nicht zu retten; aber haben jene es nur als Ein-
heitsprinzip der Erkenntnis verworfen, so präsentiert er
dem vollen empirischen Ich die Rechnung seiner Nichtidentität. Der Geist jedoch, in dem das geschieht, ist dem des
Positivismus nicht nur verwandt sondern auch entgegengesetzt. Wohl führt Proust konkret durch, was die Poetik sonst
nur als formale Forderung aufstellt, die Entwicklung der
Charaktere, und dabei zeigt sich, daß die Charaktere keine
sind; eine Hinfälligkeit des Festen, die vom Tod ratifiziert,
keineswegs aber erst hervorgebracht wird. Diese Auflösung
jedoch ist gar nicht so sehr psychologisch als eine Flucht der
Bilder. Mit ihr greift Prousts psychologisches Werk die
Psychologie selber an. Was an den Menschen sich ändert,
entfremdet wird bis zur Unkenntlichkeit, und wie in musikalischer Reprise wiederkehrt, sind die imagines, in die
wir sie versetzen. Proust weiß, daß es ein An sich der Menschen, jenseits dieser Bilderwelt, nicht gibt; daß das Individuum eine Abstraktion ist, daß sein Fürsichsein allein so
wenig Wirklichkeit hat wie sein bloßes Fürunssein, wie es dem
vulgären Vorurteil für Schein gilt. Das unendlich komplexe
Gefüge des Romans ist unter diesem Aspekt der Versuch,
durch eine Totalität, welche Psychologie, Beziehungen zwischen Personen, und Psychologie des intelligiblen Charak-

ters, also Verwandlung der Bilder, zusammennimmt, jene Wirklichkeit zu rekonstruieren, die durch jeglichen aufs bloß tatsächlich Psychologische oder Soziologische gerichteten Blick um dessen Vereinzelung willen nicht zu gewinnen wäre. Auch darin ist sein Werk das Ende des neunzehnten Jahrhunderts, das letzte Panorama. Die oberste Wahrheit aber sieht Proust in den Bildern der Menschen, die über ihnen sind, jenseits ihres Wesens und jenseits ihres zum Wesen selber gehörigen Erscheinens. Der Entwicklungsprozeß des Romans ist die Beschreibung der Bahn dieser Bilder. Sie hat Stationen wie die drei Stellen, die sich auf Oriane Guermantes beziehen; die erste Konfrontation ihres Bildes mit der Empirie in der Kirche von Combray, dann ihre Wiederentdeckung und Modifikation, als die Familie des Erzählers im Pariser Haus der Herzogin, in ihrer unmittelbaren Nähe wohnt, schließlich das Erstarren ihres Bildes in der Photographie, die der Erzähler bei seinem Freund Saint-Loup bemerkt.

Zu ›Die Welt der Guermantes‹, 54–56

Eine von den Formulierungen, die zur Charakteristik Prousts taugen, könnte in seinem wie ein Spiegelsaal in sich reflektierten Werk ganz wohl selber stehen. Es ist die, daß der 1871 Geborene die Welt bereits mit den Augen der dreißig oder fünfzig Jahre Jüngeren sah; daß er also, auf einer neuen Stufe der Romanform, auch die einer neuen Weise von Erfahrung repräsentiere. Das setzt sein mit so vielen Modellen aus der französischen Tradition, etwa den Memoiren des Herzogs von Saint-Simon und der Comédie humaine Balzacs spielendes Werk in die unmittelbare Nähe einer traditionsfeindlichen Bewegung, deren Anfänge er eben noch miterlebte, des Surrealismus. Diese Affinität beschließt Prousts Moderne in sich. Ihm wird das Zeitgenössische mythisch wie für Joyce. Surrealistische Störungsaktionen, wie die Dalis, der eine Abendgesellschaft im Taucheranzug besuchte, hätten, als Metapher verbrämt, durchaus ihren Ort in einer Beschreibung wie der der großen Soirée der Princesse de Guermantes in ›Sodom und Gomorra‹. Prousts mythologisierender Zug will aber keine Reduktion des Gegenwärtigen aufs Uralte und sich Gleichbleibende; ganz gewiß zeitigt ihn keine Gier nach psychologischen Archetypen. Sondern er ist surrealistisch insofern, als er mythische Bilder der Moderne entlockt, wo sie am modernsten ist; darin verwandt der Philosophie Walter Benjamins, seines ersten großen Übersetzers. Im Guermantes-Teil wird ein Theaterabend beschrieben. Der von einem Publikum in großer Toilette besuchte Zuschauerraum verwandelt sich in eine Art jonischer Seelandschaft, ja ähnelt sich dem Unterwasserreich maritimer Naturgottheiten an. Der Erzähler selbst aber spricht davon, daß »Gestalten der Meeresungeheuer«, mythische Bilder sich fügen einzig nach den Gesetzen der Optik und dem jeweiligen Einfallswinkel – also einer dem Bewußtsein äußerlichen, naturwissenschaftlichen Notwendigkeit gehorchend. Was wir um uns erblicken, blickt vieldeutig, rätselhaft auf uns zurück, weil wir in nichts das Erblickte mehr als Unseresgleichen wahrnehmen: Proust redet von »den Mineralien und Leuten, zu denen wir keine Beziehung haben«. Die gesellschaftliche Entfremdung der Menschen voneinander in der hochliberalen bürgerlichen Gesellschaft, wie sie im Theater sich zur Schau stellte und genoß; die Entzauberung der Welt, welche den Menschen Dinge und Menschen zu bloßen Dingen werden ließ, verleiht dem Unverständlichen zweite Bedeutung. Daß sie wahnhaft sei, daran erinnert Proust mit der Wendung, wir zweifelten in solchen Augenblicken an unserem Verstande. Dennoch ist sie Wahrheit. Durch die vollendete Entfremdung hindurch enthüllt sich das gesellschaftliche

Verhältnis als blind naturwüchsiges, so wie die mythische Landschaft es war, zu deren allegorischem Bild das Unerreichbare und Unansprechbare gerinnt; und die Schönheit, welche die Dinge in solchen Beschreibungen annehmen, ist die hoffnungslose ihres Scheinens. Im geschichtlichen Einstand drücken sie die Naturverfallenheit von Geschichte aus.

Zu ›Die Welt der Guermantes‹, 56–59

Die Beschreibung des Theaters als vorweltlich mediterraner Landschaft leitet einige Seiten über die Prinzessin von Guermantes-Bayern ein, welche, dank jener Beschreibung, als Große Göttin eingeführt werden kann. Was von ihr gesagt wird und von der Wirkung, die sie auf die Anwesenden ausübt, ist ein Exempel jener durchs ganze Werk hindurch verstreuten Passagen, die unsympathische Leute veranlassen, über Prousts Snobismus zu zetern, und die den Schwachsinn des mittleren Fortschritts herausfordern, der fragt, warum man für eine schon zu Prousts Zeiten ihrer realen Funktion enteignete und statistisch keineswegs repräsentative Hocharistokratie sich interessieren solle. Auch André Gide, der von Haus aus in gewissem Sinn gesellschaftlich mehr dazugehörte als Proust, scheint zunächst an den Proustschen Prinzessinnen sich geärgert zu haben, und noch André Maurois, dessen Buch in manchen subtilen Details über die Vermittlersphäre hinausweist, aus der es stammt, weiß vom Snobismus als einer Gefahr Prousts zu melden, die er überwunden habe. Statt dessen stünde es an, Proust gegenüber nach dem Satz von Hofmannsthal zu verfahren, der eine ihm vorgeworfene Schwäche lieber gut erklären wollte als verleugnen. Denn daß Proust selber von seinem Swann sich imponieren ließ, weil dieser, wie der Erzähler nicht müde wird zu wiederholen, tatsächlich dem

Jockeyklub angehörte und als Sohn eines Börsenmaklers in der großen Gesellschaft reçu war, ist so offenbar, daß Proust es darauf angelegt haben muß, die eigene provokatorische Neigung hervorzukehren. Man wird aber ihrem Sinn am ehesten auf die Spur kommen, wenn man der Provokation folgt. Snobismus, so wie der Begriff Prousts Recherche durchherrscht, ist die erotische Besetzung gesellschaftlicher Tatbestände. Darum verletzt er ein gesellschaftliches Tabu, das an dem gerächt wird, der auf die heikle Sache zu sprechen kommt. Bekennt der Antipode des Snobs, der Zuhälter, durch seinen Beruf die Verflochtenheit des Sexus mit dem Erwerb ein, welche die bürgerliche Gesellschaft zudeckt, so demonstriert umgekehrt der Snob, was nicht minder allgemein gilt, die Ablenkung der Liebe von der Unmittelbarkeit der Person auf die sozialen Verhältnisse. Der Zuhälter vergesellschaftet den Sexus, der Snob sexualisiert die Gesellschaft. Gerade weil diese die Liebe eigentlich nicht duldet, sondern dem Reich ihrer Zwecke unterwirft, wacht sie wütend darüber, daß Liebe mit ihr nichts zu tun habe, daß diese Natur, reine Unmittelbarkeit sei. Der Snob verschmäht die approbierte Neigungseinheirat, aber verliebt sich in die hierarchische Ordnung selbst, die ihm die Liebe austreibt und die solche Gegenliebe schlechterdings nicht ertragen kann. Er läßt die Katze aus dem Sack, der dann das Proustsche œuvre die Schelle anhängt: nicht umsonst wird ihm, wie vor vierzig Jahren Carl Sternheim, automatisch der Vorwurf gemacht, daß er als Kritiker des Snobismus jenem von ihm übrigens harmlos genannten Laster verfallen gewesen sei, während doch bloß der dem gesellschaftlichen Verhältnis die eigene Melodie vorzuspielen vermag, der ihm idiosynkratisch verfallen war, anstatt mit der Rancune des Ausgeschlossenen es zu verleugnen. Was ihm aber an den vorgeblich überflüssigen Luxusexistenzen aufging, rechtfertigt seine Vernarrtheit. Dem Hingerissenen wird die gesellschaftliche Ordnung ins Märchenbild transfiguriert wie einmal die Geliebte dem wahren Liebenden. Den Proustschen Snobismus entsühnt, was ihm die Instinkte der nivellierten Mittelstandsgesellschaft insgeheim vorwerfen: daß die angebeteten Erzengel und Mächte kein Schwert mehr haben, selbst schutzlose Nachbilder ihrer liquidierten Vergangenheit wurden. Wie jede Liebe möchte der Snobismus aus der Verstrickung bürgerlicher Verhältnisse hinaus in eine Welt, die nicht länger durch universale Nützlichkeit übertüncht, daß sie die Bedürfnisse der Menschen nur akzidentell befriedigt. Prousts Regression ist ein Stück Utopie. Wie die Liebe scheitert er daran, aber im Scheitern denunziert er die Gesellschaft, die befiehlt, daß es nicht sein soll. Jene Unmöglichkeit der Liebe, die er an seinen society-Leuten, allen voran an der eigentlichen Zentralfigur der Recherche, dem Baron Charlus, darstellte, dem am Ende nur noch ein Zuhälter die Freundschaft wahrt, hat sich unterdessen als Kältetod über die gesamte Gesellschaft ausgebreitet, in der die Totalität des Funktionierens selbstvergessene Liebe, wo sie sich noch regt, erstickt. Darin war Proust, was er einmal den Juden zuschreibt, prophetisch. Demütig hat er um die Gunst von Stockreaktionären wie Gaston Calmette und Léon Daudet geworben; aber einer, der an gewissen Tagen das Monokel trug, hieß Karl Marx.

Zu ›Im Schatten junger Mädchenblüte‹, 475–478

Baron de Charlus ist der Bruder des Herzogs von Guermantes. Die Szene seines ersten Auftritts bezeugt das Verhältnis Prousts zur französischen Décadence, die er verkörpert zugleich und unter sich läßt, indem sein Werk sie geschichtlich beim Namen ruft. Ein berühmter Roman aus jener Epoche heißt A Rebours, Gegen den Strich: Proust hat die Erfahrung gegen den Strich gekämmt. Aber das »Alles ganz anders« bliebe geschlagen mit der Ohnmacht des Aparten, wäre nicht seine Kraft auch die des »So ist es«. Aufmerksam machen möchte ich auf Prousts Bemerkung, daß manche Leute einen Laut ausstoßen, als wäre es ihnen übermäßig schwül, ohne daß sie doch so empfänden. Ihre Evidenz kommt ihrer Abseitigkeit gleich. Das schlechte Allgemeine zersetzt sich unter Prousts süchtigem Blick, aber was für zufällig gilt, gewinnt dafür eine quere, irrationale Allgemeinheit. Einem jeden, der überhaupt die Voraussetzungen zur Lektüre Prousts mitbringt, wird es vielerorten zumute sein, als wäre es ihm so, eben so ergangen. Mit der Tradition des großen Romans teilt Proust die vom jungen Lukács herausgearbeitete Kategorie des Kontingenten. Er schildert das sinnverlassene, vom Subjekt her nicht als Kosmos zu rundende Leben. Trotzdem aber ist seiner Beharrlichkeit, welche die der Romanciers des neunzehnten Jahrhunderts übertrifft, der Zufall nicht gänzlich sinnverlassen. Er führt einen Schein von Notwendigkeit mit sich: als wäre doch ins Dasein wirr, äffend, geisternd in seinen dissoziierten Bruchstücken, ein Bezug auf Sinn eingesprengt. Diese Konstellation einer bloß negativ zu spürenden Notwendigkeit in dem ganz Zufälligen – auch sie vorweisend auf Kafka – reißt das besessen individuierte Werk Prousts hoch über die eigene Individuation: in deren Kern legt er das Allgemeine frei, durch das sie vermittelt ist. Solche Allgemeinheit aber ist die des Negativen. Proust hat, wie seine Antipoden, die Naturalisten vor ihm, mit der entlegensten Beobachtung Recht, aber dies Recht ist das der Desillusion und verweigert jeden tröstlichen Zuspruch. Er gibt, wo er nimmt: wo er Recht hat, ist Schmerz. Sein Medium ist der Verfolgungswahn, dem Prousts Triebstruktur nahe verwandt war und der auch in der Physiognomik seines Charlus nicht fehlt. Der hinter sich die Brücken abbrach, besetzt das Sinnlose mit Sinn und Bedeutung, aber gerade sein Wahn reicht an das heran, was die Welt gemacht hat aus sich und aus uns.

Zu ›Die Gefangene‹, *101–104*

Der fünfte Band der Recherche, Die Gefangene, ist, wie schon der zweite Teil des ersten, eine Darstellung der Eifersucht. Der Erzähler hat Albertine zu sich genommen, mißtraut all ihren Worten und Handlungen und hält sie unter einer Kontrolle, der sie sich schließlich durch die Flucht entzieht; danach erleidet sie einen tödlichen Unglücksfall. Nicht müde wird der Autor zu versichern, daß er, während er alle Qualen um Albertine auskostet, sie schon gar nicht mehr liebe. Liebe und Eifersucht sind nicht so miteinander verbunden, wie die gängige Vorstellung es möchte. Eifersucht pocht allemal auf ein Besitzverhältnis, das die Geliebte zum Ding macht, und frevelt so gegen die Spontaneität, an der Liebe ihre Idee hat. Aber Prousts Eifersucht ist nicht bloß der ohnmächtige Versuch, die Flüchtige festzuhalten, die er liebt um ihrer Flüchtigkeit, um des nie ganz zu Haltenden willen. Sondern es möchte diese Eifersucht, wie Proust das Leben, Liebe wiederherstellen. Das gelingt ihr aber nur um den Preis der Individuation der Geliebten. Sie muß, um unbeschädigt zu sein von der eigenen Lüge, in Natur sich zurückverwandeln, ins Gattungswesen. Indem sie ihre psychologische Individualität einbüßt, empfängt sie jene andere und bessere, der Liebe gilt, die des Bildes, das jeder Mensch verkörpert und das ihm selber so fremd ist wie, der Kabbala zufolge, der mystische Name dem, der ihn trägt. Das geschieht im Schlaf. In ihm legt Albertine ab, wodurch sie nach der Ordnung der Welt zum Charakter wird. Sich lösend ins Amorphe, gewinnt sie die Gestalt ihres unsterblichen Teils, an welche Liebe sich heftet: die blickloser, bilderloser Schönheit. Es ist, als wäre die Beschreibung von Albertines Schlaf die Exegese des Baudelaireschen Verses von der, welche die Nacht schön macht. Diese Schönheit gewährt, was das Dasein verweigert, Geborgenheit, aber im Verlorenen. Die arme, hinfällige, verwirrte Liebe findet Unterschlupf, wo die Geliebte dem Tode sich anähnelt. Seit dem zweiten Akt des Tristan ist, im Zeitalter des Verfalls von Liebe, diese nicht inniger verherrlicht worden als in der Beschreibung von Albertines Schlaf, die mit erhabener Ironie den Erzähler Lügen straft, der seine Liebe verleugnet.

Zu ›Die Gefangene‹, 276–278

Von den letzten Dingen ist nicht unmittelbar mehr zu reden. Das ohnmächtige Wort, das sie selber nennt, schwächt sie selbst; Naivetät sowohl wie trotzige Unbekümmertheit im Ausdruck metaphysischer Ideen verrät deren Mangel an Verbürgtheit. Aber Prousts Geist war metaphysisch ganz und gar inmitten einer Welt, welche die Sprache von Metaphysik verbietet: diese Spannung bewegt sein gesamtes Werk. Einmal nur, in der Gefangenen, öffnet er einen Spalt, so hastig, daß das Auge keine Zeit hat, an solches Licht sich zu gewöhnen. Selbst das Wort, das er findet, läßt nicht beim Wort sich nehmen. Hier, in der Darstellung des Todes Bergottes, findet wirklich sich ein Satz, dessen Ton zumindest in der deutschen Version an Kafka anklingt. Er lautet: »Der Gedanke, Bergotte sei nicht für alle Zeiten tot, ist demnach nicht völlig unglaubhaft.« Die Reflexion, die darauf führt, ist die, daß die moralische Kraft des Dichters dem er das Epitaph schreibt, einer anderen Ordnung als der natürlichen angehöre und darum verheiße, diese sei nicht die letzte. Vergleichbar wäre diese Erfahrung der an großen Kunstwerken: daß ihr Gehalt unmöglich *nicht* wahr sein könne; daß ihr Gelingen und ihre Authentizität selber auf die Realität dessen verwiesen, wofür sie einstehen. Tatsächlich möchte man die Stellung der Kunst im Proustschen Werk, sein Vertrauen in die objektive Macht von dessen Gelingen, mit jenem Gedanken zusammenbringen, dem letzten, blassen, säkularisierten und dennoch unauslöschlichen Schatten des ontologischen Gottesbeweises. Der, an dessen Tod im Werke Prousts einzig die Hoffnung sich knüpft, ist nicht nur der Zeuge von »Güte und Gewissenhaftigkeit«, sondern selber ein großer Schriftsteller. Sein Modell war Anatole France. Erinnerung ans ewige Leben entzündet sich an dem Voltairianischen Skeptiker: Aufklärung, der Prozeß von Entmythologisierung soll umschlagend die ihrer selbst eingedenkende Natur hinausführen über den eigenen Zusammenhang. Authentisch ist das Proustsche Werk, weil seine auf Rettung abzielende Intention frei ist von aller Apologie, allem Versuch, irgendeinem Seienden Recht zu geben, irgend Dauer zu verheißen. Aufs non confundar hofft er in der schutzlosen Preisgabe an den Zusammenhang von Natur; der Rest ist ihm noch einmal, mit dem äußersten Hintersinn, Schweigen. Darum wird Zeit, die Macht von Vergängnis selber, die oberste Wesenheit, zu der Prousts Werk, in seinen tausend Brechungen auch ein Roman philosophique wie die Voltaireschen und die Franceschen, aufblickt. Sein Gehalt ist dem theologischen so viel näher als der der Lehre Bergsons, wie er ferner sich hält von jeglicher Positivität. Die Idee von Unsterblichkeit wird nur geduldet an dem, was selber, wie er wohl wußte, vergänglich ist, den Werken als den letzten Gleichnissen von Offenbarung in der wahren Sprache. So träumt an einer späteren Stelle Proust in der Nacht, nachdem sein erstes Feuilleton im Figaro erschien, von Bergotte, als wäre er noch am Leben – als erhöbe das gedruckte Wort Einspruch gegen den Tod, bis der erwachende Dichter der Vergeblich-

keit noch dieses Trostes innewird. Jede Interpretation der
Stelle bleibt hinter ihr zurück; nicht, wie das Cliché es will,
weil ihre künstlerische Würde höher stünde als der Gedanke, sondern weil sie selbst an der Grenze angesiedelt
ist, auf die auch der Gedanke stößt.

Wörter aus der Fremde

Für Gertrud von Holzhausen

Zum ersten Male seit meiner Jugend haben mich Protestbriefe wegen des angeblich übertriebenen Gebrauchs von Fremdwörtern nach der Radiosendung der Kleinen Proust-Kommentare erreicht. Ich sah das Gesprochene daraufhin durch und fand gar keinen besonderen Aufwand an Fremdwörtern darin, es sei denn, man hätte mir einige französische Ausdrücke verübelt, die der französische Gegenstand nahe genug gelegt hatte. So kann ich mir die empörten Zuschriften zunächst kaum anders erklären als durch den Gegensatz zwischen dichterischen Texten und ihrer Auslegung. Angesichts großer darstellender Prosa nimmt wohl leicht deren Deutung die Farbe des Fremdworts an. Fremd mochten eher die Sätze klingen als das Vokabular. Versuche der Formulierung, die, um die gemeinte Sache genau zu treffen, gegen das übliche Sprachgeplätscher schwimmen und gar sich bemühen, verzweigtere gedankliche Zusammenhänge getreu im Gefüge der Syntax aufzufangen, erregen durch die Anstrengung, die sie zumuten, Wut. Der sprachlich Naive schreibt das Befremdende daran den Fremdwörtern zu, die er überall dort verantwortlich macht, wo er etwas nicht versteht; auch wo er die Wörter ganz gut kennt. Schließlich geht es vielfach um die Abwehr von Gedanken, die den Wörtern zugeschoben werden: der Sack wird geschlagen, wo der Esel gemeint ist. In Amerika habe ich einmal darauf die Probe gemacht, als ich in einer Emigrantenorganisation, der ich angehörte, einen unbequemen Vortrag hielt, in dem ich vorsorglich jedes Fremdwort ausgemerzt hatte. Dennoch begegnete er genau dem gleichen Widerstand, auf den ich jetzt wieder in Deutschland getroffen bin. Solche Erfahrung geht bis auf meine Kindheit zurück, als mich in der Trambahn, wo ich mich auf dem Schulweg mit einem Kameraden harmlos unterhielt, der alte Dreibus, ein Nachbar aus unserer Straße, wütend anfuhr: Du verdammter Lausbub, hör auf mit deim Hochdeutsch und lern erst einmal richtig deutsch sprechen. Der Schreck, den Herr Dreibus mir zufügte, wurde kaum gemildert, als er nicht lange danach gänzlich betrunken auf einem Schubkarren nach Hause gefahren wurde, wohl auch wenig später verstarb. Er hatte mich zum ersten Male gelehrt, was Rancune sei, eine Sache, für die es kein rechtes einheimisches Wort gibt, es sei denn, man verwechselte sie mit dem heute in Deutschland so fatal beliebten Ressentiment, das doch ebenfalls von Nietzsche nicht erfunden, sondern importiert wurde. Kurz, der Zorn über die Fremdwörter erklärt sich zunächst aus dem Seelenzustand der Zornigen, denen irgendwelche Trauben zu hoch hängen.

Nun will ich mich nicht besser machen, als ich war. Wenn wir, mein Freund Erich und ich, auf dem Gymnasium mit einiger Freude Fremdwörter verwandten, so verhielten wir uns dabei schon als bevorrechtigte Traubenbesitzer. Ob dieses Verhalten der Rancune vorausging oder umgekehrt, wäre heute nur schwer auszumachen; beides paßte jedenfalls recht genau ineinander. Zelotentum oder Paränese anzubringen, war darum so lustvoll, weil wir fühlten, daß einige der Herren, denen wir zu unserer Erziehung während des Ersten Krieges überantwortet waren, nicht so recht wußten, was das sei. Zwar konnten sie uns mit roten Strichen ermahnen, überflüssige Fremdwörter zu meiden, sonst aber uns so wenig Schlimmes zufügen wie damals, als Erich in einem Hausaufsatz »Meine Sommerferien, Brief an einen Freund« die Anrede »Lieber Habakuk« wählte, während ich, vorsichtiger und gesetzter, aber ebensowenig willens, den Namen meines wirklichen Freundes dem Oberlehrer preiszugeben, über meinen Aufsatz zum gleichen Thema das altkluge »Lieber Freund« setzte. Ich will nicht leugnen, daß ich zuweilen dem bösen Beispiel einer hochbetagten Großtante folgte, von der die Familienchronik berichtete, sie habe als Kind in ihrem französischen Diktionär nachgeschlagen, was die Backmulde auf französisch heiße, dann ihren armen Hauslehrer eben danach gefragt, und als er die Antwort schuldig blieb, hämisch triumphierend geantwortet: ätsch, ätsch, ätsch, la huche. Trotz dieses finsteren Ahnenerbes jedoch fühlten wir uns als Rächer Hanno Buddenbrooks und meinten, in unseren aparten Fremdwörtern den unabkömmlichen Patrioten Pfeile entgegenzuschleudern aus unserem geheimen Königreich, das weder vom Westerwald erreicht werden konnte, noch auf andere Art, wie jene es zu nennen liebten, eingedeutscht. Unser Instinkt war nicht einmal so schlecht. Die Fremdwörter bildeten winzige Zellen des Widerstands gegen den Nationalismus im Ersten Krieg. Der Druck der vorschriftsmäßigen Gesinnung drängte den Widerstand ins Abseitige und Gefahrlose, aber in großen Zeiten gewinnen oft derlei an sich gleichgültige Gebärden unverhältnismäßige symbolische Bedeutung. Daß wir jedoch dabei gerade an die Fremdwörter gerieten, rührte kaum von politischen Erwägungen her. Sondern wie, zumindest für den Typus des ausdrucksfähigen Menschen, die Sprache in ihren Wörtern erotisch besetzt ist, so treibt Liebe zu den Fremdwörtern. Die Empörung über deren Gebrauch entzündet sich in Wahrheit an jener Liebe. Der frühe Drang zu den Wörtern aus der Fremde ähnelt dem zu ausländischen, womöglich exotischen Mädchen; es lockt eine Art Exogamie der Sprache, die aus dem Umkreis des Immergleichen, dem Bann dessen, was man ohnehin ist und kennt, heraus möchte. Fremdwörter ließen damals erröten wie die Nennung eines verschwiegen geliebten Namens. Diese Regung ist Volksgemeinschaften, die sich auch in der Sprache das Eintopfgericht wünschen, verhaßt. Erst in dieser Schicht entspringt die affektive Spannung, die den Fremdwörtern jenes Fruchtbare und Gefährliche leiht, von dem ihre Freunde sich verführen lassen und das ihre Feinde besser ahnen als die Indifferenten.

Diese Spannung scheint aber dem Deutschen eigentümlich zu sein, wie es denn zu den stereotypen, wenngleich kaum ganz aufrichtig gemeinten Vorwürfen des deutschen Nationalismus gegen den deutschen Geist rechnet, daß er vom Ausländischen gar zu servil sich beeindrucken lasse. Daß Zivilisation als Latinisierung in Deutschland nur halb gelang, bezeugt auch die Sprache. Im Französischen, wo das gallische und das römische Element so frühzeitig und gründlich sich durchdrangen, fehlt das Bewußtsein von Fremdwörtern wohl ganz; in England, wo die sächsische und die normannische Sprachschicht sich übereinander schoben, gibt es zwar eine Tendenz zur sprachlichen Verdopplung, in der die sächsischen Elemente den altertümlich-konkreten, die lateinischen den zivilisatorisch-modernen Charakter vertreten, aber die letzteren sind viel zu ausgebreitet, sind zudem auch viel zu sehr Male eines historischen Sieges, als daß sie von anderen denn ausgepichten Romantikern irgend als fremdartig empfunden würden. In Deutschland dagegen, wo die lateinisch-zivilisatorischen Bestandteile nicht mit der älteren Volkssprache verschmolzen, sondern durch Gelehrtenbildung und höfische Sitte eher von jener abgegrenzt wurden, stechen die Fremdwörter unassimiliert heraus und bieten dem Schriftsteller, der sie mit Bedacht wählt, so sich dar, wie Benjamin es beschrieb, als er von der silbernen Rippe eines Fremdworts sprach, das der Autor in den Sprachleib einsetzt. Dabei ist freilich, was unorganisch scheint, in Wahrheit selber nur geschichtliches Zeugnis, das des Mißlingens jener Vereinheitlichung. Solche Disparatheit bedeutet nicht nur in der Sprache Leiden zugleich und den von Hebbel so genannten »Riß zur Schöpfung«, sondern auch in der Wirklichkeit; man mag unter diesem Aspekt den Nationalsozialismus als den gewalttätigen, verspäteten und dadurch vergifteten Versuch erblicken, die versäumte bürgerliche Integration Deutschlands nachträglich zu erzwingen. Keine Sprache, auch die alte Volkssprache nicht, ist, wozu restaurative Lehren sie machen möchten, ein Organisches, Naturhaftes; aber in jedem Sieg eines zivilisatorisch fortgeschrittenen sprachlichen Elements schlägt etwas vom Unrecht sich nieder, das dem Älteren und Schwächeren angetan ward. Das fühlte Karl Kraus, als er einem wegrationalisierten Laut die Elegie schrieb. Die westlichen Sprachen haben jenes Unrecht gemildert, etwa wie politisch der englische Imperialismus mit den unterworfenen Völkern verfuhr. Ausgleich als Schonung des Unterjochten definiert überhaupt wohl Kultur im prägnanten Sinn; in Deutschland jedoch ist es zu diesem Ausgleich nicht gekommen, eben weil das römisch-rationale Prinzip nie unangefochten zur Herrschaft gelangte. Daran erinnern im Deutschen die Fremdwörter: daß keine pax romana geschlossen ward, daß das Ungebändigte überlebte, ebenso wie daran, daß der Humanismus, wo er die Zügel ergriff, nicht als die Substanz der Menschen selber erfahren wurde, die er meinte, sondern als ein Unversöhntes und ihnen Auferlegtes. Insofern ist das Deutsche weniger und mehr als die westlichen Sprachen; weniger durch jenes Brüchige, Ungehobelte und darum dem einzelnen Schriftsteller so wenig Sicheres Vorgebende, wie es in älteren neuhochdeutschen Texten so kraß hervortritt und heute noch im Verhältnis der Fremdwörter zu ihrer Umgebung; mehr, weil die Sprache nicht gänzlich vom Netz der Vergesellschaftung und Kommunikation eingefangen ist. Sie taugt darum zum Ausdruck, weil sie ihn nicht vorweg garantiert. Zu diesem Sachverhalt stimmt es, daß in kulturell geschlosseneren Bereichen der deutschen Sprache, wie dem Wienerischen, wo vorbürgerlich-höfische, elitäre Züge durch Kirche und Aufklärung mit der Volkssprache vermittelt sind, die Fremdwörter, von denen dieser Dialekt wimmelt, jenes exterritorialen und aggressiven Wesens entraten, das ihnen sonst im Deutschen eignet. Man braucht nur einmal von einem Portier etwas von einem rekommendierten Brief gehört zu haben, um des Unterschieds innezuwerden, einer sprachlichen Atmosphäre, in der das Fremde fremd ist und zugleich vertraut, so wie im Gespräch jener beiden Grafen über Hofmannsthals Schwierigen, in dem der eine beanstandet, »er läßt uns doch gar zu viele Worte auf -ieren sagen«, worauf der andere antwortet: »Ja, da hätt' er sich schon ein bisserl menagieren können.«

Keine solche Versöhnung ist im Deutschen gelungen, keine kann durch den individuellen Willen des Schriftstellers herbeigeführt werden. Dafür jedoch vermag er die Spannung zwischen Fremdwort und Sprache, indem er sie in die eigene Reflexion und die eigene Technik einbezieht, sich zunutze zu machen. Das konformistische Moment der Sprache, den trüben Strom, in dem die spezifische Absicht des Ausdrucks ertrinkt, vermag er durchs Fremdwort helfend zu unterbrechen. Seine Härte und Konturiertheit, eben das, was es aus dem Sprachkontinuum hinaushebt, taugt dazu, was vorschwebt und was von der schlechten Allgemeinheit des Sprachgebrauchs zugedeckt wird, genau hervorzutreiben. Mehr noch. Die Diskrepanz zwischen Fremdwort und Sprache kann in den Dienst des Ausdrucks der Wahrheit treten. Sprache hat teil an der Verdinglichung, der Trennung von Sache und Gedanken. Der übliche Klang des Natürlichen betrügt darüber. Er erweckt die Illusion, es wäre, was geredet wird, unmittelbar das Gemeinte. Das Fremdwort mahnt kraß daran, daß alle wirkliche Sprache etwas von der Spielmarke hat, indem es sich selber als Spielmarke einbekennt. Es macht sich zum Sündenbock der Sprache, zum Träger der Dissonanz, die von ihr zu gestalten ist, nicht zuzuschmücken. Wogegen man sich beim Fremdwort sträubt, ist nicht zuletzt, daß es an den Tag bringt, wie es um alle Wörter steht: daß die Sprache die Sprechenden nochmals einsperrt; daß sie als deren eigenes Medium eigentlich mißlang. Die Probe darauf läßt sich an gewissen Neologismen machen, deutschen Ausdrücken, die, der Schimäre des Urtümlichen zuliebe, anstelle von Fremdwörtern erfunden werden. Stets klingen sie fremder und gewaltsamer als die ehrlichen Fremdwörter selber. Diesen gegenüber nehmen sie etwas Verlogenes an, einen Anspruch der Identität von Rede und Gegenstand, der doch durch das allgemeinbegriffliche Wesen jeglicher Rede widerlegt wird. An den Fremdwörtern erweist sich die Unmöglichkeit von Sprachontologie: noch den Begriffen, die sich geben, als wären sie der Ursprung selber, halten sie ihr Vermitteltsein vor, das Moment des subjektiv Gemachten, der Willkür. Terminologie, als Inbegriff der Fremdwörter in den einzelnen Disziplinen, zumal in der Philosophie, ist nicht nur dinghafte Verhärtung sondern zugleich auch deren Gegenteil, die Kritik des Anspruchs der Begriffe, sie seien an sich, während ihnen durch Sprache selber ein Festgesetztes, das auch anders sein könnte, einbeschrieben ist. Die Terminologie vernichtet den Schein der Naturwüchsigkeit in der geschichtlichen Sprache, und darum neigt die restaurative ontologische Philosophie, die ihre Worte als absolutes Sein unterschieben möchte, in besonderem Maß dazu, die Fremdwörter auszumerzen. In jedem Fremdwort steckt der Sprengstoff von Aufklärung, in seinem kontrollierten Gebrauch das Wissen, daß Unmittelbares nicht unmittelbar zu sagen, sondern nur durch alle Reflexion und Vermittlung hindurch noch auszudrücken sei. Nirgends bewähren die Fremdwörter im Deutschen sich besser als gegenüber dem Jargon der Eigentlichkeit, jenen Termini vom Schlag des Auftrags, der Begegnung, der Aussage, des Anliegens, und wie sie sonst heißen mögen. Sie alle möchten darüber täuschen, daß sie Termini sind. Sie vibrieren menschlich wie die Wurlitzer-Orgeln, denen das Vibrato der Stimme technisch eingelegt ist. Fremdwörter aber demaskieren jene Wörter, indem erst, was aus dem Jargon der Eigentlichkeit ins Fremdwort zurückübersetzt wird, das bedeutet, was es bedeutet. An Fremdwörtern läßt sich lernen, daß die Sprache nicht länger als Nachahmung der Natur von der Spezialisierung heilen kann, sondern nur indem sie die Spezialisierung auf sich nimmt. Unter den deutschen Schriftstellern hat Gottfried Benn wohl als erster dies Element der Fremdwörter, das szientifische, als literarisches Kunstmittel gebraucht.

Aber gerade dagegen richtet sich der triftigste Einwand wider die Fremdwörter. In Wissenschaft als Branche, Spezialisierung, Arbeitsteilung verschanzt sich das Privileg; in den Fremdwörtern stets noch das der Bildung. Je weniger deren Begriff heute mehr substantiell ist, um so mehr nehmen die Fremdwörter, deren viele einmal zur Moderne gehörten und sie in der Sprache vertraten, etwas Archaisches, zuweilen Hilfloses an, als wären sie ins Leere gesprochen. Unverkennbar neigte Brecht, der an der Sprache auf jenes Moment aus war, durch das sie, als allgemeine, dem Privileg des Besonderen widersteht, dazu, Fremdwörter zu vermeiden; freilich nicht ohne ein geheimes Archaisieren, den Willen, Hochdeutsch wie einen Dialekt zu schreiben. Benjamin hat diese implizite Feindschaft gegen die Fremdwörter insofern zuweilen sich zu eigen gemacht, als er die philosophische Terminologie eine Zuhältersprache nannte. In der Tat ist die offizielle philosophische Sprache, die irgendwelche terminologischen Erfindungen und Festsetzungen behandelt, als wären sie reine Beschreibungen von Sachverhalten, nicht besser als die puristischen Neologismen des metaphysisch geweihten Neudeutschen, das übrigens unmittelbar von jener Unsitte der Schule sich herleitet. Vorzuwerfen bleibt den Fremdwörtern, daß sie solche, die nicht die Möglichkeit hatten, sie frühzeitig zu lernen, draußen halten; als Bestandstücke einer Augurensprache ist ihnen bei aller Aufgeklärtheit ein schnarrender Klang beigesellt; dessen Einheit mit dem von Aufklärung bildet geradezu ihr Wesen. Die Nationalsozialisten haben denn auch, sei's im Gedanken ans Militär, sei's, um sich selber als feine Leute vorzustellen, die Fremdwörter geduldet. Gegen die Sozialkritik an den Fremdwörtern läßt wenig Überzeugendes sich vorbringen außer ihrer eigenen Konsequenz. Denn wird die Sprache dem Maß des »An alle«, der Verständlichkeit schlechthin unterworfen, so sind unter den Schuldigen Fremdwörter, denen man eben doch meist nur aufbürdet, was man dem Gedanken verübelt, längst nicht die einzigen und kaum die wichtigsten. Reinigungsaktionen volksdemokratischen Stils könnten sich nicht mit den Fremdwörtern begnügen, sondern müßten den größten Teil der Sprache selbst umlegen. Folgerecht hat Brecht einmal im Gespräch mich provoziert mit der These, es solle die kommende Literatur in Pidgin English abgefaßt werden. An dieser Stelle der Diskussion versagte Benjamin ihm die Gefolgschaft und ging auf meine Seite über. Der barbarische Futurismus solcher Proklamationen, die übrigens von Brecht selber wohl nicht gar zu ernst gemeint waren, bestätigt im Sprachbereich erschreckend die Tendenz losgelassener positivistischer Aufklärung zur Regression. Die Wahrheit, die als bloßes Mittel für Zwecke nur noch eine Wahrheit für Anderes ist, schrumpft selber ebenso ein wie das basische und das Pidgin English und schickt sich damit erst recht zu dem, wogegen der Impuls jenes neuen Typus von Fremdwörterfeindschaft zunächst sich kehrte, zur Erteilung von Befehlen, wie sie etwa einmal Europäer ihren Farbigen zukommen ließen, indem sie zum Spott auch noch so sprachen, wie sie sich wünschten, daß jene sprächen. Das kommunikative Ideal, zu dessen Gunsten eine sich als progressiv verkennende Kritik an den Fremdwörtern geübt wird, ist in Wahrheit eines der Manipulation; das Wort, das darauf berechnet ist, vernommen zu werden, wird heute durch eben diese Berechnung zu einem Mittel, die, an die es sich wendet, zum bloßen Objekt von Behandlung herabzusetzen und für Zwecke einzuspannen, die nicht ihre eigenen, nicht die objektiv verbindlichen sind. Was einmal Agitation hieß, läßt sich mittlerweile von der Propaganda nicht mehr unterscheiden, und deren Name trachtet plump, Reklame durch Berufung auf höhere, vom Einzelinteresse unabhängige Zwecke zu verklären. Das universale System der Kommunikation, das scheinbar die Menschen miteinander verbindet und von dem behauptet wird, es sei um ihretwillen da, wird ihnen aufgezwungen. Nur das Wort, das, ohne auf seine Wirkung zu schielen, sich anstrengt, seine Sache genau zu nennen, hat die Chance, eben dadurch die Sache der Menschen zu vertreten, um die sie betrogen werden, solange jede Sache ihnen vorgespiegelt wird, als wäre es jetzt, hier die ihre. Nicht länger ist es die Funktion der Fremdwörter, gegen einen Nationalismus zu protestieren, der im Zeitalter der großen Machtblöcke nicht mehr mit den einzelnen Sprachen der einzelnen Völker zusammenfällt. Aber als zum zweiten Mal entfremdete Überbleibsel einer Bildung, die mit der hochliberalen Gesellschaft zerging, einst aber das Humane im selbstvergessenen Ausdruck der Sache, nicht im Dienst am Menschen als einem potentiellen Kunden meinte, können sie helfen, daß etwas von der unnachgiebigen und weiterdrängenden Erkenntnis überwintere, die mit der Rückbildung des Bewußtseins und dem Verfall der Bildung gleichermaßen zu verschwinden droht. Dabei dürfen sie freilich keiner Naivetät sich schuldig machen; nicht so auftreten, als vertrauten sie noch darauf, vernommen zu werden. Sondern sie müssen mit ihrer Sprödigkeit selber die Einsamkeit des intransigenten Bewußtseins ausdrücken, durch ihre Hartnäckigkeit schockieren: ohnehin ist der Schock vielleicht die einzige Möglichkeit, durch Sprache heute die Menschen zu erreichen. Fremdwörter, richtig und verantwortlich gebraucht, müßten auf verlorenem Posten wie Griechen im kaiserlichen Rom einer Biegsamkeit, Eleganz und Geschliffenheit der Formulierung beistehen, die verlorenging und an die gemahnt zu werden den Menschen ein Ärgernis ist. Sie müßten ihnen vorhalten, was allen einmal möglich wäre, wenn es kein Bildungsprivileg mehr gäbe, auch nicht mehr dessen jüngste Inkarnation, die Nivellierung aller auf die unterrichtete Halbbildung. Damit könnten die Fremdwörter etwas von jener Utopie der Sprache, einer Sprache ohne Erde, ohne Gebundenheit an den Bann des geschichtlich Daseienden bewahren, die bewußtlos in ihrem kindlichen Gebrauch lebt. Hoffnungslos wie Totenköpfe warten die Fremdwörter darauf, in einer besseren Ordnung erweckt zu werden.

Dazu freilich schicken sie sich nicht durch wahllose und unbesonnene Verwendung; was einmal unmittelbar von ihnen versprochen schien, ist unwiederbringlich dahin. Ihr Recht gegen den Positivismus einer allgemein verständlichen und eben damit ihrem eigenen Gehalt entfremdeten Umgangssprache, der sie geschichtlich heute unterliegen, weist einzig dort sich aus, wo sie dem sprachlichen Positivismus nach dessen eigener Spielregel überlegen sind, der der Genauigkeit. Nur von dem Fremdwort kann der Funke überspringen, das, in der Konstellation, in der es eingeführt wird, den Sinn besser, treuer, konzessionsloser gibt als die deutschen Synonyma, die sich anbieten. Die Arbeit des Schriftstellers, der frei abwägt, wo ein Fremdwort hin soll und wo nicht, tut Ehre nicht nur diesem an, sondern sogar noch der roten Tinte unterm Schulaufsatz. Die abstrakte

Verteidigung der Fremdwörter bliebe hilflos. Sie bedarf, nicht zur Illustration sondern zur Legitimation, der Analyse von Stellen, an denen Fremdwörter überlegt eingeführt sind. Die Modelle dafür wähle ich aus einem eigenen Text, nicht weil ich ihn für exemplarisch hielte, sondern weil die tragenden Überlegungen mir näher sind, weil ich sie besser erklären kann als die anderer Autoren. Ich beziehe mich dabei mit Absicht auf jene kleinen Proust-Kommentare, die mir Vorwürfe eintrugen.

Ich greife also eine Reihe von Stellen heraus und teile Ihnen die Erwägungen mit, die mich veranlaßt haben, etwas entlegenere Fremdwörter zu gebrauchen, oder daran verhindert, einigermaßen entsprechende deutsche Ausdrücke zu benutzen. Da heißt es etwa von Proust (S. 97), er habe als Erzähler das Kategoriensystem der bürgerlichen Gesellschaft »suspendiert«, der er selbst nach Ursprung, Lebensform und Verhaltensweise zugehörte. Man könnte anstelle von suspendiert »außer Kraft gesetzt« vorschlagen. Aber das wäre viel stärker als »suspendiert«, ließe schroffe Kritik dort vermuten, wo behutsam in der Schwebe gehalten wird. »Außer Aktion setzen« käme dem schon näher, enthielte aber selbst ebenfalls ein Fremdwort und führte jenen Gedanken an das Schwebende, gewissermaßen Aufgehängte nicht ebenso mit sich. Vor allem aber denkt man bei »suspendiert« an einen Urteilsspruch, der ausgesetzt, nicht widerrufen ist. Damit wird man in die Sphäre von Prousts Roman als einer Verhandlung über das Glück geleitet, die durch unendlich viele Instanzen hindurchgeht – ein Moment, das von keiner der deutschen Alternativen gefaßt wäre.

Seite 98 ist von der »Disparatheit« zwischen subjektiven Motiven und objektiv Geschehendem die Rede, und gewiß ist der Klumpen von Fremdwörtern nicht schön. Ich suchte, das ungebräuchlichste von ihnen, »Disparatheit«, zu vermeiden, das aus Latein und Deutsch geklittert und darum besonders anstößig ist. Aber es bot sich statt dessen nur das »völlige Auseinanderweisen« an, und die Substantivierung eines verbalen Ausdrucks dünkte mir nicht bloß häßlicher als der geradeswegs zuständige Ausdruck, sondern das »Auseinanderweisen« gäbe auch den Gedanken nicht genau wieder. Denn das Phänomen in Prousts Roman, auf das aufmerksam gemacht werden sollte, wird als eine Gegebenheit, ein Zuständliches gedacht, nicht als ein Aktives. Vollends bewog mich zur Wahl des Wortes die Besinnung auf das Ganze meines Textes, in dem Bildungen mit »weisen« häufiger sind, als mir lieb war. Ich mußte solche opfern, die dem Gemeinten am wenigsten entsprachen.

Weiter: es wird von Proust gesagt, sein Roman bezeuge die Erfahrung, daß Menschen, mit denen wir im Leben entscheidend zu tun haben, wie von einem unbekannten Autor »designiert« auftreten (a.a.O.). Die wörtliche Übersetzung von »designiert« wäre »bezeichnet«. Aber sie verfehlt den Sinn. Sie besagte lediglich, es wären die betreffenden Menschen wie von einem unbekannten Autor charakterisiert, nicht aber: für uns ausgewählt, gleichsam planvoll auf unser Leben bezogen; die Illusion einer verborgenen Absicht hinter dem Zufall, der uns Menschen über den Weg führt, die für uns wichtig werden, käme dann überhaupt nicht heraus, und die Stelle würde eigentlich unverständlich. Sagte man aber statt »designiert« »geplant«, so wäre ein Moment von Rationalität und Endgültigkeit in die Beschreibung des Phänomens hineingekommen, die das Vage, Verstellte grob festnagelte, das zu der Sache gehört. Überdies ist das Wort »geplant« heute in einem Vorstellungsbereich zuständig, der in den hochliberalen Proustischen einen ganz falschen Ton brächte, den der verwalteten Welt.

Ein Satz auf S. 99 behauptet, daß bei Proust schließlich der Tod die Hinfälligkeit des Festen der Person »ratifiziere«,

»Bestätigen« wäre dafür zu schwach, bliebe im bloßen Erkenntnisbereich, dem der Bewahrheitung einer Hypothese. Ausgedrückt jedoch wollte sein, daß wie ein Urteilsspruch der Tod den Verfall, der das Leben selber ist, sich zueignet. Zugleich ist das Moment des Endgültigen, das der Proustschen Desillusionsromantik erst ihre Schwere leiht, in »ratifiziert« viel deutlicher als in dem matteren »bestätigen«.

Lehrreich ist der Fall der »imagines« (a.a.O.). »Bilder« ist ein viel zu allgemeiner Ausdruck, um jene Transposition aus der Erfahrungswelt in die intelligible irgend zu treffen, die Prousts Blick auf die Menschen vollzieht. »Urbilder« aber ließen an Platon denken, ein Unveränderliches, sich selbst Gleiches, während die Proustsche Bilderwelt im Vergänglichsten gerade ihre Substanz hat. Dies Befremdende an der Sache – vielleicht das innerste Geheimnis Prousts – konnte nicht anders als durch die Fremdheit eines der Psychoanalyse entlehnten, durch den Zusammenhang aber umfunktionierten Terminus beschworen werden.

Die Wahl des Wortes »Soirée«, anstelle von »Abendgesellschaft« (S. 101), führt auf einen Sachverhalt, der in jeglicher Übersetzung wichtig ist, aber zumindest theoretisch kaum die nötige Aufmerksamkeit fand. Es geht um das Gewicht der Worte in verschiedenen Sprachen, um ihren Stellenwert im Zusammenhang, der unabhängig von der Bedeutung des einzelnen Wortes variiert. Das deutsche »schon« heißt auf englisch »already«. Aber »already« ist weit schwerer, belasteter als »schon«. Man wird im allgemeinen, wenn nicht ein besonderer Akzent auf dem unerwartet frühen Zeitpunkt liegt, »hier bin ich schon« nicht mit »I am already here« sondern etwa mit »Here I am« übersetzen; in angelsächsischen Ländern können Deutsche untereinander sich leicht an dem allzu häufigen already erkennen. Solche Unterschiede dürfen aber auch bei minder formalen Ausdrücken, bei Substantiven konkreten Inhalts nicht überhört werden. »Abendgesellschaft« ist schwerer als »Soirée«, ermangelt der Selbstverständlichkeit, die das französische Wort im Französischen hat, so wie im Deutschen gesellschaftliche Formen überhaupt nicht so selbstverständlich, so sehr zweite Natur sind wie jenseits der westlichen Grenze. Das Wort »Abendgesellschaft« führt etwas Gezwungenes, Gekünsteltes mit sich, als wäre es die Nachahmung einer »Soirée«, nicht diese selbst; darum ist das Fremdwort vorzuziehen. Wollte man aber einfach »Gesellschaft« sagen, so wären zwar die Gewichtsverhältnisse ungefähr richtig, etwas Wesentliches am Sachgehalt des französischen Wortes jedoch, die Beziehung auf den Abend, verloren; ebenso auch die auf den einigermaßen offiziellen Charakter der Veranstaltung.

Überall dort ist das Fremdwort besser, wo aus welchem Grunde auch immer die wörtliche Übersetzung nicht wörtlich ist. »Sexus«, an einer etwas späteren Stelle (S. 103), heißt »Geschlecht«. Aber dies deutsche Wort ist erheblich weiteren Umfangs als das lateinische; schließt mit ein, was im Lateinischen gens heißt, die Sippe. Und vor allem: es ist viel pathetischer als das Fremdwort, unsinnlicher, möchte man sagen. Geschlechtliche Liebe ist nicht identisch mit sexueller, sondern läßt einem erotischen Element Raum, dem gegenüber der Ausdruck »sexuell« einen gewissen Gegensatz hervorhebt. Wenn Freud, in seinem Versuch, den Begriff des Sexuellen zu erläutern und von dem allgemeineren und weniger anstößigen der Liebe zu unterscheiden, auf das »Unanständige«, Verbotene aufmerksam macht, so wird das im deutschen »Geschlecht« nicht ohne weiteres mitgedacht; wohl aber im Fremdwort. Gerade dies Verbotene jedoch ist an der betreffenden Stelle wesentlich.

Paradox stellt sich das Problem hinter dem Ausdruck »society-Leute«, den ich für eine maßgebende Gruppe von Proustschen Romanfiguren wählte (S. 104). Denn im Deutschen wie im Englischen hat »society« Doppelbedeutung: die der Gesellschaft als ganzer, wie sie etwa den Gegenstand der Soziologie bildet, und die der sogenannten guten Gesellschaft, die derer, die akzeptiert sind, Aristokratie und großes Bürgertum. Das umständliche »Leute aus der Gesellschaft« wäre zumindest nicht ganz klar gewesen; man hätte an Leute aus einer gerade versammelten Gesellschaft denken können. »Gesellschaftsleute« vollends wäre unmöglich. Überdies hat das deutsche »die Gesellschaft« im Vergleich zu »society« ein ähnlich Krampfhaftes, Gekünsteltes wie »Abendgesellschaft« im Vergleich zu »Soirée«: die Überschrift der Spalte einer Frauenzeitschrift: »Aus der Gesellschaft« liest sich gegenüber der »society column« wie töricht beflissene Nachahmung. Um die Nuance hervorzuheben, an der mir lag, mußte ich, der deutschen Umgangssprache folgend, »society« verwenden. Obwohl der englische Ausdruck in sich so äquivok ist wie der deutsche, nimmt er im Deutschen jene Bestimmtheit an, die dem einheimischen Wort mangelt; zu schweigen von einer Aura, die jeder wahrnimmt, der versteht, wie Proust seine Odette plappern läßt.

Der Ausdruck »kontingent« dann (S. 105), fraglos im Deutschen nicht eingebürgert und zahlreichen Hörern unverständlich, stammt aus der Philosophie. Sein Gebrauch reißt das Problem der Terminologie auf. »Kontingent« heißt »zufällig«; aber nicht das einzelne Zufällige, nicht einmal die davon abstrahierte allgemeine Zufälligkeit, sondern Zufälligkeit als wesentlicher Charakter des Lebens. So kommt denn auch der Ausdruck bei mir vor: »Mit der Tradition des großen Romans teilt Proust die ... Kategorie des Kontingenten.« Sagte man statt dessen: die Kategorie des »Zufälligen«, so wäre das ungenau; man könnte etwa darauf verfallen, der Roman als ganzer, oder die Weise der Darstellung, habe etwas Zufälliges. Das Wort »kontingent«

jedoch meint kraft der philosophischen Tradition, die ihm innewohnt, was ich immerhin erläuternd im nächsten Satz hinzufügte, das »sinnverlassene, vom Subjekt her nicht als Kosmos zu rundende Leben«. Daran reicht keine wörtliche Übersetzung heran. Streiten läßt sich darüber, ob philosophische Termini außerhalb dessen ihr Recht haben, was unter dem abscheulichen, der Sache selbst widersprechenden Namen der Fachphilosophie geht. Verwirft man aber diesen Begriff von Fachphilosophie; denkt man Philosophie als eine Weise von Bewußtsein, die sich die Grenzen einer besonderen Wissensdisziplin nicht aufnötigen läßt, dann gewinnt man eben damit auch die Freiheit, im philosophischen Bereich entsprungene Ausdrücke dort zu verwenden, wo das Herkommen keine Philosophie vermutet. Hier freilich nimmt der Gebrauch des Fremdworts, das, um seiner Herkunft aus einer Fremdsprache willen, wirklich kaum mehr recht verstanden wird, eben jenen verzweifelten und provokativen Charakter an, den in Freiheit wollen muß, wer nicht doch zum naiven Opfer seiner Bildungsbranche werden will.

Aus der philosophischen Tradition, zumal der Kantischen, stammt auch das Wort »Spontaneität« (S. 106). So viel ist in es zusammengedrängt, daß keine Übersetzung leistete, was es leistet, wenn sie es nicht breit entfaltet hätte; oft aber fordert ein literarischer Text ein Wort und verbietet die Entfaltung, weil diese die Gewichtsverteilung störte. Das hat mich zur Wahl veranlaßt. Mag auch dem nicht philosophisch Geschulten nicht alles gegenwärtig sein, was der Terminus »Spontaneität« in sich birgt – ich habe mich doch des Vertrauens nicht ganz entschlagen können, daß solche Termini eine gewisse Suggestivkraft sich bewahren; auch für den, dem sie nicht ganz durchsichtig sind, etwas von dem Reichtum mit sich führen, der objektiv in ihnen sich verbirgt. »Spontaneität« heißt einerseits, und zunächst, die

Fähigkeit zum Tun, Hervorbringen, Erzeugen; andererseits aber, daß diese Fähigkeit unwillkürlich, nicht mit dem bewußten Willen des je Einzelnen identisch sei. Ohne weiteres leuchtet ein, daß diese Doppelheit im Begriff der »Spontaneität« in keinem deutschen Wort erscheint. Die Rede ist an der betreffenden Stelle von der Eifersucht, welche Liebe in ein Besitzverhältnis verwandelt und die Geliebte damit zum Ding macht: deshalb frevle Eifersucht an der »Spontaneität« der Liebe. Sagte man statt dessen, sie frevle an der »Unwillkürlichkeit«, so gäbe das keinen Sinn, und auch »Unmittelbarkeit«, an sich der Sache schon näher, reichte nicht aus, weil, wie keiner besser wußte als Proust, alle Liebe mittelbare Elemente enthält. So mußte es denn bei »Spontaneität« bleiben. Wird an einem Menschen gerühmt, er habe in einer Situation sich spontan verhalten, so beschreibt das sein Verhalten drastischer als alle Umschreibungen, nach denen ich suchte.

Das Bedürfnis nach Verkürzung veranlaßt überhaupt zur Wahl von Fremdwörtern. Dichte und Gedrängtheit als Ideal der Darstellung, der Verzicht auf das Selbstverständliche, das Verschweigen des im Gedanken zwingend bereits Angelegten und darum nicht verbal zu Wiederholenden, all das ist unvereinbar mit weitläufigen Worterklärungen oder Umschreibungen, wie sie vielfach notwendig wären, wo man Fremdwörter vermeiden und doch von ihrem Sinn nichts opfern möchte. Ich habe im Zusammenhang mit Proust, und auch sonst zuweilen, von »Authentizität« gesprochen (S. 107). Nicht nur ist das Wort ungebräuchlich; die Bedeutung, die es in dem Zusammenhang annimmt, in den ich es zog, ist keineswegs durchaus sichergestellt. Es soll der Charakter von Werken sein, der ihnen ein objektiv Verpflichtendes, über die Zufälligkeit des bloß subjektiven Ausdrucks Hinausreichendes, zugleich auch gesellschaftlich Verbürgtes verleiht. Hätte ich einfach »Autorität« gesagt, also ein wenigstens eingebürgertes Fremdwort, so wäre dadurch zwar die Gewalt bezeichnet worden, die solche Werke ausüben, nicht aber das Moment von deren Berechtigung kraft einer Wahrheit, die schließlich auf den gesellschaftlichen Prozeß zurückverweist. Jener Unterschied des seinem Gehalt nach Verbürgten von dem usurpatorisch Gewalttätigen wäre verfehlt worden, auf den es mir ankam. Nun hätte sich gewiß ein heute in Deutschland sehr beliebtes Wort angeboten: »Gültigkeit«. Hier jedoch ist zu bedenken, daß Wörtern nicht nur ein Stellenwert im Zusammenhang, sondern auch ein geschichtlicher eignet. Das Wort gültig ist durch Figuren wie »gültige Aussage« heute überaus kompromittiert. An ihm gibt sich eine gewisse Art des Kernigen, salbungsvollschlicht Bejahenden zu erkennen, die in der gegenwärtigen Ideologie ihre böse Rolle spielt. Um keinen Preis hätte ich mich damit einlassen dürfen. Man kann nicht den Jargon der Eigentlichkeit angreifen und selbst von gültigen Werken reden, in deren Begriff ebenso Vorstellungen vom unveräußerlichen alten Wahren mitschwingen wie schließlich doch auch solche vom öffentlichen Anerkanntsein. Gewiß ist nicht zu erwarten, daß all diese verzweigten Überlegungen und kritischen Reflexionen, die mitzuteilen einen auf die Sache gerichteten Text völlig aus dem Gleichgewicht gebracht hätte, in das eine Wort »Authentizität« zusammengepreßt wären. Aber in der Stockung, die es bewirkt, flammen all jene Begriffe auf, an die es mahnt und die dennoch vermieden worden sind. Sie bringt mehr vielleicht herüber als ein umgänglicherer, dafür aber der gemeinten Sache unangemessener Ausdruck. Die Hoffnung, daß auf diese Weise die Intention doch sich durchsetze, ist darum nicht gar zu abwegig, weil jene »Authentizität« nicht ein isolierter Klecks ist, sondern weil der Zusammenhang vielfältig gebrochenes Licht auf das Zauberwort wirft. Bei einigem schriftstellerischen Vermögen und Glück läßt sich in das fremde Wort hineindrängen, was das anscheinend weniger ausgefallene nie vermöchte, weil es zu viele eigene Assoziationen mitschleppt, als daß es vom Ausdruckswillen ganz ergriffen werden könnte.

Bei meinem Versuch, die Fremdwörter zu rechtfertigen, konnte ich weder die Kritik unterschlagen, der sie heute sich aussetzen, noch einen Standpunkt beziehen, der so starr wäre, wie es der der Gegner zu sein pflegt. Auch der Schriftsteller, der sich einbildet, rein auf die Sache zu gehen und nicht auf deren Kommunikation, kann sich nicht blind machen gegen die geschichtlichen Veränderungen, denen die Sprache selbst durch den kommunikativen Gebrauch unterliegt. Er muß gleichsam von innen und von außen her zugleich formulieren. Dieser Widerspruch betrifft auch sein Verhältnis zu den Fremdwörtern. Noch wo sie ihm objektiv richtig klingen, muß er spüren, was ihnen in der gegenwärtigen Gesellschaft widerfährt. Oft mögen sie in ihr zu toten Hülsen werden, so wie jenes Wort Authentizität, betrachtete man es rein für sich, eine wäre. Noch das Ansichsein der Sprache ist nicht unabhängig von ihrem Füranderessein. Die Verblendung dagegen, deren der Schriftsteller bedarf, dem es mit der Sprache überhaupt ernst ist, kann in die Dummheit dessen umschlagen, der sich im Besitz reiner Mittel sicher wähnt, während diese gerade um ihrer Reinheit willen schon nichts mehr taugen. Das Problem der Fremdwörter ist wahrhaft eines, ohne Phrase. Was ich am Modell des Wortes »Authentizität« zeigte, bei dem es mir nicht wohl zumute ist und auf das ich doch nicht verzichten kann, gilt wohl für den Gebrauch der Fremdwörter insgesamt: über ihn entscheidet keine sprachliche Weltanschauung, kein abstraktes Für oder Gegen, sondern ein Prozeß zahlloser ineinander verflochtener Regungen, Innervationen und Erwägungen. Wie weit dieser Prozeß gelingt, darüber hat das beschränkte Bewußtsein des einzelnen

Schriftstellers kaum Macht. Aber er ist unumgänglich: er
wiederholt, sei's auch unzulänglich, jenen Prozeß, den die
Fremdwörter als solche, ja die Sprache selbst gesellschaftlich insgesamt durchmachen und in den der Schriftsteller
verändernd eingreift nur, indem er ihn zugleich als Objektives erkennt.

Blochs Spuren
Zur neuen erweiterten Ausgabe 1959

Der Titel Spuren mobilisiert primäre Erfahrungen beim Lesen von Indianergeschichten für die philosophische Theorie. Ein geknickter Zweig, ein Abdruck drunten im Boden spricht zu dem knabenhaft kundigen Auge, das sich nicht bei dem bescheidet, was jeder sieht, sondern spekuliert. Hier steckt etwas, hier ist etwas verborgen, mitten in der normalen, unauffälligen Alltäglichkeit: »Der Fall hat es in sich.« (15) Was es ist, weiß keiner so recht, und Bloch plaudert einmal aus der gnostischen Schule, vielleicht wäre es noch gar nicht da, werde erst, aber il y a quelque chose qui cloche, und je unbekannter das, wovon die Spur herrührt, desto nachdrücklicher will das Gefühl, eben dies sei es. Daran heftet sich die Spekulation. Wie zum Spott auf die gelassene, wissenschaftlich besonnene Phänomenologie sucht sie es als begriffslos Erscheinendes und experimentiert tastend mit der Deutung. Unermüdlich flattert der philosophische Falter gegen die Scheibe vorm Licht. An den Rätselfiguren dessen, was Bloch einst die Gestalt der unkonstruierbaren Frage nannte, soll zusammenschießen, was sie sekundenweise als ihre eigene Lösung suggerieren. Die Spuren stammen aus dem Unsäglichen der Kindheit, das einmal alles sagte. Viel Freunde werden in dem Buch zitiert. Man möchte wetten, es seien solche aus der Pubertät, Ludwigshafener Verwandte von Brechts Spezis aus Augsburg, dem George Pflanzelt und dem Müllereisert. So rauchen Halbwüchsige die erste Pfeife, als wäre es die des ewigen Friedens: »Wunderbar ist das Heraufkommen des Abends / und schön sind die Gespräche der Männer unter sich.« Es sind aber die Männer der Stadt Mahagonny aus Traumamerika, dazu

Old Shatterhand und Winnetou aus Leonhard Franks Würzburger Räuberbande, ein Geruch, beizender zwischen Buchdeckeln denn je selbst am fischigen Fluß und in der verräucherten Kneipe. Der Erwachsene jedoch, der an all das sich erinnert, will die ehmals ausgespielten Steine zum Sieg führen, ohne doch deren Bild an die allzu erwachsene Vernunft zu verraten; fast jede Deutung nimmt die rationalistische erst in sich hinein und rüttelt dann daran. So wenig esoterisch sind die Erfahrungen wie das, was einst an Weihnachtsglocken ergriff und was nie ganz sich tilgen läßt: was jetzt und hier ist, das kann nicht alles sein. Das Versprochene gibt sich, sei's auch trügend, als verbürgt wie sonst nur in den großen Kunstwerken, von denen Blochs Buch, ungeduldig mit der Kultur, nicht viel wissen will. Unterm Zwang ihrer Form ist alles Glück noch zu wenig, eigentlich ist überhaupt noch kein Glück: »Auch hier wächst etwas tropischer, als es die bekannten Breiten unsres Subjekts (und der Welt) bereits zulassen; übermäßiger Schreck wie ›grundlose‹ Freude haben ihren Anlaß versteckt. Sie sind im Menschen versteckt und in der Welt noch nicht heraus; die Freude ist am wenigsten heraus und wäre doch die Hauptsache.« (169) Ihr Versprechen möchte Blochs Philosophie, mit den Enterhaken des literarischen Seeräubers, der Kleinbürgerei, der heimeligen Geborgenheit entreißen, verwerfend, was es an Ort und Stelle will, das Nächste auf das Nichtgewesene und Oberste projizierend. Das zweigeteilte Goethesche Glück, das der nächsten Nähe und der höchsten Höhe, wird bis zum Brechen zusammengebogen; das der nächsten Nähe sei nur eines, wenn es das der höchsten Höhe meint, und nirgendwo sei die höchste Höhe anwesend als in der nächsten Nähe. Die ausfahrende Geste will über die Schranke hinaus, die ihr der Ursprung im Nächsten bereitet, in der unmittelbaren einzelmenschlichen Erfahrung, der psychologischen Zufälligkeit, dem bloßen subjektiven

Gestimmtsein. Hochmut des Eingeweihten desinteressiert sich daran, was das permanente Staunen über den Staunenden sagt, und kehrt dem sich zu, was im Staunen sich anmeldet, gleichgültig, wie das arme und fehlbare Subjekt dazu kam: »Das Ding an sich ist die objektive Phantasie.« (89) Seine Fehlbarkeit selber aber wird in die Konstruktion mit hineingenommen. Die Unzulänglichkeit des endlichen Bewußtseins macht das Unendliche, an dem es doch teilhaben soll, zum Ungewissen und Rätselhaften, aber es wird als zwingend und bestimmt bestätigt, weil seine Ungewißheit nichts sei als jene subjektive Unzulänglichkeit.

Denken, das Spuren verfolgt, ist erzählend wie das apokryphe Modell, dessen leuchtendes Abziehbild Bloch herstellen möchte, die Abenteuergeschichte von der Reise zum utopischen Ende. Zum Erzählen wird er von seiner Konzeption nicht weniger als von seinem Naturell bewogen. Nur das Mißverständnis läse die Blochsche Erzählung einfach als Parabel. Deren Eindeutigkeit brächte sie um jene Farbe, die nach ihrer Optik so wenig im Spektrum steht wie das Drommetenrot eines genialen Spannungsromans von Leo Perutz. Vielmehr möchte sie in Abenteuer und außerordentlicher Begebenheit jene Wahrheit konstruieren, die man nicht in der Tasche hat. Selten wird mit bündigen Interpretationen aufgewartet; als säßen die Zuhörer von Hauffs Märchen zusammen, um Einen aus jenem süddeutschen Orient, wo eine Stadt Backnang heißt und eine Sprachgeste ha no, wird das eine und andere vorgebracht; fortschreitend freilich in einer Bewegung des Begriffs, die ihren Hegel verschweigt, aber gut intus hat. Über den Bruch zwischen einem Konkreten, das doch selbst das Konkrete nur erst vertritt, und einem Gedanken, der dessen Zufälligkeit und Blindheit übersteigt, dafür aber das Beste vergißt, schallt der Ton dessen hinweg, der emphatisch etwas Besonderes zu vermelden hat, das anders wäre als das Immergleiche. Der erzählende Ton bietet das Paradoxon einer naiven Philosophie; Kindheit, unverwüstlich durch alle Reflexionen hindurch, verwandelt noch das Vermittelteste in Unmittelbares, das berichtet wird. Diese Affinität zum Gegenständlichen, vorab zu sinnverlassenen Stoffschichten, bringt Blochs Philosophie in Kontakt mit dem Unteren, von Kultur Ausgeschiedenen, offen Schäbigen, worin sie, Spätprodukt antimythologischer Aufklärung, allein noch das Rettende erhofft. Man könnte sie insgesamt als die des gleich dem armen B.B. in die großen Städte Verschlagenen lokalisieren, der verspätet dort erzählt, was nie sich erzählen ließ. Unmöglichkeit des Erzählens selber, wie sie die Nachkömmlinge der Epik zum Kitsch verdammt, wird zum Ausdruck des Unmöglichen, das erzählt und als Möglichkeit bestimmt werden soll. Im Augenblick, da man sich hinsetzt, gibt man dem Erzähler etwas vor, unwissend, ob er die Erwartung befriedigt. So muß man solcher Philosophie etwas vorgeben als einer gesprochenen, nicht geschriebenen. Der vortragende Gestus verwehrt die verantwortliche Prägung von Texten, und nur wer die Blochschen nicht als Texte liest, dem werden sie beredt. Der Fluß erzählenden Denkens strömt mit allem, das er mitführt, menschenfängerisch übers Argument hinweg, ein Philosophieren, in dem in gewissem Sinn gar nicht gedacht wird; eminent gescheit, gar nicht scharfsinnig nach Schulbrauch. Was in der erzählenden Stimme widerhallt, ist ihr kein Material der Überlegung, sondern wird ihr anverwandelt, auch und gerade das, was sie nicht stilisierend durchdringt und einschmilzt; zu fragen, woher die Erzählungen kämen oder was der Erzähler damit anstelle, wäre läppisch angesichts seiner Intention auf zweite Anonymität, aufs Verschwinden in der Wahrheit: »Ist diese Geschichte nichts, sagen die Märchenerzähler in Afrika, so gehört sie dem, der sie erzählt hat; ist sie etwas, so gehört sie uns allen.« (158) Kritik daran darf denn auch nicht

Fehler bemäkeln, als wären es die korrigibeln eines Einzelnen, sondern muß die Wunden von Blochs Philosophie buchstabieren wie der Kafkasche Delinquent die seinen.

Authentisch ist diese Erzählerstimme aber keineswegs in dem, was dem Cliché echt heißt. Blochs Gehör, außerordentlich differenziert noch inmitten seiner tosenden Prosa, verzeichnet genau, wie wenig das, was anders wäre, in jenem biedern Begriff, dem purer Identität mit sich selber, sich erschöpfte. »Eine weiche, gefühlreiche Geschichte im schummrigen Muff des neunzehnten Jahrhunderts, mit all der romantischen Kolportage, die das Motiv des Scheidens braucht. Im halbechten Gefühl färbt sich seine Schwebung am reinsten; das Scheiden ist selber sentimental. Aber sentimental mit Tiefe, es ist ein ununterscheidbares Tremolo zwischen Schein und Tiefe.« (90) Dies Tremolo überlebt in großen Volkskünstlern einer Epoche, die Volkskunst nicht mehr duldet; so übertrieb sich die Stimme Alexander Girardis, wehleidig, unwahrhaftig wie das heulende Elend; Unechtes, Nichtdomestiziertheit und Echo der eigenen Unmöglichkeit, war ihr Echtes. Gerade Massen werden, nicht stets zu ihrem Heil, ergriffen vom exaggerierten Ausdruck, dessen Übertreibung die schlechte Mitte an das erinnert, worauf es ankäme. So hat ein Dienstmädchen das Scheffelsche »Das ist im Leben häßlich eingerichtet« variiert in »entsetzlich eingerichtet«. Wie dieser Trompeter bläst Bloch. Naive Philosophie wählt das Inkognito des Schwadroneurs, des Wirtshausspielers mit falschen Bässen, der, arm, verkannt, den Staunenden, die ihm das Glas Bier bezahlen, weismacht, eigentlich wäre er der Paderewski. Einer jener geschichtsphilosophischen Durchblicke, die Blochs Ruhm sind, zündet in diese Atmosphäre: »Auch der junge Musikant Beethoven, der plötzlich wußte oder behauptete, ein Genie zu sein, wie es noch kein größeres gab, trieb Hochstapelei skurrilsten Stils, als er sich Ludwig van Beethoven gleich fühlte, der er doch noch nicht

135

war. Er gebrauchte diese durch nichts gedeckte Anmaßung, um Beethoven zu werden, wie denn ohne die Kühnheit, ja Frechheit solcher Vorwegnahmen nie etwas Großes zustande gekommen wäre.« (47)

Gleich dem Wirtshausspieler hat Philosophie als Kolportage bessere Tage gesehen. Seitdem sie damit renommierte, sie besitze den Stein der Weisen und sei in einem Geheimnis, das den vielen auf ewig verborgen bleiben müsse, enthält sie ein Element der Scharlatanerie. Es wird von Bloch entsühnt. Er wetteifert mit dem Schreier des unvergessenen Jahrmarkts, dröhnt wie ein Orchestrion aus der noch leeren Gaststätte, die auf die Gäste wartet. Er verschmäht die arme Klugheit, die all das versteckt, und lädt die ein, welche hohe idealistische Philosophie aussperrte. Korrektiv bekennt die orale Übertreibung ein, daß sie selber nicht weiß, was sie sagt; daß ihre Wahrheit Unwahrheit sei nach dem Maß dessen, was ist. Untrennbar der auftrumpfende Ton des Erzählers vom Gehalt seiner Philosophie, der Rettung des Scheins. Im Hohlraum zwischen diesem und dem bloß Seienden nistet Blochs Utopie. Vielleicht läßt, was er meint, Erfahrung, die noch von keiner Erfahrung honoriert ward, überhaupt nur outriert sich ausdenken. Die theoretische Rettung des Scheins ist zugleich Blochs eigene Verteidigung. In ihr ähnelt er abgründig der Musik Mahlers.

Von der Totale des deutschen Idealismus ist eine Art von Lärm übriggeblieben, an dem Bloch, der Musikalische und Wagnerianer, sich berauscht. Die Worte werden erhitzt, als sollten sie noch einmal aufglühen in der entzauberten Welt; als wäre die in ihnen verborgene Verheißung zum Motor des Gedankens geworden. Zuweilen embrouilliert sich Bloch mit »allem Starken« (39), schwärmt für »offene und kollektive Schlacht«, die da »zu dem Unsren zwingen soll«. Das dissoniert zum antimythologischen Tenor, dem Revisionsprozeß in Sachen Ikarus, den er anstrengt. Aber sein Impuls wider das Recht der Immergleichheit von Schicksal und Mythos, wider die Verstricktheit im Naturzusammenhang, nährt sich von diesem selber, von der Gewalt eines Triebs, dem selten Philosophen so ungebändigt zu sprechen erlaubten. Blochs Parole vom Durchbruch der Transzendenz ist nicht spiritualistisch. Nicht will er Natur vergeistigen, sondern der Geist der Utopie möchte den Augenblick herbeiziehen, in dem Natur, als gestillte, selber frei wäre von Herrschaft, ihrer nicht mehr bedarf und dem Raum schafft, was anders wäre als sie.

In den Spuren, die von der Erfahrung des individuellen Bewußtseins her sich entfalten, hat die Rettung des Scheins ihr Zentrum in dem, was das Utopiebuch Selbstbegegnung nannte. Das Subjekt, der Mensch, sei noch gar nicht er selbst; scheinhaft als Unwirkliches, aus der Möglichkeit noch nicht Hervorgetretenes, aber auch als Widerschein dessen, was er sein könnte. Nietzsches Idee vom Menschen als etwas, das überwunden werden muß, wird ins Gewaltlose abgewandelt: »denn der Mensch ist etwas, was erst noch gefunden werden muß« (32). Die meisten Erzählungen des Bandes sind solche von der Nichtidentität des Menschen mit sich, mit verständnisinnigem Seitenblick auf fahrende Leute, Märchenburschen, Hochstapler und all die, welche vom Traum eines besseren Lebens sich verführen lassen. »Hier ist viel weniger Eigennutz anzutreffen als Putzsucht, unbeschwichtbares Selbstgefühl und Narretei. Greift das Selbstgefühl zu aristokratischen Formen, so nicht, um nach unten hin zu treten wie der Parvenü oder gar der Diener als Herr; auch wird die Aristokratie nicht eigentlich bejaht, der selbstsuggerierte Seigneur ist nicht klassenbewußt.« (44) Vielmehr rüttelt Utopie an den Ketten der Identität: sie wittert in ihr das Unrecht, gerade dieser zu sein und nur dieser. Zwei Aspekte solcher Nichtidentität setzt Bloch auf der Stufe des vor dreißig Jahren geschriebenen Buches willentlich-unvermittelt nebeneinander. Der eine ist der materialistische: daß die Menschen in einer universalen Tauschgesellschaft nicht sie selber sind sondern Agenten des Wertgesetzes; denn in der bisherigen Geschichte, die Bloch nicht zögern würde, Vorgeschichte zu nennen, war die Menschheit Objekt, nicht Subjekt. »Aber keiner ist, was er meint, erst recht nicht, was er darstellt. Und zwar sind alle nicht zu wenig, sondern zuviel von Haus aus für das, was sie wurden.« (33) Der andere Aspekt ist der mystische: daß das empirische Ich, das psychologische, auch der Charakter nicht das jedem Menschen gemeinte Selbst, der geheime Name sei, dem allein der Gedanke von Rettung gilt. Blochs Lieblingsgleichnis fürs mystische Selbst ist das Haus, in dem man bei sich selbst wäre, drin, nicht länger entfremdet. Geborgenheit ist nicht zu haben, keine ontologisch verbrämte Befindlichkeit, in der sich's leben ließe, sondern ein Notabene dessen, wie es sein sollte und doch nicht ist. Die Komplizität der Spuren mit dem Glück macht sich nicht fest in dessen Positivität, sondern hält diese offen auf eine, die sich erst verspricht; und alles positive Glück bleibt des Wortbruchs verdächtig. Schutzlos bietet solcher Dualismus dem Einwand sich preis. Die Unvermitteltheit des Kontrasts zwischen dem metaphysischen Selbst und dem herzustellenden gesellschaftlichen schert sich nicht darum, daß alle Bestimmungen jenes absoluten Selbst dem Umkreis menschlicher Immanenz, dem gesellschaftlichen entstammen; leicht wäre der Hegelianer Bloch dessen zu überführen, daß er an zentraler Stelle die Dialektik mit theologischem Gewaltstreich abschneidet. Aber die eilfertige Konsequenz glitte darüber hinweg, ob Dialektik überhaupt, ohne an einem Punkt noch sich selber zu negieren, möglich sei; auch die Hegelsche hatte ihren eingekapselten »Spruch«, die Identitätsthese. Jedenfalls befähigt Blochs Gewaltstreich ihn zu einer Verhaltensweise des Geistes, die sonst im Klima von Dialektik, der idealistischen wie der materialistischen, nicht zu gedeihen pflegt: nichts, was ist, wird um seiner Notwendigkeit willen vergötzt, Spekulation geht gegen Notwendigkeit selber als eine Figur des Mythos an.

Daß Erzählung und Erörterung in den Spuren um den Schein kreisen, rührt daher, daß die Grenze zwischen endlich und unendlich, zwischen Phänomenalem und Noumenalem, beschränktem Verstand und unverbindlichem Glauben, nicht respektiert wird. Hinter jedem Wort steht der Wille, den Block zu durchstoßen, den seit Kant der common sense zwischen Bewußtsein und Ding an sich schiebt; die Sanktionierung dieser Grenze wird selbst der Ideologie zugerechnet als Ausdruck des sich Bescheidens der bürgerlichen Gesellschaft in der von ihr zugerichteten, verdinglichten Welt, der Welt für sie, der von Waren. Das war die theoretische Koinzidenz von Bloch und Benjamin. Indem jener aus purem Freiheitsdrang die Grenzpfähle einreißt, entledigt er sich der philosophie- und landesüblichen, erstarrten »ontologischen Differenz« von Wesen und bloßem Dasein. Das Daseiende selber wird, unter Wiederaufnahme von Motiven des deutschen Idealismus und schließlich Aristotelischen, zur Kraft, zur Potenz, die aufs Absolute hintreibt. Blochs Neigung zur Kolportage hat, wenn man so reden mag, ihre systematische Wurzel im Einverständnis mit dem Unteren, als dem stofflich Ungeformten ebenso wie als dem, was gesellschaftlich die Last zu tragen hat. Das Obere jedoch, Kultur, Form, nach Blochs Sprachgebrauch »polis«, ist ihm hoffnungslos mit Herrschaft, Unterdrückung, Mythos verfilzt, wahrhaft Überbau: nur was hinabgestoßen ward, enthält das Potential dessen, was darüber wäre. Darum fahndet er im Kitsch nach jener Transzendenz, welche die Immanenz der Kultur versperrt. Sein Denken wirkt als Korrektiv des zeitgenössischen nicht zuletzt darum, weil es nicht gegen die Faktizität vornehm tut. Er entzieht sich dem neu-

deutschen Brauch, der Philosophie das Sein als Branche zu-
zuweisen und sie damit zur Irrelevanz eines auferstandenen
Formalismus zu verdammen. Genauso wenig aber hilft er
bei der Degradation des Gedankens zur bloß nachkon-
struierenden Ordnungsinstanz mit. Das Untere wird weder
verflüchtigt noch, wie vom klassifikatorischen Denken, über-
sponnen und an Ort und Stelle gelassen, sondern mitgeris-
sen wie die thematischen Elemente von mancher Musik.
Deren Sphäre beansprucht in seinem Denken so viel Raum
wie in kaum einem zuvor, selbst dem Schopenhauers und
Nietzsches nicht. Sie tönt herein wie in Träumen ein Bahn-
hofsorchester; für technisch-musikalische Logik hat Blochs
Ohr so wenig Geduld wie für ästhetische Wahl. Auch zwischen der infantilen Lust am Karussell und dessen metaphysischer Rettung ist kein Übergang, keine »Vermittlung«:
»Vor allem, wenn das Schiff mit Musik ankommt; dann
verbirgt sich in dem Kitsch (dem nicht kleinbürgerlichen)
etwas vom Jubel der (möglichen) Auferstehung aller Toten.« (165) Noch in solchen verwegenen Extrapolationen ist
stillschweigend Hegels Kant-Kritik vorausgesetzt: daß
Grenzen setzen diese immer bereits überschreitet; daß Vernunft, um sich selber als endlich einzuschränken, des Unendlichen schon mächtig sein müsse, in dessen Namen sie
einschränkt. Der Hauptstrom der philosophischen Überlieferung scheidet das Unbedingte vom Denken, aber wer nicht
mitschwimmt, möchte von dessen Erkenntnis nicht ablassen:
um seiner Verwirklichung willen. Er duckt sich nicht resigniert. Das »Es ist gelungen« der letzten Faustszene, der
Kantische Gedanke vom ewigen Frieden als realer Möglichkeit überfliegt das kritische Element der Philosophie als
Vertagung und Versagung. Erfüllung stellt dies Denken
nach dem Modell leibhafter ἡδονή vor, nicht als Aufgabe
oder Idee. Insofern ist es anti-idealistisch und materialistisch. Sein Materialismus verhindert die bruchlose Hegel-

sche Konstruktion einer wie immer auch vermittelten Identität von Subjekt und Objekt, die verlangt, daß schließlich doch alle Objektivität ins Subjekt hineingenommen, zu bloßem »Geist« reduziert werde. Während Bloch ketzerisch die Grenze leugnet, beharrt er indessen, wider Hegels spekulativen Idealismus, auf dem unversöhnten Unterschied von Immanenz und Transzendenz, im großen Entwurf so wenig zur Vermittlung geneigt wie in der Einzelinterpretation. Das Hier wird historisch-materialistisch bestimmt, das Drüben gebrochen, nach seinen Spuren, die hier sich fänden. Ohne zu glätten, philosophiert Bloch utopisch und dualistisch zugleich. Weil er die Utopie nicht in der metaphysischen Konstruktion des Absoluten, sondern in jener theologischen Drastik konzipiert, um welche das hungernde Bewußtsein der Lebendigen durch den Trost der Idee nur betrogen sich fühlt, kann er sie anders nicht als scheinhaft ergreifen. Weder ist es wahr noch ist es nicht: »Selbst das offensichtliche Blendwerk äfft wenigstens nach oder nimmt mit ruchloser Setzung einen Glanz vorweg, in lügenhafter Weise, der dennoch irgendwie in der Tendenz des Lebens, in seinen bloßen, aber immerhin noch vorhandenen ›Möglichkeiten‹ angelegt sein muß; denn an sich selber ist das Blendwerk unfruchtbar, es gäbe nicht einmal Fata Morgana ohne Palmen in der zeiträumlichen Ferne.« (240)

Die Ausgangserfahrungen, die Bloch vorträgt, sind plausibel genug: »Beim Einschlafen drehen sich die meisten der Wand zu, obwohl sie dadurch dem dunklen, unbekannt werdenden Zimmer den Rücken zukehren. Es ist, als ob die Wand plötzlich anzöge und das Zimmer paralysierte, als ob der Schlaf etwas an der Wand entdeckte, was sonst nur dem besseren Tod zukommt. Es ist, als ob außer Stören und Fremde auch der Schlaf aufs Sterben einschulte; dann scheint die Bühne allerdings anders auszusehen, sie eröffnet den dialektischen Schein von Heimat. In der Tat hat darüber ein Sterbender, der im letzten Augenblick gerettet wurde, folgende Aufklärung gegeben: ›Ich legte mich der Wand zu und fühlte, das da draußen, das im Zimmer ist nichts, geht mich nichts mehr an, aber in der Wand ist meine Sache zu finden.‹« (163) Aber Bloch selber nennt das Geheimnis der Wand dialektischen Schein. Er läßt sich nicht dazu verlocken, jenes Einleuchtende buchstäblich zu nehmen. Nur ist ihm der Schein nicht, psychologisch, subjektive Illusion sondern objektiv. Seine Plausibilität soll dafür einstehen, daß, ähnlich wie bei Benjamin und auch bei Proust, die spezifischesten Erfahrungen, die ganz ans Besondere sich verlieren, in Allgemeinheit umschlagen. Den erzählenden Duktus von Blochs Philosophie inspiriert die Ahnung, daß solcher Umschlag den dialektischen Vermittlungen entgleite. So sehr ihr Lehrgehalt der Dialektik sich verpflichtet weiß, so undialektisch ist jener Duktus. Erzählt wird von Daseiendem, wäre es auch erst zukünftig; die Form ignoriert das Werden, das der Inhalt verkündet, sucht ihm nur gleichsam durch ihr Tempo nachzueifern. Aber die Möglichkeit, das Versprochene herzustellen, bleibt unsicher so wie nur je im dialektischen Materialismus. Bloch ist Theolog und Sozialist, aber kein religiöser Sozialist; was in der Immanenz als versprengter Sinn, als »Funke« des messianischen Endes der Geschichte umgeistert, wird weder ihr noch selbst ihrer vernunftgemäßen Einrichtung als Sinn gutgeschrieben; weder soll positiv religiöser Gehalt das bloß Seiende rechtfertigen noch transzendent herrschen. Mystiker ist Bloch in der paradoxen Einheit von Theologie und Atheismus. Die mystischen Meditationen jedoch, in denen die Überlieferung des Funkens beheimatet ist, setzten dogmatische Lehrgehalte voraus, um sie durch Deutung zu vernichten: sei es die jüdischen der Thora als heiligen Textes, sei es die christologischen. Mystik ohne den Anspruch eines Offenbarungskerns exponiert sich als bloße Bildungsreminiszenz. Blochs Philosophie des Scheins, der solche Autorität unwiederbringlich dahin ist, schreckt davor so wenig zurück wie die mystischen Ausläufer der großen Religionen in deren aufgeklärter Endphase; er postuliert nicht Religion aus Religionsphilosophie. Auf das Vertrackte, das damit in die Spekulation gerät, reflektiert diese selber. Aber lieber nimmt sie es in den Kauf, lieber bekennt sie sich selber als Schein, als daß sie zum Positivismus resignierte oder zur Positivität des Glaubens. Die Verwundbarkeit, die sie geflissentlich hervorkehrt, ist Konsequenz ihres Gehalts. Wäre dieser rein durchgebildet und dargestellt, so wäre der Schein eskamotiert, an dem sie ihr eigenes Lebenselement hat.

Daß von Bedingtem Unbedingtes nicht sich erkennen lasse, kann ihr bequem vorgerechnet werden: sie ist selber nicht gefeit vor jenem Apokryphen, das ihre Intention hochzureißen sich vermißt. Was erzählt wird, verbrennt im Erzählen; die Zündung des nicht gedachten Gedankens ist der Kurzschluß. Daher, nicht aus mangelnder Denkkraft, bleiben die Interpretationen des Erzählten vielfach hinter diesem zurück, eine antinomistische Predigt über den Text: Sehet, ich will euch Steine statt Brot geben. Je höher sie hinaus will, um so mehr verstärkt ihr angespannter Wille das Gefühl der Vergeblichkeit. Die Vermischung der Sphären, dieser Philosophie nicht weniger eigentümlich als die Sphärendichotomie, fügt ihr selber ein Getrübtes bei, alle etablierten Ideen eines reinen An sich, allen Platonismus herausfordernd. Will Bloch, das Äußerste und das Trivialste sei eins, so klafft es oft genug auseinander, und das Äußerste wird trivial: »Ist's gut? fragte ich. Dem Kind schmeckt es bei andern am besten. Sie merken nur bald, was dort auch nicht recht ist. Und wäre es zuhause so schön, dann gingen sie nicht so gern weg. Sie spüren oft früh, hier wie dort könnte viel anders sein.« (9) Das ist die gnostische Lehre von der Insuffizienz der Schöpfung als Binsenwahrheit.

Blochs Souveränität wird nicht gestört von unfreiwilliger Komik: »Es ist jedenfalls nicht immer das Erwartete, das an die Tür klopft.« (161) Kultur ist dieser Philosophie zuwenig, aber zuweilen ist sie weniger als jene und kippt aus den Pantinen. Denn wie es nichts zwischen Himmel und Erde gibt, was nicht psychoanalytisch als Symbol für Sexuelles beschlagnahmt werden könnte, so gibt es nichts, was nicht ebenso zur Symbolintention, zur Blochschen Spur taugte, und dies Alles grenzt ans Nichts. Am verfänglichsten sind die Spuren dort, wo sie zum Okkulten tendieren: wird einmal das Ausschweifen in intelligible Welten zum Prinzip, so ist auch kein Kraut gewachsen gegen die Träume des Geistersehers. Eine Fülle abergläubischer Geschichten wird erzählt; das Powere des Hintertreppenklatschs aus der Geisterwelt schleunigst zwar unterstrichen, aber keine Distinktion des metaphysisch Intendierten von der aufs Faktum heruntergebrachten Metaphysik theoretisch vollzogen. Gleichwohl spricht noch dort etwas für Bloch, wo der Kitsch seinen Retter zu verschlingen droht. Denn ein anderes ist es, an Gespenster glauben, ein anderes, Gespenstergeschichten erzählen. Fast möchte man nur dem das wahre Vergnügen an solchen Geschichten zutrauen, der nicht an sie glaubt, sondern, indem er auf sie sich einläßt, daran gerade die Freiheit vom Mythos genießt. Auf sie zielt dessen Reflexion durch den Bericht und Blochs Philosophie insgesamt. Der Rest der ungeglaubten Geistergeschichten ist jenes Staunen über das Zuwenig der unfreien Welt, das zu paraphrasieren er nicht müde wird. Sie sind Mittel des Ausdrucks: dessen von Verfremdung.

Unterm Primat des Ausdrucks über die Signifikation, nicht sowohl darauf bedacht, daß die Worte die Begriffe deuten, wie darauf, daß die Begriffe die Worte nach Hause bringen, ist Blochs Philosophie die des Expressionismus. Ihn bewahrt sie auf in der Idee, die verkrustete Oberfläche des

Lebens zu durchbrechen. Unvermittelt will menschliche Unmittelbarkeit laut werden: gleich dem expressionistischen Subjekt protestiert das philosophische Blochs gegen die Verdinglichung der Welt. Er darf sich nicht, wie Kunst, mit der Formung dessen begnügen, was Subjektivität zu füllen vermag, sondern denkt über diese hinaus und macht deren Unmittelbarkeit selber als gesellschaftlich vermittelte, entfremdete transparent. Dabei jedoch löscht er, sein ganzes Werk hindurch, nicht wie sein Jugendfreund Lukács bei solchem Übergang das subjektive Moment aus in der Fiktion eines schon erreichten versöhnten Standes. Das schützt ihn vor Verdinglichung zweiten Grades. Seine geschichtsphilosophische Innervation hält den Standpunkt der subjektiven Erfahrung auch dort fest, wo er ihn theoretisch, im Hegelschen Sinn, überschreitet. Objektiv ist seine Philosophie intendiert und redet doch unverändert expressionistisch. Als Gedanke kann sie nicht reiner Laut der Unmittelbarkeit bleiben, kann aber auch Subjektivität, als Erkenntnisgrund und sprachliches Organon, nicht durchstreichen, denn keine objektive Ordnung des Seienden ist gegenwärtig, die substantiell, ohne Widerspruch das Subjekt in sich einschlösse, und deren Sprache eins wäre mit seiner eigenen. Blochs Denken erspart sich nicht das Bittere, daß zur gegenwärtigen Stunde der philosophische Schritt übers Subjekt hinaus ins Vorsubjektive zurückfällt und einer kollektiven Ordnung zugute kommt, in der Subjektivität nicht aufgehoben ist, sondern bloß niedergehalten von heteronomem Druck. Schrill antwortet sein perennierender Expressionismus darauf, daß Verdinglichung perenniert und daß ihre Abschaffung dort, wo sie behauptet wird, zur bloßen Ideologie sich verhärtet hat. Die Brüche in seiner Rede sind Echo des Stundenschlags, der eine Philosophie des Subjekt-Objekts dazu verhält, den fortwährenden Bruch von Subjekt und Objekt einzubekennen.

Ihr innerstes Motiv hat sie mit dem literarischen Expressionismus gemeinsam. Von Georg Heym existiert der Satz: »Man könnte vielleicht sagen, daß meine Dichtung der beste Beweis eines metaphysischen Landes ist, das seine schwarzen Halbinseln weit hinein in unsere flüchtigen Tage streckt«: des gleichen wohl, dessen Topographie das Werk Rimbauds entwarf. In Bloch möchte der Anspruch eines solchen Beweises wörtlich genommen, jenes Land mit Gedanken eingeholt werden. Dadurch ist seine Philosophie Metaphysik anders als die traditionelle. Sie wäre nicht auf die freilich allerorten auch in ihr noch durchklingende Frage nach dem Sein, nach dem wahren Wesen der Dinge, nach Gott, Freiheit und Unsterblichkeit zu bringen, sondern möchte den andern Raum beschreiben oder, nach Schellings Wort, »konstruieren«: Metaphysik als Phänomenologie des Imaginären. Transzendenz, eingewandert in Profanität, wird als ein »Raum« vorgestellt. Von der spiritistischen Kolportage aus der vierten Dimension ist er darum so schwer abzuheben, weil er, eines jeglichen Moments von Seiendem ledig, zum Symbol würde, die Blochsche Transzendenz zur Idee; und damit seine Philosophie zu jenem Idealismus, aus dessen Gefängnis auszubrechen sie überhaupt gedacht ward. »Dieser Raum, scheint mir, ist immer um uns, auch wenn wir nur an seinen Rändern saugen und nicht mehr wissen, wie dunkel die Nacht ist.« (183) In ihn wollen die Blochschen »Motive des Verschwindens« geleiten. Sterben wird zum Tor wie in manchen Augenblicken Bachs. »Selbst das Nichts, das die Ungläubigen zudiktieren, ist unvorstellbar, ja im Grund noch dunkler als ein Etwas, das bliebe.« (196) Blochs Obsession mit dem Imaginären als einem gleichwohl Seienden bedingt jenes merkwürdig Statische inmitten aller Dynamik, das Paradoxon des Expressionisten als Epikers; auch den Überschuß an blindem, ungelöstem Stoff. Gelegentlich liest es sich mehr wie Schelling denn wie Hegel, mehr wie eine Pseudomorphose an Dialektik denn wie diese selbst. Dialektik bräche kaum ab vor einer Zweiweltentheorie, die zuweilen an Schichten-Ontologie mahnt; vor der chiliastischen Antithese immanenter Utopie und enthüllter Transzendenz. Bloch aber schreibt zu einer Anekdote von einem jungen Arbeiter, den ein Wohltäter temporär mit dem schönen Leben beglückt und dann wieder ins Bergwerk schickt, worauf jener ihn umbringt: »Ist das Leben, das mit uns spielt, anders als der reiche Mann, der gute? Zwar er selber ist aufzuheben und der Arbeiter erschoß ihn; das bloß soziale Schicksal, das die reiche Klasse der armen setzt, ist aufzuheben. Aber der reiche Mann steht noch wie ein Götze des andern Schicksals da, unseres naturhaften mit dem Tod am Ende, dessen Roheit der reiche Teufel ja kopiert und sinnfällig gemacht hat, bis es sein eignes wurde.« (50 f.) Oder variiert: ». . . im Tod, der keinem sein eigener Tod ist, per definitionem sein kann (denn unser Raum ist immer das Leben oder was mehr, aber nicht was weniger als dieses ist) – auch im Tod ist etwas von jener reichen Katze, die die Maus erst laufen läßt, bevor sie sie frißt. Kein Mensch könnte es dem ›Heiligen‹ verübeln, wenn er diesen Gott abschösse wie der Arbeiter den Millionär.« (51 f.) Zwischen der gesellschaftlichen Unterdrückung und der mythischen Todverfallenheit des Lebens konstruiert Bloch eine antinomistisch grinsende analogia entis, aber der Platonische Chorismos klafft doch weiter, und die Herstellung einer vernünftigen Ordnung auf der Erde wäre ein Tropfen auf den heißen Stein von Schicksal und Tod. Die hartgesottene Naivetät, die das nicht sich ausreden läßt, ermuntert zur billigen Belehrung von beiden Seiten, vom Diamat und vom Sein als Sinn des Seienden. Wie alles Avancierte immer auch hinter dem zurückbleibt, was es hinter sich ließ, so sticht Bloch durch einen Erdenrest ab von der Geschliffenheit der offiziellen Philosophie, durch ein

Dschungelhaftes von der administrativen Blankheit der zonalen. Damit sabotiert er seine Rezeption als Kulturgut, erleichtert freilich auch die apokryphe, sektenhafte.

Das allzu architektonische Schema prägt dem Gedanken selber sich ein. Während Blochs Philosophie überquillt von Materialien und Farben, entrinnt sie doch nicht dem Abstrakten. Ihr Buntes und Besonderes dient in weitem Maß als Beispiel des Einen Gedankens von Utopie und Durchbruch, den sie hegt wie Schopenhauer den Seinen: »Denn schließlich ist alles, was einem begegnet und auffällt, dasselbe.« (16) Sie muß Utopie auf den Allgemeinbegriff abziehen, der jenes Konkrete subsumiert, das allein doch die Utopie wäre. Die »Gestalt der unkonstruierbaren Frage« wird zum System und läßt vom Grandiosen sich imponieren, das so schlecht zu Blochs Aufbegehren gegen Macht und Herrlichkeit paßt. System und Schein stimmen zusammen. Der Allgemeinbegriff, der die Spur wegwischt und sie kaum wahrhaft in sich aufzuheben vermag, muß doch, um seiner eigenen Intention willen, reden, als wäre sie in ihm gegenwärtig. Er verurteilt sich zur Überforderung auf Lebenszeit. Das übertäubt der expressionistische Schrei: die Gewalt des Willens, ohne den keine Spur entdeckt würde, arbeitet dem Gewollten entgegen. Denn die Spur selbst ist das Unwillkürliche, Unscheinbare, Intentionslose. Ihre Nivellierung auf Intention frevelt an ihr, so wie, nach Hegels Einsicht in der Phänomenologie, Beispiele an der Dialektik freveln. Die Farbe, die Bloch meint, wird grau als Totale. Hoffnung ist kein Prinzip. Philosophie kann aber nicht vor der Farbe verstummen. Sie kann nicht im Medium des Gedankens, der Abstraktion sich bewegen und Askese gegen die Deutung üben, in der jene Bewegung terminiert. Sonst sind ihre Ideen Rätselbilder. Dafür hat Benjamin in der in vielem den Spuren verwandten ›Einbahnstraße‹ sich entschieden. Wie diese sympathisieren die Spuren, im Titel schon, mit dem Kleinen, aber im Unterschied zu Benjamin verschenkt Bloch sich nicht daran, sondern benutzt es, in ausdrücklicher Absicht (vgl. S. 66 ff.), als Kategorie. Noch das Kleine bleibt abstrakt, nach dem eigenen Maß zu groß. Er weigert sich dem Fragmentarischen. Dynamisch geht er wie Hegel weiter, hinweg über das, woran seine Erfahrung ihr Substrat hat; insofern ist er Idealist malgré lui. Seine Spekulation will, nach einer älteren Formulierung, Luftwurzeln treiben, ultima philosophia sein und hat doch die Struktur von prima philosophia, ambitioniert das große Ganze. Sie denkt das Ende als Weltgrund, der das Seiende bewegt, dem es als telos schon innewohnt. Sie macht es zum Ersten. Das ist seine innerste, unaufhebbare Antinomie. Auch sie teilt er mit Schelling.

Die Konzeption des Unterdrückten, von unten Treibenden, das dem Unwesen ein Ende setzt, ist politisch. Auch davon wird erzählt wie von einem Vorentschiedenen, die Veränderung der Welt gleichsam supponiert, unbekümmert darum, was in den dreißig Jahren seit der Erstausgabe der Spuren aus der Revolution wurde und was ihrem Begriff und ihrer Möglichkeit unter den veränderten technologischen und gesellschaftlichen Bedingungen widerfuhr. Seinem Urteil genügt die Absurdität des Bestehenden; er rechtet nicht über das, was geschehen soll. »In der rue Blondel lag ein betrunkenes Weib, der Schutzmann packt an. Je suis pauvre, sagt das Weib. Deshalb brauchst du doch nicht die Straße zu verkotzen, brüllt der Schutzmann. Que voulez vous, monsieur, la pauvreté, c'est déjà à moitié la saleté, sagt das Weib und säuft. So hat sie sich beschrieben, erklärt und aufgehoben, im selben Zug. Wen oder was sollte der Schutzmann noch verhaften.« (17) Der Stärke, nicht übers Vernünftige zu vernünfteln, gesellt sich der Schatten einer politischen petitio principii, die zuzeiten dort sich ausschlachten ließ, wo die Weltgeschichte als causa judicata für beendet erklärt wird. Aber Blochs Zug läßt sich vom Autoritären und Repressiven nicht bändigen. Er ist einer der ganz wenigen Philosophen, die vorm Gedanken an eine Welt ohne Herrschaft und Hierarchie nicht zurückbeben; unvorstellbar, daß er aus approbierter Tiefe die Abschaffung von Übel, Sünde und Tod verleumdete. Daraus, daß es bis heute nicht gelang, liest er nicht die perfide Maxime heraus, daß es nicht gelingen könne und nicht gelingen dürfe. Das verleiht seinem Versprechen, der Transfiguration des happy end, trotz allem die Resonanz des nicht Vergeblichen. Unter den Spuren fehlt gänzlich die von Muff. Häretiker der Dialektik, läßt er auch mit der materialistischen These nicht sich abspeisen, keine klassenlose Gesellschaft dürfe ausgemalt werden. Mit unbeirrter Sinnlichkeit freut er sich an ihrem Bild, ohne es trügerisch breit zu walzen. An dem Hummer essenden französischen Arbeiter oder dem Volksfest vom 14. Juli schimmert »ein gewisses Später auf, wo das Geld nicht mehr um die Güter bellt oder in ihnen wedelt« (19). Er betet auch nicht das Abrakadabra der unmittelbaren Einheit von Theorie und Praxis nach. Auf die Frage »Soll man tun oder denken?« antwortet er: »Keinen Hund, sagt man, lockt die Philosophie hinterm Ofen hervor. Aber wie Hegel dazu bemerkt, ist das auch nicht ihre Aufgabe. Und sodann könnte die Philosophie auch ohne diese Aufgabe bestehen, aber nicht einmal diese Aufgabe ohne Philosophie. Das Denken schafft selbst erst die Welt, in der verwandelt werden kann und nicht bloß gestümpert.« (261) Kein schrofferer Bescheid wäre dem Vulgärmaterialismus zu erteilen von realer Humanität, die dem Denken das Seine läßt, während es allerorten zur Ancilla des Tuns herabgedrückt wird. Solche Humanität erlaubt auch heute noch, was Benjamin einmal von Bloch sagte: er könne an seinen Gedanken sich wärmen. Sie gleichen dem mächtigen grünen Kachelofen, der von außen geheizt wird und für die ganze

Wohnung ausreicht, tröstlich stark, ohne Ofenbank im Zimmer, und ohne daß er es verräucherte. Der Märchen erzählt, behütet sie vorm Verrat, ihre Zeit habe schon geschlagen. Die Erwartung, daß es werde, paart sich mit abgründiger Skepsis. Beides vereint sich im Witz aus einer jüdischen Legende: einer berichtet ein Wunder und dementiert es im Augenblick der höchsten Spannung: »Was tut Gott? die ganze Geschichte ist nicht wahr.«« (253) Bloch spart die Deutung aus, fügt aber hinzu: »Kein übler Satz für einen Lügner, kein schlechtes Weltmotto, würden es Bessere sagen.« (a.a.O.) Was tut Gott? – in die saloppe Frage vermummt sich der unbeschwichtigte Zweifel an seiner Existenz, weil »die ganze Geschichte nicht wahr«, weil, wider Hegel und alle Dialektik, die Weltgeschichte noch nicht die der Wahrheit ist. Indem durch den Witz Philosophie sich als Trug durchschaut, ist auch sie mehr, als sie ist: »Man muß sowohl witzig wie transzendierend sein.« (a.a.O.) Der Witz reißt die ungeheure Perspektive der Verse von Karl Kraus auf: »Nichts ist wahr, / Und möglich, daß sich anderes ereignet«; daß der Schein, den er zerstört, doch nicht das letzte Wort behält. Was der Philosophie nicht gelungen ist, braucht sie nicht darum sich abmarkten zu lassen, weil es den Menschen noch nicht gelang.

Erpreßte Versöhnung
Zu Georg Lukács: ›Wider den mißverstandenen Realismus‹

Den Nimbus, der den Namen von Georg Lukács heute noch, auch außerhalb des sowjetischen Machtbereiches, umgibt, verdankt er den Schriften seiner Jugend, dem Essay-Band ›Die Seele und die Formen‹, der ›Theorie des Romans‹, den Studien ›Geschichte und Klassenbewußtsein‹, in denen er als dialektischer Materialist die Kategorie der Verdinglichung erstmals auf die philosophische Problematik prinzipiell anwandte. Ursprünglich etwa von Simmel und Kassner angeregt, dann in der südwestdeutschen Schule gebildet, setzte Lukács bald dem psychologischen Subjektivismus eine objektivistische Geschichtsphilosophie entgegen, die bedeutenden Einfluß ausübte. Die ›Theorie des Romans‹ zumal hat durch Tiefe und Elan der Konzeption ebenso wie durch die nach damaligen Begriffen außerordentliche Dichte und Intensität der Darstellung einen Maßstab philosophischer Ästhetik aufgerichtet, der seitdem nicht wieder verloren ward. Als, schon in den frühen zwanziger Jahren, der Lukács'sche Objektivismus sich, nicht ohne anfängliche Konflikte, der offiziellen kommunistischen Doktrin beugte, hat Lukács nach östlicher Sitte jene Schriften revoziert; hat die subalternsten Einwände der Parteihierarchie unter Mißbrauch Hegelscher Motive sich gegen sich selbst zu eigen gemacht und jahrzehntelang in Abhandlungen und Büchern sich abgemüht, seine offenbar unverwüstliche Denkkraft dem trostlosen Niveau der sowjetischen Denkerei gleichzuschalten, die mittlerweile die Philosophie, welche sie im Munde führte, zum bloßen Mittel für Zwecke der Herrschaft degradiert hatte. Nur um der unterdessen widerrufenen und von seiner Partei mißbilligten Frühwerke willen aber wurde, was Lukács während der letzten dreißig Jahre veröffentlichte, auch ein dickes Buch über den jungen Hegel, überhaupt diesseits des Ostblocks beachtet, obwohl in einzelnen seiner Arbeiten zum deutschen Realismus des neunzehnten Jahrhunderts, zu Keller und Raabe, das alte Talent zu spüren war. Am krassesten wohl manifestierte sich in dem Buch ›Die Zerstörung der Vernunft‹ die von Lukács' eigener. Höchst undialektisch rechnete darin der approbierte Dialektiker alle irrationalistischen Strömungen der neueren Philosophie in einem Aufwaschen der Reaktion und dem Faschismus zu, ohne sich viel dabei aufzuhalten, daß in diesen Strömungen, gegenüber dem akademischen Idealismus, der Gedanke auch gegen eben jene Verdinglichung von Dasein und Denken sich sträubte, deren Kritik Lukács' eigene Sache war. Nietzsche und Freud wurden ihm schlicht zu Faschisten, und er brachte es über sich, im herablassenden Ton eines Wilhelminischen Provinzialschulrats von Nietzsches »nicht alltäglicher Begabung« zu reden. Unter der Hülle vorgeblich radikaler Gesellschaftskritik schmuggelte er die armseligsten Clichés jenes Konformismus wieder ein, dem die Gesellschaftskritik einmal galt.

Das Buch ›Wider den mißverstandenen Realismus‹ nun, das 1958 im Westen, im Claassen-Verlag herauskam, zeigt Spuren einer veränderten Haltung des Fünfundsiebzigjährigen. Sie dürfte zusammenhängen mit dem Konflikt, in den er durch seine Teilnahme an der Nagy-Regierung geriet. Nicht nur ist von den Verbrechen der Stalin-Ära die Rede, sondern es wird in früher undenkbarer Formulierung sogar von einer »allgemeinen Stellungnahme für die Freiheit des Schrifttums« positiv gesprochen. Lukács entdeckt posthum Gutes an seinem langjährigen Gegner Brecht und rühmt dessen Ballade vom toten Soldaten, die den Pankower Machthabern ein kulturbolschewistisches Greuel sein muß, als genial. Gleich Brecht möchte er den Begriff des sozialistischen Realismus, mit dem man seit Jahrzehnten jeden ungebärdigen Impuls, alles den Apparatschiks Unverständliche und Verdächtige abwürgte, so ausweiten, daß mehr darin Raum findet als nur der erbärmlichste Schund. Er wagt schüchterne, vorweg vom Bewußtsein der eigenen Ohnmacht gelähmte Opposition. Die Schüchternheit ist keine Taktik. Lukács' Person steht über allem Zweifel. Aber das begriffliche Gefüge, dem er den Intellekt opferte, ist so verengt, daß es erstickt, was immer darin freier atmen möchte; das sacrifizio dell' intelletto läßt diesen selbst nicht unberührt. Lukács' offenbares Heimweh nach den frühen Schriften gerät dadurch in einen tristen Aspekt. Aus der ›Theorie des Romans‹ kehrt die »Lebensimmanenz des Sinnes« wieder, aber heruntergebracht auf den Kernspruch, daß das Leben unterm sozialistischen Aufbau eben sinnvoll sei – ein Dogma, gerade gut genug zur philosophisch tönenden Rechtfertigung der rosigen Positivität, die in den volkssozialistischen Staaten der Kunst zugemutet wird. Das Buch bietet Halbgefrorenes zwischen dem sogenannten Tauwetter und erneuter Kälte.

Den subsumierenden, von oben her mit Kennmarken wie kritischer und sozialistischer Realismus operierenden Gestus teilt Lukács, trotz aller entgegenlautenden dynamischen Beteuerungen, nach wie vor mit den Kulturvögten. Die Hegelsche Kritik am Kantischen Formalismus in der Ästhetik ist versimpelt zu der Behauptung, daß in der modernen Kunst Stil, Form, Darstellungsmittel maßlos überschätzt seien (s. insbes. S. 15) – als ob nicht Lukács wissen müßte, daß durch diese Momente Kunst als Erkenntnis von der wissenschaftlichen sich unterscheidet; daß Kunstwerke, die indifferent wären gegen ihr Wie, ihren eigenen Begriff aufhöben. Was ihm Formalismus dünkt, meint, durch Konstruktion der Elemente unterm je eigenen Formgesetz, jene »Immanenz des Sinnes«, der Lukács nachhängt,

anstatt, wie er selber es für unmöglich hält und doch objektiv
verficht, den Sinn von außen dekretorisch ins Gebilde hin-
einzuzerren. Er mißdeutet willentlich die formkonstitutiven
Momente der neuen Kunst als Akzidentien, als zufällige
Zutaten des aufgeblähten Subjekts, anstatt ihre objektive
Funktion im ästhetischen Gehalt selber zu erkennen. Jene
Objektivität, die er an der modernen Kunst vermißt und
die er vom Stoff und dessen »perspektivischer« Behandlung erwartet, fällt jenen die bloße Stofflichkeit auflösen-
den und damit erst sie in Perspektive rückenden Verfahrungsweisen und Techniken zu, die er wegwischen möchte.
Gleichgültig stellt er sich gegen die philosophische Frage, ob
in der Tat der konkrete Gehalt eines Kunstwerks eins sei
mit der bloßen »Widerspiegelung der objektiven Wirklichkeit« (S. 108), an deren Idol er mit verbissenem Vulgärmaterialismus festhält. Sein eigener Text jedenfalls miß-
achtet all jene Normen verantwortlich geprägter Darstellung, die er durch seine Frühschriften zu statuieren geholfen
hatte. Kein bärtiger Geheimrat könnte kunstfremder über
Kunst perorieren; im Ton des Kathedergewohnten, der
nicht unterbrochen werden darf, vor keinen längeren Aus-
führungen zurückschreckt und offensichtlich jene Möglichkeiten des Reagierens einbüßte, die er an seinen Opfern als
ästhetizistisch, dekadent und formalistisch abkanzelt, die
allein aber ein Verhältnis zur Kunst überhaupt erst gestatten. Während der Hegelsche Begriff des Konkreten bei
Lukács nach wie vor hoch im Kurs steht – insbesondere,
wenn es darum geht, die Dichtung zur Abbildung der empirischen Realität zu verhalten –, bleibt die Argumentation
selber weithin abstrakt. Kaum je unterwirft sich der Text der
Disziplin eines spezifischen Kunstwerks und seiner immanenten Probleme. Statt dessen wird verfügt. Der Pedanterie des
Duktus entspricht Schlamperei im einzelnen. Lukács scheut
sich nicht vor abgetakelten Weisheiten wie: »Eine Rede ist

keine Schreibe«; er verwendet wiederholt den aus der Sphäre des Kommerzes und Rekords stammenden Ausdruck »Spitzenleistung« (S. 7); er nennt das Annullieren des Unterschieds von abstrakter und konkreter Möglichkeit »verheerend« und erinnert daran, wie »eine solche Diesseitigkeit etwa ab Giotto das Allegorisieren der Anfangsperioden immer entschiedener überwindet« (S. 41). Wir nach Lukács' Sprache Dekadenten mögen ja Form und Stil arg überschätzen, aber vor Prägungen wie »ab Giotto« hat uns das bislang ebenso bewahrt wie davor, Kafka zu loben, weil er »glänzend beobachte« (S. 47). Auch von der »Reihe der außerordentlich vielen Affekte, die zusammen zum Aufbau des menschlichen Innenlebens beitragen« (S. 90), dürften Avantgardisten nur selten etwas vermeldet haben. Man könnte angesichts solcher Spitzenleistungen, die sich jagen wie auf einer Olympiade, fragen, ob jemand, der so schreibt, unkundig des Metiers der Literatur, mit der er souverän umspringt, überhaupt das Recht hat, in literarischen Dingen im Ernst mitzureden. Aber man fühlt bei Lukács, der einmal gut schreiben konnte, in der Mischung aus Schulmeisterlichkeit und Unverantwortlichkeit die Methode des Justament, den rancuneerfüllten Willen zum Schlechtschreiben, dem er die magische Opferkraft zutraut, polemisch zu beweisen, wer es anders hält und sich anstrengt, sei ein Taugenichts. Stilistische Gleichgültigkeit ist übrigens stets fast ein Symptom dogmatischer Verhärtung des Inhalts. Die forcierte Uneitelkeit eines Vortrags, der sich sachlich glaubt, wofern er nur die Selbstreflexion versäumt, bemäntelt einzig, daß die Objektivität aus dem dialektischen Prozeß mit dem Subjekt herausgenommen ward. Der Dialektik wird Lippendienst gezollt, aber sie ist für solches Denken vorentschieden. Es wird undialektisch.

Dogmatisch bleibt der Kern der Theorie. Die gesamte moderne Literatur, soweit auf sie nicht die Formel eines sei's kritischen, sei's sozialistischen Realismus paßt, ist verworfen, und es wird ihr ohne Zögern das Odium der Dekadenz angehängt, ein Schimpfwort, das nicht nur in Rußland alle Scheußlichkeiten von Verfolgung und Ausmerzung deckt. Der Gebrauch jenes konservativen Ausdrucks ist inkompatibel mit der Lehre, deren Autorität Lukács durch ihn, wie seine Vorgesetzten, der Volksgemeinschaft angleichen möchte. Die Rede von Dekadenz ist vom positiven Gegenbild kraftstrotzender Natur kaum ablösbar; Naturkategorien werden auf gesellschaftlich Vermitteltes projiziert. Eben dagegen jedoch geht der Tenor der Ideologiekritik von Marx und Engels. Selbst Reminiszenzen an den Feuerbach der gesunden Sinnlichkeit hätten schwerlich dem sozialdarwinistischen Terminus Einlaß in ihre Texte verschafft. Noch im Rohentwurf der Grundrisse der Kritik der politischen Ökonomie von 1857/58, also in der Phase des ›Kapitals‹, heißt es:[1] »Sosehr nun das Ganze dieser Bewegung als gesellschaftlicher Prozeß erscheint, und sosehr die einzelnen Momente dieser Bewegung vom bewußten Willen und besondern Zwecken der Individuen ausgehn, sosehr erscheint die Totalität des Prozesses als ein objektiver Zusammenhang, der naturwüchsig entsteht; zwar aus dem Aufeinanderwirken der bewußten Individuen hervorgeht, aber weder in ihrem Bewußtsein liegt, noch als Ganzes unter sie subsumiert wird. Ihr eigenes Aufeinanderstoßen produziert ihnen eine über ihnen stehende, fremde gesellschaftliche Macht; ihre Wechselwirkung als von ihnen unabhängigen Prozeß und Gewalt. Die gesellschaftliche Beziehung der Individuen aufeinander als verselbständigte Macht über den Individuen, werde sie nun vorgestellt als Naturmacht, Zufall oder in sonst beliebiger Form, ist notwendiges Resultat dessen, daß der Ausgangspunkt nicht

---

[1] Karl Marx, Grundrisse der Kritik der politischen Ökonomie. (Rohentwurf) 1857–1858, Berlin 1953. S. 111.

das freie gesellschaftliche Individuum ist.« Solche Kritik hält nicht inne vor der Sphäre, in der der Schein der Naturwüchsigkeit von Gesellschaftlichem, affektiv besetzt, am hartnäckigsten sich behauptet und in der alle Indignation über Entartung beheimatet ist, der der Geschlechter. Marx hat, etwas früher, die ›Religion des neuen Weltalters‹ von G. F. Daumer rezensiert und spießt einen Passus daraus auf: »Natur und Weib sind das wahrhaft Göttliche im Unterschiede von Mensch und Mann... Hingebung des Menschlichen an das Natürliche, des Männlichen an das Weibliche ist die ächte, die allein wahre Demuth und Selbstentäußerung, die höchste, ja einzige Tugend und Frömmigkeit, die es gibt.« Dem fügt Marx den Kommentar hinzu: »Wir sehen hier, wie die seichte Unwissenheit des spekulierenden Religionsstifters sich in eine sehr prononcierte Feigheit verwandelt, Herr Daumer flüchtet sich vor der geschichtlichen Tragödie, die ihm drohend zu nahe rückt, in die angebliche Natur, d.h. in die blöde Bauernidylle, und predigt den Kultus des Weibes, um seine eigene weibische Resignation zu bemänteln.«[2]) Wo immer gegen Dekadenz gewettert wird, wiederholt sich jene Flucht. Lukács wird zu ihr gezwungen durch einen Zustand, in dem gesellschaftliches Unrecht fortwährt, während es offiziell für abgeschafft erklärt ist. Die Verantwortung wird von dem von Menschen verschuldeten Zustand zurückgeschoben in Natur oder eine nach ihrem Modell konträr ausgedachte Entartung. Wohl hat Lukács versucht, den Widerspruch zwischen Marxischer Theorie und approbiertem Marxismus zu eskamotieren, indem er die Begriffe gesunder und kranker Kunst krampfhaft in soziale retrovertiert: »Die Beziehungen zwischen den Menschen sind historisch veränderlich, und es verändern sich dementsprechend auch die geistigen

[2]) Karl Marx, Rezension der Schrift G. F. Daumers: Die Religion des neuen Weltalters, Hamburg 1850; in: Neue Rheinische Zeitung, Nachdruck Berlin 1955, S. 107.

und emotionalen Bewertungen dieser Beziehungen. Diese Erkenntnis beinhaltet jedoch keinen Relativismus. In einer bestimmten Zeit bedeutet eine bestimmte menschliche Beziehung den Fortschritt, eine andere die Reaktion. So können wir den Begriff des sozial Gesunden finden, eben und zugleich als Grundlage aller wirklich großen Kunst, weil dieses Gesunde zum Bestandteil des historischen Bewußtseins der Menschheit wird.«[3]) Das Unkräftige dieses Versuchs ist offenbar: wenn es sich schon um historische Verhältnisse handelt, wären Worte wie gesund und krank überhaupt zu vermeiden. Mit der Dimension Fortschritt/ Reaktion haben sie nichts zu tun; sie werden mitgeschleppt einzig um ihres demagogischen Appells willen. Überdies ist die Dichotomie von gesund und krank so undialektisch wie die vom auf- und absteigenden Bürgertum, die ihre Normen selbst einem bürgerlichen Bewußtsein entlehnt, das mit der eigenen Entwicklung nicht mitkam. – Ich verschmähe es, darauf zu insistieren, daß Lukács unter den Begriffen Dekadenz und Avantgardismus – beides ist ihm dasselbe – gänzlich Heterogenes zusammenbringt, nicht nur also Proust, Kafka, Joyce, Beckett, sondern auch Benn, Jünger, womöglich Heidegger; als Theoretiker Benjamin und mich selber. Der heute beliebte Hinweis darauf, daß eine angegriffene Sache gar keine sei, sondern in divergentes Einzelnes auseinanderfalle, liegt allzu bequem zur Hand, um den Begriff aufzuweichen und dem eingreifenden Argument mit dem Gestus: »das bin ich gar nicht« sich zu entziehen. Ich halte mich also, auf die Gefahr hin, durch den Widerstand gegen die Simplifizierung selbst zu simplifizieren, an den Nerv der Lukács'schen Argumentation und differenziere innerhalb dessen, was er verwirft, nicht viel mehr, als er es tut, außer wo er grob entstellt.

[3]) Georg Lukács, Gesunde oder kranke Kunst?; in: Georg Lukács zum siebzigsten Geburtstag, Berlin 1955, S. 243 f.

Sein Versuch, dem sowjetischen Verdikt über die moderne, nämlich das naiv-realistische Normalbewußtsein schockierende Literatur das philosophisch gute Gewissen zu machen, hat ein schmales Instrumentarium, insgesamt Hegelschen Ursprungs. Für seine Attacke auf die avantgardistische Dichtung als Abweichung von der Wirklichkeit bemüht er zunächst die Unterscheidung von »abstrakter« und »realer« Möglichkeit: »Zusammengehörigkeit, Unterschied und Gegensatz dieser beiden Kategorien ist vor allem eine Tatsache des Lebens selbst. Möglichkeit ist – abstrakt, bzw. subjektiv angesehen – immer reicher als die Wirklichkeit; Tausende und aber Tausende Möglichkeiten scheinen für das menschliche Subjekt offenzustehen, deren verschwindend geringer Prozentsatz verwirklicht werden kann. Und der moderne Subjektivismus, der in diesem Scheinreichtum die echte Fülle der menschlichen Seele zu erblicken vermeint, empfindet ihr gegenüber eine mit Bewunderung und Sympathie gemischte Melancholie, während der Wirklichkeit, die die Erfüllung solcher Möglichkeit versagt, mit einer ebenfalls melancholischen Verachtung entgegengetreten wird.« (S. 19) Über diesen Einwand ist, trotz des Prozentsatzes, nicht hinwegzugleiten. Hat Brecht etwa versucht, durch infantilistische Abkürzung gleichsam reine Urformen des Faschismus als eines Gangstertums auszukristallisieren, indem er den aufhaltsamen Diktator Arturo Ui als Exponenten eines imaginären und apokryphen Karfioltrusts, nicht als den ökonomisch mächtigster Gruppen entwarf, so schlug das unrealistische Kunstmittel dem Gebilde nicht zum Segen an. Als Unternehmen einer gewissermaßen gesellschaftlich exterritorialen und darum beliebig »aufhaltsamen« Verbrecherbande verliert der Faschismus sein Grauen, das des großen gesellschaftlichen Zuges. Dadurch wird die Karikatur kraftlos, nach eigenem Maßstab albern: der politische Aufstieg des Leichtverbrechers büßt im Stück selbst die

Plausibilität ein. Satire, die ihren Gegenstand nicht adäquat hat, bleibt auch als solche ohne Salz. Aber die Forderung pragmatischer Treue kann sich doch nur auf die Grunderfahrung von der Realität und auf die membra disjecta der stofflichen Motive beziehen, aus denen der Schriftsteller seine Konstruktion fügt; im Fall Brecht also auf die Kenntnis des tatsächlichen Zusammenhangs von Wirtschaft und Politik und darauf, daß die gesellschaftlichen Ausgangstatsachen sitzen; nicht aber auf das, was daraus im Gebilde wird. Proust, bei dem genaueste »realistische« Beobachtung mit dem ästhetischen Formgesetz unwillkürlicher Erinnerung so innig sich verbindet, bietet das eindringlichste Beispiel der Einheit pragmatischer Treue und – nach Lukács'schen Kategorien – unrealistischer Verfahrungsweise. Wird etwas von der Innigkeit jener Fusion nachgelassen, wird die »konkrete Möglichkeit« im Sinn eines unreflektierten, in starrer Betrachtung draußen vorm Gegenstand verharrenden Realismus der Gesamtanschauung interpretiert und das dem Stoff antithetische Moment einzig in der »Perspektive«, also einem Durchscheinenlassen des Sinnes geduldet, ohne daß diese Perspektive bis in die Zentren der Darstellung, bis in die Realien selber eindränge, so resultiert ein Mißbrauch der Hegelschen Unterscheidung zugunsten eines Traditionalismus, dessen ästhetische Rückständigkeit Index seiner historischen Unwahrheit ist.

Zentral jedoch erhebt Lukács den Vorwurf des Ontologismus, der am liebsten die ganze avantgardistische Literatur auf die Existentialien des archaisierenden Heidegger festnageln möchte. Wohl rennt auch Lukács hinter der Mode her, es käme darauf an zu fragen: »Was ist der Mensch?« (S. 16), ohne von den Spuren sich schrecken zu lassen. Aber er modifiziert sie wenigstens durch die allbekannte Aristotelische Bestimmung des Menschen als eines gesellschaftlichen Wesens. Aus ihr leitet er die schwerlich bestreitbare Behauptung ab, »die rein menschliche, die zutiefst individuelle und typische Eigenart« der Gestalten der großen Literatur, »ihre künstlerische Sinnfälligkeit« sei »mit ihrem konkreten Verwurzeltsein in den konkret historischen, menschlichen, gesellschaftlichen Beziehungen ihres Daseins untrennbar verknüpft« (a.a.O.). »Völlig entgegengesetzt« jedoch sei, so fährt er fort, »die ontologische Intention, das menschliche Wesen ihrer Gestalten zu bestimmen, bei den führenden Schriftstellern der avantgardistischen Literatur. Kurz gefaßt: für sie ist ›der‹ Mensch: das von Ewigkeit her, seinem Wesen nach einsame, aus allen menschlichen und erst recht aus allen gesellschaftlichen Beziehungen herausgelöste – ontologisch – von ihnen unabhängig existierende Individuum.« (a.a.O.) Gestützt wird das auf eine ziemlich törichte, jedenfalls für das literarisch Gestaltete unmaßgebliche Äußerung Thomas Wolfes über die Einsamkeit des Menschen als unausweichliche Tatsache seines Daseins. Aber gerade Lukács, der beansprucht, radikal historisch zu denken, müßte sehen, daß jene Einsamkeit selber, in der individualistischen Gesellschaft, gesellschaftlich vermittelt ist und von wesentlich geschichtlichem Gehalt. In Baudelaire, auf den schließlich alle Kategorien wie Dekadenz, Formalismus, Ästhetizismus zurückdatieren, ging es nicht um das invariante Menschenwesen, seine Einsamkeit oder Geworfenheit, sondern um das Wesen von Moderne. Wesen selbst ist in dieser Dichtung kein abstraktes An sich sondern gesellschaftlich. Die objektiv in seinem Werk waltende Idee will gerade das historisch Fortgeschrittene, Neueste als das zu beschwörende Urphänomen; es ist, nach dem Ausdruck Benjamins, »dialektisches Bild«, kein archaisches. Daher die ›Tableaux Parisiens‹. Substrat sogar von Joyce ist nicht, wie Lukács ihm unterschieben möchte, ein zeitloser Mensch schlechthin, sondern der höchst geschichtliche. Er fingiert, trotz aller irischen Folklore, keine Mythologie jenseits der von ihm dargestellten Welt, sondern trachtet deren Wesen oder Unwesen zu beschwören, indem er sie selbst, kraft des vom heutigen Lukács gering geschätzten Stilisationsprinzips, gewissermaßen mythisiert. Fast möchte man die Größe von avantgardistischer Dichtung dem Kriterium unterstellen, ob darin geschichtliche Momente als solche wesenhaft geworden, nicht zur Zeitlosigkeit verflacht sind. Lukács fertigte vermutlich die Verwendung von Begriffen wie Wesen und Bild in der Ästhetik als idealistisch ab. Aber ihre Stellung im Bereich der Kunst ist grundverschieden von der in Philosophien des Wesens oder der Urbilder, von allem aufgewärmten Platonismus. Lukács' Position hat wohl ihre innerste Schwäche darin, daß er diesen Unterschied nicht mehr festzuhalten vermag und Kategorien, die sich aufs Verhältnis des Bewußtseins zur Realität beziehen, so auf die Kunst überträgt, als hießen sie hier einfach das Gleiche. Kunst findet sich in der Realität, hat ihre Funktion in ihr, ist auch in sich vielfältig zur Realität vermittelt. Gleichwohl aber steht sie als Kunst, ihrem eigenen Begriff nach, antithetisch dem gegenüber, was der Fall ist. Das hat die Philosophie mit dem Namen des ästhetischen Scheins bedacht. Auch Lukács wird kaum überspringen können, daß der Gehalt von Kunstwerken nicht in demselben Sinn wirklich ist wie die reale Gesellschaft. Wäre dieser Unterschied eliminiert, so verlöre jegliche Bemühung um Ästhetik ihr Substrat. Daß aber die Kunst von der unmittelbaren Realität, in der sie einmal als Magie entsprang, qualitativ sich sonderte, ihr Scheincharakter, ist weder ihr ideologischer Sündenfall noch ein ihr äußerlich hinzugefügter Index, so als wiederholte sie bloß die Welt, nur ohne den Anspruch, selber unmittelbar wirklich zu sein. Eine solche subtraktive Vorstellung spräche aller Dialektik Hohn. Vielmehr betrifft die Differenz von empirischem Dasein und Kunst deren innerste Zusammensetzung. Gibt sie Wesen, »Bilder«, so ist das keine idealistische Sünde; daß manche Künstler idealistischen Philosophien anhingen, besagt nichts über den Gehalt ihrer Werke. Sondern Kunst selber hat gegenüber dem bloß Seienden, wofern sie es nicht, kunstfremd, bloß verdoppelt, zum Wesen, Wesen und Bild zu sein. Dadurch erst konstituiert sich das Ästhetische; dadurch, nicht im Blick auf die bloße Unmittelbarkeit, wird Kunst zu Erkenntnis, nämlich einer Realität gerecht, die ihr eigenes Wesen verhängt und was es ausspricht zugunsten einer bloß klassifikatorischen Ordnung unterdrückt. Nur in der Kristallisation des eigenen Formgesetzes, nicht in der passiven Hinnahme der Objekte konvergiert Kunst mit dem Wirklichen. Erkenntnis ist in ihr durch und durch ästhetisch vermittelt. Selbst der vorgebliche Solipsismus, Lukács zufolge Rückfall auf die illusionäre Unmittelbarkeit des Subjekts, bedeutet in der Kunst nicht, wie in schlechten Erkenntnistheorien, die Verleugnung des Objekts, sondern intendiert dialektisch die Versöhnung mit ihm. Als Bild wird es ins Subjekt hineingenommen, anstatt, nach dem Geheiß der entfremdeten Welt, dinghaft ihm gegenüber zu versteinern. Kraft des Widerspruchs zwischen diesem im Bild versöhnten, nämlich ins Subjekt spontan aufgenommenen Objekt und dem real unversöhnten draußen, kritisiert das Kunstwerk die Realität. Es ist deren negative Erkenntnis. Nach Analogie zu einer heute geläufigen philosophischen Redeweise könnte man von der »ästhetischen Differenz« vom Dasein sprechen: nur vermöge dieser Differenz, nicht durch deren Verleugnung, wird das Kunstwerk beides, Kunstwerk und richtiges Bewußtsein. Eine Kunsttheorie, die das ignoriert, ist banausisch und ideologisch in eins.

Lukács begnügt sich mit Schopenhauers Einsicht, das Prinzip des Solipsismus lasse sich nur »in der abstraktesten Philosophie mit völliger Konsequenz durchführen«, und »auch dort nur sophistisch, rabulistisch« (S. 18). Aber seine

Argumentation schlägt sich selber: wenn der Solipsismus nicht durchzuhalten ist; wenn in diesem sich reproduziert, was er zunächst, nach phänomenologischer Redeweise, »ausklammert«, dann braucht man ihn als Stilisierungsprinzip auch nicht zu fürchten. Die Avantgardisten haben sich denn auch über die ihnen von Lukács zugeschriebene Position objektiv in ihren Werken hinausbewegt. Proust dekomponiert die Einheit des Subjekts vermöge dessen eigener Introspektion: es verwandelt sich schließlich in einen Schauplatz erscheinender Objektivitäten. Sein individualistisches Werk wird zum Gegenteil dessen, als was Lukács es schmäht: wird anti-individualistisch. Der monologue intérieur, die Weltlosigkeit der neuen Kunst, über die Lukács sich entrüstet, ist beides, Wahrheit und Schein der losgelösten Subjektivität. Wahrheit, weil in der allerorten atomistischen Weltverfassung die Entfremdung über den Menschen waltet und weil sie – wie man Lukács konzedieren mag – darüber zu Schatten werden. Schein aber ist das losgelöste Subjekt, weil objektiv die gesellschaftliche Totalität dem Einzelnen vorgeordnet ist und durch die Entfremdung hindurch, den gesellschaftlichen Widerspruch, zusammengeschlossen wird und sich reproduziert. Diesen Schein der Subjektivität durchschlagen die großen avantgardistischen Kunstwerke, indem sie der Hinfälligkeit des bloß Einzelnen Relief verleihen und zugleich in ihm jenes Ganze ergreifen, dessen Moment das Einzelne ist und von dem es doch nichts wissen kann. Meint Lukács, es werde bei Joyce Dublin, bei Kafka und Musil die Habsburger Monarchie als »Atmosphäre des Geschehens« gleichsam programmwidrig fühlbar, bleibe jedoch bloß sekundäres Nebenprodukt, so macht er um seines thema probandum willen die negativ aufsteigende epische Fülle, das Substantielle, zur Nebensache. Der Begriff der Atmosphäre ist Kafka überhaupt höchst unangemessen. Er stammt aus einem Impressionismus, den Kafka gerade durch seine objektive Tendenz, die aufs geschichtliche Wesen, überholt. Selbst bei Beckett – vielleicht bei ihm am meisten –, wo scheinbar alle konkreten historischen Bestandstücke eliminiert, nur primitive Situationen und Verhaltensweisen geduldet sind, ist die unhistorische Fassade das provokative Gegenteil des von reaktionärer Philosophie vergötzten Seins schlechthin. Der Primitivismus, mit dem seine Dichtungen abrupt anheben, präsentiert sich als Endphase einer Regression, nur allzu deutlich in ›Fin de partie‹, wo wie aus der weiten Ferne des Selbstverständlichen eine terrestrische Katastrophe vorausgesetzt wird. Seine Urmenschen sind die letzten. Thematisch ist bei ihm, was Horkheimer und ich in der ›Dialektik der Aufklärung‹ die Konvergenz der total von der Kulturindustrie eingefangenen Gesellschaft mit den Reaktionsweisen der Lurche nannten. Der substantielle Gehalt eines Kunstwerks kann in der exakten, wortlos polemischen Darstellung heraufdämmernder Sinnlosigkeit bestehen und verlorengehen, sobald er, wäre es auch nur indirekt durch »Perspektive«, wie in der didaktischen Antithese richtigen und falschen Lebens bei Tolstoi seit der ›Anna Karenina‹, positiv gesetzt, als daseiend hypostasiert wird. Lukács' alte Lieblingsidee einer »Immanenz des Sinnes« verweist auf eben jene fragwürdige Zuständlichkeit, die seiner eigenen Theorie zufolge zu destruieren wäre. Konzeptionen wie die Becketts jedoch sind objektiv-polemisch. Lukács fälscht sie zur »einfachen Darstellung des Pathologischen, der Perversität, des Idiotismus als typischer Form der ›condition humaine‹ (S. 31), nach dem Usus des Filmzensors, der das Dargestellte der Darstellung zur Last schreibt. Vollends die Vermengung mit dem Seinskultus, und gar mit dem minderen Vitalismus Montherlants (a.a.O.), bezeugt Blindheit gegen das Phänomen. Sie rührt daher, daß Lukács verstockt sich weigert, der literarischen Technik ihr zentrales Recht zuzusprechen.

Statt dessen hält er sich unverdrossen ans Erzählte. Aber einzig durch »Technik« realisiert die Intention des Dargestellten – das, was Lukács dem selbst anrüchigen Begriff »Perspektive« zumißt – in der Dichtung sich überhaupt. Wohl möchte man erfahren, was von der attischen Tragödie übrigbliebe, die Lukács gleich Hegel kanonisiert, wenn man zu ihrem Kriterium die Fabel erhebt, die auf der Straße lag. Nicht minder konstituiert den traditionellen, selbst den nach Lukács' Schema »realistischen« Roman – Flaubert – Komposition und Stil. Heute, da die bloße empirische Zuverlässigkeit zur Fassaden-Reportage herabsank, hat die Relevanz jenes Moments extrem sich gesteigert. Konstruktion kann hoffen, die Zufälligkeit des bloß Individuellen immanent zu bemeistern, gegen die Lukács eifert. Er zieht nicht die ganze Konsequenz aus der Einsicht, die im letzten Kapitel des Buches durchbricht: daß wider die Zufälligkeit nicht hilft, einen vermeintlich objektiveren Standpunkt entschlossen zu beziehen. Lukács sollte der Gedanke vom Schlüsselcharakter der Entfaltung der technischen Produktivkräfte wahrhaft vertraut sein. Gewiß war er auf die materielle, nicht auf die geistige Produktion gemünzt. Kann aber Lukács im Ernst sich dagegen sperren, daß auch die künstlerische Technik nach eigener Logik sich entfaltet, und sich einreden, die abstrakte Beteuerung, innerhalb einer veränderten Gesellschaft gälten automatisch und en bloc andere ästhetische Kriterien, reiche aus, jene Entwicklung der technischen Produktivkräfte auszulöschen und ältere, nach der immanenten Logik der Sache überholte, als verbindlich zu restaurieren? Wird nicht unterm Diktat des sozialistischen Realismus gerade er Anwalt einer Invariantenlehre, die von der von ihm mit Grund abgelehnten nur durch größere Grobheit sich unterscheidet?

So rechtmäßig auch Lukács in der Tradition der großen Philosophie Kunst als Gestalt von Erkenntnis begreift, nicht als schlechthin Irrationales der Wissenschaft kontrastiert, er verfängt sich dabei in eben der bloßen Unmittelbarkeit, deren er kurzsichtig die avantgardistische Produktion zeiht: der der Feststellung. Kunst erkennt nicht dadurch die Wirklichkeit, daß sie sie, photographisch oder »perspektivisch«, abbildet, sondern dadurch, daß sie vermöge ihrer autonomen Konstitution ausspricht, was von der empirischen Gestalt der Wirklichkeit verschleiert wird. Noch der Gestus der Unerkennbarkeit der Welt, den Lukács an Autoren wie Eliot oder Joyce so unverdrossen bemängelt, kann zu einem Moment von Erkenntnis werden, der des Bruchs zwischen der übermächtigen und unassimilierbaren Dingwelt und der hilflos von ihr abgleitenden Erfahrung. Lukács vereinfacht die dialektische Einheit von Kunst und Wissenschaft zur blanken Identität, so als ob die Kunstwerke durch Perspektive bloß etwas von dem vorwegnähmen, was dann die Sozialwissenschaften brav einholen. Das Wesentliche jedoch, wodurch das Kunstwerk als Erkenntnis sui generis von der wissenschaftlichen sich unterscheidet, ist eben, daß nichts Empirisches unverwandelt bleibt, daß die Sachgehalte objektiv sinnvoll werden erst als mit der subjektiven Intention verschmolzene. Grenzt Lukács seinen Realismus vom Naturalismus ab, so versäumt er, Rechenschaft davon zu geben, daß der Realismus, wenn der Unterschied ernst gemeint ist, mit jenen subjektiven Intentionen notwendig sich amalgamiert, die er wiederum aus dem Realismus verscheuchen möchte. Überhaupt ist der von ihm inquisitorisch zum Richtmaß erhobene Gegensatz realistischer und »formalistischer« Verfahrungsweisen nicht zu retten. Erweist sich die ästhetisch objektive Funktion der Formprinzipien, die Lukács als unrealistisch und idealistisch anathema sind, so sind umgekehrt die von ihm unbedenklich als Paradigmen hochgehaltenen Romane des früheren neunzehnten Jahrhunderts, Dickens und Balzac, gar nicht so realistisch. Dafür mochten sie Marx und Engels, in der Polemik gegen die zu ihrer Zeit florierende, marktgängige Romantik halten. Heute sind an beiden Romanciers nicht nur romantische und archaistisch-vorbürgerliche Züge hervorgetreten, sondern die gesamte ›Comédie humaine‹ von Balzac zeigt sich als eine Rekonstruktion der entfremdeten, nämlich vom Subjekt gar nicht mehr erfahrenen Realität aus Phantasie⁴). Insofern ist er nicht durchaus verschieden von den avantgardistischen Opfern der Lukács'schen Klassenjustiz; nur daß Balzac, der Formgesinnung seines Werkes nach, seine Monologe für Weltfülle hielt, während die großen Romanciers des zwanzigsten Jahrhunderts ihre Weltfülle im Monolog bergen. Danach bricht Lukács' Ansatz zusammen. Unvermeidlich sinkt seine Idee von »Perspektive« zu dem herab, wovon er im letzten Kapitel der Schrift so verzweifelt sie zu differenzieren trachtet, zur aufgepfropften Tendenz oder, in seinen Worten, zur »Agitation«. Seine Konzeption ist aporetisch. Er kann des Bewußtseins nicht sich entschlagen, daß ästhetisch die gesellschaftliche Wahrheit nur in autonom gestalteten Kunstwerken lebt. Aber diese Autonomie führt im konkreten Kunstwerk heute notwendig all das mit sich, was er unterm Bann der herrschenden kommunistischen Lehre nach wie vor nicht toleriert. Die Hoffnung, rückständige, immanent-ästhetisch unzulängliche Mittel legitimierten sich, weil sie in einem anderen Gesellschaftssystem anders stünden, also von außen her, jenseits ihrer immanenten Logik, ist bloßer Aberglaube. Man darf nicht wie Lukács als Epiphänomen abtun, sondern muß selber objektiv erklären, daß, was sich im sozialistischen Realismus als fortgeschrittener Stand des Bewußtseins deklariert, nur mit den brüchigen und faden Relikten bürgerlicher Kunstformen aufwartet. Jener Realismus stammt nicht sowohl,

---

⁴) vgl. Balzac-Lektüre, oben S. 19 f.

wie es den kommunistischen Klerikern paßte, aus einer gesellschaftlich heilen und genesenen Welt, als aus der Zurückgebliebenheit der gesellschaftlichen Produktivkräfte und des Bewußtseins in ihren Provinzen. Sie benutzen die These vom qualitativen Bruch zwischen Sozialismus und Bürgertum nur dazu, jene Zurückgebliebenheit, die längst nicht mehr erwähnt werden darf, ins Fortgeschrittenere umzufälschen.

Mit dem Vorwurf des Ontologismus verbindet Lukács den des Individualismus, eines Standpunkts unreflektierter Einsamkeit, nach dem Modell von Heideggers Theorie der Geworfenheit aus ›Sein und Zeit‹. Lukács übt am Ausgang des literarischen Gebildes vom poetischen Subjekt in seiner Zufälligkeit jene Kritik (S. 54), der stringent genug Hegel einst den Ausgang der Philosophie von der sinnlichen Gewißheit des je Einzelnen unterworfen hatte. Aber gerade weil diese Unmittelbarkeit in sich bereits vermittelt ist, enthält sie, verbindlich im Kunstwerk gestaltet, die Momente, die Lukács an ihr vermißt, während andererseits dem dichterischen Subjekt der Ausgang vom ihm Nächsten notwendig ist um der antizipierten Versöhnung der Gegenständlichkeit mit dem Bewußtsein willen. Die Denunziation des Individualismus dehnt Lukács bis auf Dostojewski aus. ›Aus dem Dunkel der Großstadt‹ sei »eine der ersten Darstellungen des dekadent einsamen Individuums.« (S. 67) Durch die Verkopplung von dekadent und einsam wird aber die im Prinzip der bürgerlichen Gesellschaft selbst entspringende Atomisierung zur bloßen Verfallserscheinung umgewertet. Darüber hinaus suggeriert das Wort »dekadent« biologische Entartung Einzelner: Parodie dessen, daß jene Einsamkeit vermutlich weit hinter die bürgerliche Gesellschaft zurückreicht, denn auch die Herdentiere sind, nach Borchardts Wort, »einsame Gemeinde«, das zoon politikon ist ein erst Herzustellendes. Ein historisches Apriori aller neuen Kunst, das sich selber nur dort transzendiert, wo sie es ungemildert anerkennt, erscheint als vermeidbarer Fehler oder gar als bürgerliche Verblendung. Sobald jedoch Lukács auf die jüngste russische Literatur sich einläßt, entdeckt er, daß jener Strukturwechsel, den er unterstellt, nicht stattfand. Nur lernt er daraus nicht, auf Begriffe wie den der dekadenten Einsamkeit zu verzichten. Die Position der von ihm getadelten Avantgardisten – nach seiner früheren Terminologie: ihr »transzendentaler Ort« – ist im Streit der Richtungen die geschichtlich vermittelter Einsamkeit, nicht die ontologische. Die Ontologen von heutzutage sind nur allzu einig mit Bindungen, die, dem Sein als solchem zugeschrieben, allen möglichen heteronomen Autoritäten den Schein des Ewigen erwirken. Darin vertrügen sie sich mit Lukács gar nicht so schlecht. Daß die Einsamkeit als Formapriori bloßer Schein, daß sie selbst gesellschaftlich produziert ist; daß sie über sich hinausgeht, sobald sie sich als solche reflektiert, ist Lukács zuzugestehen.[5] Aber hier genau wendet die ästhetische Dialektik sich gegen ihn. Nicht ist an dem einzelnen Subjekt, durch Wahl und Entschluß, über die kollektiv determinierte Einsamkeit hinauszugelangen. Wo Lukács mit der Gesinnungspoesie der standardisierten Sowjetromane abrechnet, klingt das vernehmlich genug durch. Insgesamt wird man bei der Lektüre des Buches, vor allem der passionierten Seiten über Kafka (s. etwa S. 50 f.), den Eindruck nicht los, daß er auf die von ihm als dekadent verpönte Literatur reagiert wie das legendäre Droschkenpferd beim Ertönen von Militärmusik, ehe es seinen Karren weiterzieht. Um ihrer Attraktionskraft sich zu erwehren, stimmt er in den Kontrollchor ein, der seit dem von ihm selber unter die Avantgardisten eingereihten Kierkegaard, wenn nicht seit der Empörung über Friedrich Schlegel und

---

[5] vgl. Theodor W. Adorno, Philosophie der neuen Musik, 2. Auflage, Frankfurt am Main 1958, S. 49 ff.

die Frühromantik, auf dem Interessanten herumhackt. Die Verhandlung darüber wäre zu revidieren. Daß eine Einsicht oder eine Darstellung den Charakter des Interessanten trägt, ist nicht blank auf Sensation und geistigen Markt zu reduzieren, die gewiß jene Kategorie beförderten. Kein Siegel der Wahrheit, ist sie doch heute zu deren notwendiger Bedingung geworden; das, was »mea interest«, was das Subjekt angeht, anstatt daß es mit der übermächtigen Gewalt des Vorherrschenden, der Waren, abgespeist würde.

Unmöglich könnte Lukács loben, was ihn an Kafka lockt, und ihn dennoch auf seinen Index setzen, hätte er nicht insgeheim, wie skeptische Spätscholastiker, eine Lehre von zweierlei Wahrheit bereit: »Diese Betrachtungen gehen immer wieder von der historisch bedingten künstlerischen Überlegung des sozialistischen Realismus aus. (Es kann allerdings nicht oft genug gegen Auslegungen Verwahrung eingelegt werden, die aus dieser historischen Gegenüberstellung unmittelbare Schlüsse auf die künstlerische Qualität einzelner Werke – sei es im bejahenden, sei es im verneinenden Sinn – ziehen wollen.) Die weltanschauliche Grundlage dieser Überlegenheit liegt in der klaren Einsicht, die die sozialistische Weltanschauung, die Perspektive des Sozialismus für die Literatur besitzt: die Möglichkeit, das gesellschaftliche Sein und Bewußtsein, die Menschen und die menschlichen Beziehungen, die Problematik des menschlichen Lebens und ihre Lösungen umfassender und tiefer zu spiegeln und darzustellen, als es der Literatur auf Grundlage früherer Weltanschauungen gegeben sein konnte.« (S. 126) Künstlerische Qualität und künstlerische Überlegenheit des sozialistischen Realismus wären demnach zweierlei. Getrennt wird das literarisch Gültige an sich von dem sowjetliterarisch Gültigen, das gewissermaßen durch einen Gnadenakt des Weltgeistes dans le vrai sein soll.

Solche Doppelschlächtigkeit steht einem Denker, der pathetisch die Einheit der Vernunft verteidigt, schlecht an. Erklärt er aber einmal die Unausweichlichkeit jener Einsamkeit – kaum verschweigt er, daß sie von der gesellschaftlichen Negativität, der universalen Verdinglichung vorgezeichnet ist – und wird er zugleich Hegelisch ihres objektiven Scheincharakters inne, so drängte der Schluß sich auf, daß jene Einsamkeit, zu Ende getrieben, in ihr eigenes Negat umschlage; daß das einsame Bewußtsein, indem es im Gestalteten als das verborgene aller sich enthüllt, potentiell sich selbst aufhebe. Genau das ist an den wahrhaft avantgardistischen Werken evident. Sie objektivieren sich in rückhaltloser, monadologischer Versenkung ins je eigene Formgesetz, ästhetisch und vermittelt dadurch auch ihrem gesellschaftlichen Substrat nach. Das allein verleiht Kafka, Joyce, Beckett, der großen neuen Musik ihre Gewalt. In ihren Monologen hallt die Stunde, die der Welt geschlagen hat: darum erregen sie so viel mehr, als was mitteilsam die Welt schildert. Daß solcher Übergang zur Objektivität kontemplativ bleibt, nicht praktisch wird, gründet im Zustand einer Gesellschaft, in der real allerorten, trotz der Versicherung des Gegenteils, der monadologische Zustand fortdauert. Überdies dürfte gerade der klassizistische Lukács von Kunstwerken heute und hier kaum erwarten, daß sie die Kontemplation durchbrächen. Seine Proklamation der künstlerischen Qualität ist unvereinbar mit einem Pragmatismus, der gegenüber der fortgeschrittenen und verantwortlichen Produktion sich mit dem verhandlungslosen Urteilsspruch »bürgerlich, bürgerlich, bürgerlich« begnügte.

Lukács zitiert, zustimmend, meine Arbeit über das Altern der neuen Musik, um meine dialektischen Überlegungen, paradox ähnlich wie Sedlmayr, gegen die neue Kunst und gegen meine eigene Absicht auszuschlachten. Das wäre ihm zu gönnen: »Wahr sind nur die Gedanken, die sich selber nicht verstehen«[6]), und kein Autor hat an ihnen Besitztitel. Aber die Argumentation Lukács' entreißt diesen mir denn doch wohl nicht. Daß Kunst sich auf der Spitze des reinen Ausdrucks, die unmittelbar identisch ist mit Angst, nicht einrichten kann, stand in der ›Philosophie der neuen Musik‹[7]), wenngleich ich nicht den offiziellen Optimismus Lukács' teile, geschichtlich wäre zu solcher Angst heute weniger Anlaß; die »dekadente Intelligenz« brauchte sich weniger zu fürchten. Über das pure Dies der Expression hinausgehen kann jedoch weder spannungslose, dinghafte Instaurierung eines Stils meinen, wie ich sie der alternden neuen Musik vorwarf, noch den Sprung in eine im Hegelschen Sinn nicht substantielle, nicht authentische, nicht vor aller Reflexion die Form konstituierende Positivität. Die Konsequenz aus dem Altern der neuen Musik wäre nicht der Rekurs auf die veraltete, sondern ihre insistente Selbstkritik. Von Anbeginn jedoch war die ungemilderte Darstellung der Angst zugleich auch mehr als diese, ein Standhalten durchs Aussprechen, durch die Kraft des unbeirrten Nennens: Gegenteil alles dessen, was die Hetzparole »dekadent« an Assoziationen aufstachelt. Lukács hält immerhin der von ihm gelästerten Kunst zugute, daß sie auf eine negative Wirklichkeit, die Herrschaft des »Abscheulichen«, negativ antworte. »Indem jedoch«, fährt er fort, »der Avantgardismus all diese in seiner verzerrten Unmittelbarkeit widerspiegelt, indem er Formen ersinnt, die diese Tendenzen als alleinherrschende Mächte des Lebens zum Ausdruck bringen, verzerrt er die Verzerrtheit über deren Phänomenalität in der objektiven Wirklichkeit hinaus, läßt alle Gegenkräfte und Gegentendenzen, die in ihr real wirksam sind, als unbeträchtliche, als ontologisch nicht relevante verschwinden.« (S. 84 f.) Der offizielle Optimismus der Gegenkräfte

[6]) Theodor W. Adorno, Minima Moralia, Frankfurt am Main 1951, S. 364.
[7]) Theodor W. Adorno, Philosophie der neuen Musik, a.a.O., S. 51 f.

und Gegentendenzen nötigt Lukács, den Hegelschen Satz zu verdrängen, die Negation der Negation – »Verzerrung der Verzerrung« – sei die Posititon. Dieser erst bringt den fatal irrationalistischen Terminus »Vielschichtigkeit« in der Kunst zu seiner Wahrheit: daß der Ausdruck des Leidens und das Glück an der Dissonanz, das Lukács als »Sensationslüsternheit, die Sehnsucht nach dem Neuen um des Neuen willen« (S. 113) schmäht, in den authentischen neuen Kunstwerken unauflöslich sich verschränken. Das wäre zusammenzudenken mit jener Dialektik von ästhetischem Bereich und Realität, der Lukács ausweicht. Indem das Kunstwerk nicht unmittelbar Wirkliches zum Gegenstand hat, sagt es nie, wie Erkenntnis sonst: das ist so, sondern: so ist es. Seine Logizität ist nicht die des prädikativen Urteils, sondern der immanenten Stimmigkeit: nur durch diese hindurch, das Verhältnis, in das es die Elemente rückt, bezieht es Stellung. Seine Antithese zur empirischen Realität, die doch in es fällt und in die es selber fällt, ist gerade, daß es nicht, wie geistige Formen, die unmittelbar auf die Realität gehen, diese eindeutig als dies oder jenes bestimmt. Es spricht keine Urteile; Urteil wird es als Ganzes. Das Moment der Unwahrheit, das nach Hegels Aufweis in jedem einzelnen Urteil enthalten ist, weil nichts ganz das ist, was es im einzelnen Urteil sein soll, wird insofern von der Kunst korrigiert, als das Kunstwerk seine Elemente synthesiert, ohne daß das eine Moment vom anderen ausgesagt würde: der heute im Schwang befindliche Begriff der Aussage ist amusisch. Was als urteilslose Synthesis die Kunst an Bestimmtheit im einzelnen einbüßt, gewinnt sie zurück durch größere Gerechtigkeit dem gegenüber, was das Urteil sonst wegschneidet. Zur Erkenntnis wird das Kunstwerk erst als Totalität, durch alle Vermittlungen hindurch, nicht durch seine Einzelintentionen. Weder sind solche aus ihm zu isolieren, noch ist es nach ihnen zu messen. So aber verfährt

Lukács prinzipiell, trotz seines Protestes gegen die ver-
eidigten Romanschreiber, die in ihrer schriftstellerischen
Praxis so verfahren. Während er das Inadäquate an ihren
Standardprodukten sehr wohl bemerkt, kann seine eigene
Kunstphilosophie jener Kurzschlüsse gar nicht sich erwehren, vor deren Effekt, dem verordneten Schwachsinn, ihm
dann schaudert.

Gegenüber der essentiellen Komplexität des Kunstwerks,
die nicht als akzidentieller Einzelfall zu bagatellisieren
wäre, sperrt Lukács krampfhaft die Augen zu. Wo er einmal
auf spezifische Dichtungen eingeht, streicht er rot an, was
unmittelbar dasteht, und verfehlt dadurch den Gehalt. Er
lamentiert über ein gewiß recht bescheidenes Gedicht von
Benn, das lautet:

> O, daß wir unsere Ururahnen wären.
> Ein Klümpchen Schleim in einem warmen Moor.
> Leben und Tod, Befruchtung und Gebären
> glitte aus unseren stummen Säften vor.
>
> Ein Algenblatt oder ein Dünenhügel,
> vom Wind geformtes und nach unten schwer.
> Schon ein Libellenkopf, ein Mövenflügel
> wäre zu weit und litte schon zu sehr.

Daraus liest er »die Richtung auf ein jeder Gesellschaft-
lichkeit starr gegenübergestelltes Urtümliches«, im Sinn von
Heidegger, Klages und Rosenberg, schließlich eine »Ver-
herrlichung des Abnormalen; einen Antihumanismus« (S.32),
während doch, selbst wenn man das Gedicht durchaus mit
seinem Inhalt identifizieren wollte, die letzte Zeile Scho-
penhauerisch die höhere Stufe der Individuation als Leiden
anklagt und während die Sehnsucht nach der Urzeit bloß
dem unerträglichen Druck des Gegenwärtigen entspricht.

Die moralistische Farbe von Lukács' kritischen Begriffen ist
die all seiner Lamentationen über die subjektivistische
»Weltlosigkeit«: als hätten die Avantgardisten buchstäblich
verübt, was in Husserls Phänomenologie, grotesk genug,
methodologische Weltvernichtung heißt. So wird Musil an-
geprangert: »Der Held seines großen Romans, Ulrich, antwortet auf die Frage, was er tun würde, wenn das Welt-
regiment in seinen Händen wäre: ›Es würde mir nichts übrig
bleiben, als die Wirklichkeit abzuschaffen.‹ Daß die ab-
geschaffte Wirklichkeit von der Seite der Außenwelt ein
Komplement zur subjektiven Existenz ›ohne Eigenschaften‹
ist, bedarf keiner ausführlichen Erörterung.« (S. 23) Dabei
meint der inkriminierte Satz offensichtlich Verzweiflung,
sich überschlagenden Weltschmerz, Liebe in ihrer Negativität. Lukács verschweigt das und operiert mit einem wirklich nun »unmittelbaren«, gänzlich unreflektierten Begriff
des Normalen, und dem zugehörigen der pathologischen
Verzerrung. Nur ein von jedem Rest der Psychoanalyse
glücklich gereinigter Geisteszustand kann den Zusammenhang zwischen jenem Normalen und der gesellschaftlichen Repression verkennen, welche die Partial-
triebe ächtete. Eine Gesellschaftskritik, die ungeniert von
normal und pervers daherredet, verharrt selbst im Bann
dessen, was sie als überwunden vorspiegelt. Lukács'
Hegelianische, kraftvoll-männliche Brusttöne über den
Primat des substantiellen Allgemeinen vor der schein-
haften, hinfälligen »schlechten Existenz« bloßer Individuation mahnen an die von Staatsanwälten, welche die
Ausmerzung des Lebensuntüchtigen und der Abweichung
verlangen. Ihr Verständnis von Lyrik ist zu bezweifeln. Die
Zeile »O, daß wir unsere Ururahnen wären« hat im Gedicht
einen völlig anderen Stellenwert, als wenn sie einen buch-
stäblichen Wunsch ausdrückte. Im Wort »Ururahnen« ist
Grinsen mitkomponiert. Die Regung des poetischen Subjekts

gibt sich – übrigens eher altväterisch denn modern – durch die Stilisierung als komisch uneigentlich, als schwermütiges Spiel. Gerade das Abstoßende dessen, wohin der Dichter sich zurückzuwünschen fingiert und wohin man sich gar nicht zurückwünschen kann, verleiht dem Protest gegens geschichtlich produzierte Leiden Nachdruck. All das will ebenso wie der montagehafte »Verfremdungseffekt« im Gebrauch wissenschaftlicher Worte und Motive bei Benn mitgefühlt werden. Durch Übertreibung suspendiert er die Regression, die Lukács geradeswegs ihm zuschreibt. Wer solche Obertöne überhört, ähnelt jenem subalternen Schriftsteller sich an, der Thomas Manns Schreibweise beflissen und geschickt nachahmte, und über den dieser einmal lachend sagte: »Er schreibt genau wie ich, aber er meint es ernst.« Simplifizierungen vom Typus des Lukács'schen Benn-Exkurses verkennen nicht Nuancen, sondern mit diesen das Kunstwerk selber, das erst durch die Nuancen eines wird. Sie sind symptomatisch für die Verdummung, die auch den Klügsten widerfährt, sobald sie Weisungen wie der zum sozialistischen Realismus parieren. Früher schon hatte Lukács, um die moderne Dichtung des Faschismus zu zeihen, triumphierend sich ein schlechtes Gedicht von Rilke ausgesucht, um darin herumzuwüten wie der Elefant in der Wiener Werkstätte. Offen bleibt, ob die bei Lukács spürbare Rückbildung eines Bewußtseins, das einmal zum fortgeschrittensten rechnete, objektiv den Schatten der drohenden Regression des europäischen Geistes ausdrückt, jenen Schatten, den die unterentwickelten Länder über die entwickelteren werfen, die bereits beginnen, an jenen sich auszurichten; oder ob darin etwas über das Schicksal von Theorie selber sich verrät, die nicht nur ihren anthropologischen Voraussetzungen, also dem Denkvermögen der theoretischen Menschen nach verkümmert, sondern deren Substanz auch objektiv einschrumpft in einer Verfassung des Daseins, in der es mittlerweile weniger auf die Theorie ankommt als auf Praxis, die unmittelbar eins wäre mit der Verhinderung der Katastrophe.

Vor Lukács' Neo-Naivetät ist auch der umschmeichelte Thomas Mann selbst, den er mit einem Pharisäismus gegen Joyce ausspielt, vor dem es dem Epiker des Verfalls gegraust hätte, nicht gefeit. Die von Bergson ausgelöste Kontroverse über die Zeit wird wie der gordische Knoten traktiert. Da Lukács nun einmal ein guter Objektivist ist, muß die objektive Zeit partout recht behalten und die subjektive bloße Verzerrung aus Dekadenz sein. Die Unerträglichkeit jener dinghaft entfremdeten, sinnleeren Zeit, die der junge Lukács einmal an der Education sentimentale so eindringlich beschrieb, hatte Bergson zur Theorie der Erlebniszeit genötigt, nicht etwa, wie der staatsfromme Stumpfsinn jeglicher Observanz sich das vorstellen mag, der Geist subjektivistischer Zersetzung. Nun entrichtete aber auch Thomas Mann im Zauberberg dem Bergsonschen temps durée seinen Tribut. Damit er für Lukács' These vom kritischen Realismus gerettet wird, erhalten manche Figuren aus dem Zauberberg eine gute Note, weil sie auch »subjektiv ein normales, objektives Zeiterleben haben«. Dann heißt es wörtlich: »Bei Ziemssen ist sogar die Ahnung einer Bewußtheit vorhanden, daß das moderne Zeiterlebnis einfach eine Folge der abnormalen, von der Alltagspraxis hermetisch getrennten Lebensweise des Sanatoriums ist.« (S. 54) Die Ironie, unter der insgesamt die Figur Ziemssens steht, ist dem Ästhetiker entgangen; der sozialistische Realismus hat ihn selbst gegen den gepriesenen kritischen abgestumpft. Der beschränkte Offizier, eine Art nach-Goethischer Valentin, der als Soldat und brav, wenngleich im Bett, stirbt, wird ihm unmittelbar zum Sprecher richtigen Lebens, etwa so wie Tolstois Lewin geplant und mißlungen war. In Wahrheit hat Thomas Mann ohne alle Reflexion, aber mit höchster Sensibilität das Verhältnis der beiden Zeitbegriffe so zwiespältig und doppelbödig dargestellt, wie es seiner Art und seinem dialektischen Verhältnis zu allem Bürgerlichen gemäß ist: Recht und Unrecht sind beide geteilt zwischen dem dinghaften Zeitbewußtsein des Philisters, der vergebens aus dem Sanatorium in seinen Beruf flüchtet, und der phantasmagorischen Zeit derer, die im Sanatorium, der Allegorie von Bohème und romantischem Subjektivismus, verbleiben. Weise hat Mann weder die beiden Zeiten versöhnt noch für eine gestaltend Partei ergriffen.

Daß Lukács am ästhetischen Gehalt selbst seines Lieblingstextes drastisch vorbeiphilisophiert, gründet in jenem vorästhetischen parti pris für Stoff und Mitgeteiltes der Dichtungen, den er mit ihrer künstlerischen Objektivität verwechselt. Während er sich um Stilmittel wie jenes keineswegs allzu versteckte der Ironie, geschweige denn um exponiertere, nicht kümmert, belohnt ihn für solchen Verzicht kein vom subjektiven Schein gereinigter Wahrheitsgehalt der Werke, sondern er wird mit ihrer kargen Neige abgespeist, dem Sachgehalt, dessen sie freilich bedürfen, um den Wahrheitsgehalt zu erlangen. So gern Lukács auch die Rückbildung des Romans verhindern möchte, er betet Katechismusartikel nach wie den sozialistischen Realismus, die weltanschaulich sanktionierte Abbildtheorie der Erkenntnis und das Dogma von einem mechanischen, nämlich von der unterdessen abgewürgten Spontaneität unabhängigen Fortschritt der Menschheit, obwohl der »Glauben an eine letzthinnige immanente Vernünftigkeit, Sinnhaftigkeit der Welt, ihre Aufgeschlossenheit, Begreifbarkeit für den Menschen« (S. 44) angesichts der irrevokabeln Vergangenheit einiges zumutet. Dadurch nähert er sich zwangshaft doch wieder jenen infantilen Vorstellungen von der Kunst, die ihm an den minder versierten Funktionären peinlich sind. Vergebens sucht er auszubrechen. Wie weit sein eigenes ästhetisches Bewußtsein bereits beschädigt ist, verrät etwa eine Stelle über die Allegorese in der byzantinischen Mosaikkunst: Kunstwerke dieses Typus von ähnlich hohem Rang könnten in der Literatur »nur Ausnahmeerscheinungen« (S. 42) sein. Als ob es in der Kunst, es sei denn in der von Akademien und Konservatorien, den Unterschied von Regel und Ausnahme überhaupt gäbe; als ob nicht alles Ästhetische, als Individuiertes, dem eigenen Prinzip, der eigenen Allgemeinheit nach immer Ausnahme wäre, während, was unmittelbar einer allgemeinen Regelhaftigkeit entspricht, eben dadurch als Gestaltetes bereits sich disqualifiziert. Ausnahmeerscheinungen sind demselben Vokabular entlehnt wie die Spitzenleistungen. Der verstorbene Franz Borkenau sagte nach seinem Bruch mit der Kommunistischen Partei einmal, er hätte nicht länger ertragen können, daß man über Stadtverordnetenbeschlüsse in Kategorien der Hegelschen Logik und über die Hegelsche Logik im Geist von Stadtverordnetenversammlungen verhandle. Dergleichen Kontaminationen, die freilich bis auf Hegel selbst zurückdatieren, ketten Lukács an jenes Niveau, das er so gern mit seinem eigenen ausgliche. Die Hegelsche Kritik am »unglücklichen Bewußtsein«, der Impuls der spekulativen Philosophie, das scheinhafte Ethos der isolierten Subjektivität unter sich zu lassen, wird ihm unter den Händen zur Ideologie für borniert Parteibeamte, die es zum Subjekt noch gar nicht gebracht haben. Ihre gewalttätige Beschränktheit, Rückstand des Kleinbürgertums vom neunzehnten Jahrhundert, erhöht er zu einer der Beschränktheit bloßer Individualität enthobenen Angemessenheit ans Wirkliche. Aber der dialektische Sprung ist keiner aus der Dialektik heraus, der auf Kosten der objektiv gesetzten gesellschaftlichen und technischen Momente der künstlerischen Produktion durch bloße Gesinnung das unglückliche Bewußtsein in glückliches Einverständnis verwandelte. Der vermeintlich höhere Standpunkt muß, nach einer von Lukács kaum wohl bezweifelten Hegelschen Lehre, notwendig abstrakt bleiben. Der desperate Tiefsinn, den er wider den Schwachsinn der boy meets tractor-Literatur aufbietet, bewahrt ihn denn auch nicht vor Deklamationen, abstrakt zugleich und kindisch: »Je mehr der behandelte Stoff ein gemeinsamer ist, je mehr die Schriftsteller von verschiedenen Seiten dieselben Entwicklungsbedingungungen und -richtungen derselben Wirklichkeit erforschen, je stärker sich diese, mit allen geschilderten Trennungen, in eine überwiegend oder rein sozialistische verwandelt, desto näher muß der kritische Realismus dem sozialistischen kommen, desto mehr muß sich seine negative (bloß: nicht ablehnende) Perspektive, durch viele Übergänge, in eine positive (bejahende), in eine sozialistische verwandeln.« (S. 125) Der jesuitische Unterschied zwischen der negativen, nämlich »bloß nicht ablehnenden« und der positiven, nämlich »bejahenden« Perspektive verlagert die Fragen der literarischen Qualität genau in jene Sphäre vorschriftsmäßiger Gesinnung, der Lukács entrinnen möchte.

An seinem Willen dazu freilich ist kein Zweifel. Man wird dem Buch nur dann gerecht, wenn man sich vergegenwärtigt, daß in Ländern, wo das Entscheidende nicht beim Namen genannt werden darf, die Male des Terrors all dem eingebrannt sind, was anstelle jenes Entscheidenden gesagt wird; daß aber andererseits dadurch selbst unkräftige, halbe und abgebogene Gedanken in ihrer Konstellation eine Kraft gewinnen, die sie à la lettre nicht besitzen. Unter diesem Aspekt muß das gesamte dritte Kapitel gelesen werden, trotz aller Disproportion des geistigen Aufwands zu den behandelten Fragen. Zahlreiche Formulierungen brauchte man nur weiter zu denken, um ins Freie zu kommen. So die folgende: »Eine bloße Aneignung des Marxismus (gar nicht zu sprechen von einer bloßen Teilnahme an

der sozialistischen Bewegung, von einer bloßen Parteizuge-
hörigkeit) zählt allein, für sich genommen, so gut wie nichts.
Für die Persönlichkeit des Schriftstellers können die auf solchen Wegen erworbenen Lebenserfahrungen, durch sie
erweckten intellektuellen, moralischen usw. Fähigkeiten
sehr wertvoll werden, dazu beitragen, diese Möglichkeit in
eine Wirklichkeit zu verwandeln. Aber man ist in einem
verhängnisvollen Irrtum, wenn man meint, der Prozeß der
Umsetzung eines richtigen Bewußtseins in eine richtige,
realistische, künstlerische Widerspiegelung der Wirklichkeit
sei prinzipiell direkter und einfacher als der eines falschen
Bewußtseins.« (S. 101 f.) Oder, gegen den sterilen Empiris-
mus des heute überall gedeihenden Reportageromans: »Es
ist ja auffallend, daß auch im kritischen Realismus das
Auftreten eines Ideals der monographischen Komplettheit,
etwa bei Zola, ein Zeichen der inneren Problematik war,
und wir werden später zu zeigen versuchen, daß das Ein-
dringen solcher Bestrebungen für den sozialistischen Realismus noch problematischer geworden ist.« (S. 106) Urgiert
Lukács in solchem Zusammenhang, mit der Terminologie
seiner Jugend, den Vorrang der intensiven Totalität vor
der extensiven, so brauchte er seine Forderung nur ins Gestaltete selbst hineinzuverfolgen und würde zu eben dem
genötigt, was er, solange er ex cathedra doziert, den Avantgardisten verübelt; grotesk, daß er trotzdem immer noch
den »Antirealismus der Dekadenz« »besiegen« will. Er
kommt sogar einmal der Einsicht nahe, die russische Revolution habe keineswegs einen Zustand herbeigeführt, der
eine »positive« Literatur verlange und trage: »Vor allem
darf man die sehr triviale Tatsache nicht vergessen, daß
diese Machtergreifung zwar einen ungeheuren Sprung vorstellt, daß aber die Menschen in ihrer Mehrheit, also auch
die Künstler, dadurch allein noch keine wesentliche Umwandlung durchmachen.« (S. 112) Gemildert zwar, als

handele es sich um einen bloßen Auswuchs, plaudert er
danach doch aus, was es mit dem sogenannten sozialistischen
Realismus auf sich hat: »Es entsteht dabei eine ungesunde
und minderwertige Variante des bürgerlichen Realismus
oder wenigstens eine äußerst problematische Annäherung
an seine Ausdrucksmittel, wobei naturgemäß gerade dessen
größte Tugenden fehlen müssen.« (S. 127) In dieser Literatur werde der »Wirklichkeitscharakter der Perspektive«
verkannt. Das will sagen, »daß viele Schriftsteller das, was
zwar als eine in die Zukunft weisende Tendenz, aber nur
als eine solche, vorhanden ist, die eben darum, richtig auf-
gefaßt, den entscheidenden Standpunkt zur Bewegung der
gegenwärtigen Etappe ergeben könnte, einfach mit der
Wirklichkeit selbst identifizieren, die oft nur im Keime vorhandenen Ansätze als vollentfaltete Realitäten darstellen,
mit einem Wort, daß sie Perspektive und Wirklichkeit einander mechanisch gleichsetzen« (S. 128). Aus der terminologischen Verschalung gelöst, heißt das nichts anderes, als daß
die Prozeduren des sozialistischen Realismus und der von
Lukács als deren Komplement erkannten sozialistischen
Romantik ideologische Verklärung eines schlechten Bestehenden sind. Der offizielle Objektivismus totalitärer Lite-
raturbetrachtung erweist sich für Lukács als selber bloß
subjektiv. Ihm kontrastiert er einen menschenwürdigeren
ästhetischen Objektivitätsbegriff: »Denn die Formgesetze
der Kunst, in all ihren komplizierten Wechselbeziehungen
von Inhalt und Form, von Weltanschauung und ästhetischem Wesen usw., sind ebenfalls von objektiver Wesens-
art. Ihre Verletzung hat zwar keine derart unmittelbaren
praktischen Konsequenzen, wie das Mißachten der Gesetze
der Ökonomie, sie bringt aber ebenso zwangsläufig problematische, ja einfach mißlungene, minderwertige Werke
hervor.« (S. 129) Hier, wo der Gedanke die Courage zu sich
selbst hat, fällt Lukács weit triftigere Urteile als die banau-

sischen über die moderne Kunst: »Das Zerreißen der dialektischen Vermittlung bringt dadurch sowohl in der Theorie wie in der Praxis eine falsche Polarisation hervor: auf dem einen Pole erstarrt das Prinzip aus einer ›Anleitung zur Praxis‹ zu einem Dogma, auf der anderen verschwindet das Moment der Widersprüchlichkeit (oft auch das der Zufälligkeit) aus den einzelnen Lebenstatsachen.« (S. 130). Er nennt bündig das Zentrale: »Die literarische Lösung wächst also nicht aus der widerspruchsvollen Dynamik des gesellschaftlichen Lebens heraus, sie soll vielmehr zur Illustration einer im Vergleich zu ihr abstrakten Wahrheit dienen.« (S. 132) Schuld daran sei die »Agitation als Urform«, als Vorbild von Kunst und Gedanken, die dadurch erstarren, einschrumpfen, praktizistisch-schematisch werden. »An Stelle einer neuen Dialektik steht eine schematische Statik vor uns.« (S. 135) Kein Avantgardist hätte dem etwas hinzuzufügen.

Bei all dem bleibt das Gefühl von einem, der hoffnungslos an seinen Ketten zerrt und sich einbildet, ihr Klirren sei der Marsch des Weltgeistes. Ihn verblendet nicht nur die Macht, die, wenn sie überhaupt den unbotmäßigen Gedanken Lukács' Raum gewährt, sie kaum kulturpolitisch beherzigen wird. Sondern die Kritik Lukács' bleibt in dem Wahn befangen, die heutige russische Gesellschaft, die in Wahrheit unterdrückt und ausgepreßt wird, sei, wie man es in China ausgeklügelt hat, zwar noch widerspruchsvoll, aber nicht antagonistisch. All die Symptome, gegen die er protestiert, werden selber hervorgebracht von dem propagandistischen Bedürfnis der Diktatoren und ihres Anhangs danach, jene These, die Lukács mit dem Begriff des sozialistischen Realismus implizit billigt, den Massen einzuhämmern und aus dem Bewußtsein zu vertreiben, was immer sie irr machen könnte. Die Herrschaft einer Doktrin, die so reale Funktionen erfüllt, wird nicht gebrochen, indem man ihre Unwahrheit dartut. Lukács zitiert einen zynischen Satz von Hegel, der den sozialen Sinn des Prozesses ausspricht, wie ihn der ältere bürgerliche Erziehungsroman beschreibt: »›Denn das Ende solcher Lehrjahre besteht darin, daß sich das Subjekt die Hörner abläuft, mit seinem Wünschen und Meinen sich in die bestehenden Verhältnisse und die Vernünftigkeit derselben hineinbildet, in die Verkettung der Welt eintritt und in ihr sich einen angemessenen Standpunkt erwirbt.‹« (S. 122) Daran schließt Lukács die Reflexion an: »In einem bestimmten Sinn widersprechen viele der besten bürgerlichen Romane dieser Feststellung Hegels, in einem anderen, ebenso bestimmten Sinn, bestätigen sie wiederum seine Aussage. Sie widersprechen, indem der Abschluß der von ihnen gestalteten Erziehung keineswegs immer eine derartige Anerkennung der bürgerlichen Gesellschaft beinhaltet. Der Kampf um eine den Jugendträumen und Überzeugungen entsprechende Wirklichkeit wird von der gesellschaftlichen Gewalt abgebrochen, die Rebellen oft auf die Knie, oft zur Flucht in die Einsamkeit etc. gezwungen, aber die Hegelsche Versöhnung wird doch nicht von ihnen erpreßt. Allerdings, indem der Kampf mit Resignation endet, kommt sein Ergebnis dem Hegelschen doch nahe. Denn einerseits siegt die objektive soziale Realität dann doch über das bloß Subjektive der individuellen Bestrebungen, andererseits ist die von Hegel proklamierte Versöhnung schon bei diesem einer Resignation keineswegs völlig fremd.« (a.a.O.) Das Postulat einer ohne Bruch zwischen Subjekt und Objekt darzustellenden und um solcher Bruchlosigkeit willen, nach Lukács' hartnäckigem Sprachgebrauch, »widerzuspiegelnden« Wirklichkeit jedoch, das oberste Kriterium seiner Ästhetik, impliziert, daß jene Versöhnung geleistet, daß die Gesellschaft richtig ist; daß das Subjekt, wie Lukács in einem anti-asketischen Exkurs einräumt, zu dem Seinen komme und in seiner Welt zu Hause sei. Nur dann verschwände aus der Kunst jenes Moment von Resignation, das Lukács an Hegel gewahrt und das er erst recht am Urbild seines Begriffs von Realismus, an Goethe, konstatieren müßte, der Entsagung verkündigte. Aber die Spaltung, der Antagonismus überdauert, und es ist bloße Lüge, daß er in den Oststaaten, wie sie das so nennen, überwunden sei. Der Bann, der Lukács umfängt und ihm die ersehnte Rückkunft zur Utopie seiner Jugend versperrt, wiederholt die erpreßte Versöhnung, die er am absoluten Idealismus durchschaut.

Versuch, das Endspiel zu verstehen

To S. B. in memory of Paris, Fall 1958

Becketts œuvre hat manches mit dem Pariser Existentialismus gemeinsam. Reminiszenzen an die Kategorie der Absurdität, der Situation, der Entscheidung oder deren Gegenteil durchwachsen es wie mittelalterliche Ruinen Kafkas ungeheures Vorstadthaus; zuweilen fliegen die Fenster auf und öffnen den Durchblick auf den schwarzen sternlosen Himmel von etwas wie Anthropologie. Aber die Form, bei Sartre als eine von Thesenstücken einigermaßen traditionalistisch, keineswegs waghalsig, sondern auf Wirkung bedacht, holt bei Beckett das Ausgedrückte ein und verändert es. Die Impulse werden auf den Stand der avanciertesten künstlerischen Mittel gebracht, die von Joyce und Kafka. Absurdität ist ihm keine zur Idee verdünnte und dann bebilderte Befindlichkeit des Daseins mehr. Das dichterische Verfahren überläßt sich ihr intentionslos. Sie wird jener Allgemeinheit der Lehre entäußert, die sie im Existentialismus, der Doktrin von der Unauflöslichkeit des einzelnen Daseienden, gleichwohl mit dem abendländischen Pathos des Allgemeinen und Bleibenden verband. Dadurch wird der existentialistische Konformismus, man solle sein, was man ist, aufgekündigt samt der Umgänglichkeit der Darstellung. Was Beckett an Philosophie aufbietet, depraviert er selber zum Kulturmüll, nicht anders als die ungezählten Anspielungen und Bildungsfermente, die er im Gefolge der angelsächsischen Tradition der Avantgarde zumal von Joyce und Eliot verwendet. Ihm wuselt Kultur wie dem Fortschritt vor ihm das Gekröse von Jugendstilornamenten, Modernismus als das Veraltete an Moderne. Die regredierende Sprache demoliert es. Solche Sachlichkeit tilgt bei Beckett

den Sinn, der Kultur war, und dessen Rudimente.
So beginnt sie zu fluoreszieren. Er vollstreckt dabei eine
Tendenz des neueren Romans. Was nach dem Kulturkrite-
rium ästhetischer Immanenz als abstrakt verfemt war, die
Reflexion, wird mit der reinen Darstellung zusammenmon-
tiert, das Flaubertsche Prinzip der rein in sich geschlossenen
Sache angefressen. Je weniger Geschehnisse als an sich
sinnvoll supponiert werden können, um so mehr wird die
Idee der ästhetischen Gestalt als einer Einheit von Erschei-
nendem und Gemeintem zur Illusion. Ihrer entschlägt sich
Beckett, indem er beide Momente als disparate verkoppelt.
Der Gedanke wird ebenso zum Mittel, einen nicht unmittelbar zu versinnlichenden Sinn des Gebildes herzustellen,
wie zum Ausdruck seiner Absenz. Angewandt aufs Drama
ist das Wort Sinn mehrdeutig. Es deckt gleichermaßen den
metaphysischen Gehalt, der objektiv in der Komplexion des
Artefakts sich darstellt; die Intention des Ganzen als
eines Sinnzusammenhangs, den es von sich aus bedeutet;
schließlich den Sinn der Worte und Sätze, welche die
Personen sprechen, und den ihrer Abfolge, den dialogischen.
Aber diese Äquivokationen verweisen auf ein Gemeinsa-
mes. Aus ihm wird in Becketts Endspiel ein Kontinuum.
Geschichtsphilosophisch ist es getragen von einer Veränderung des dramatischen Apriori: daß kein positiver metaphysischer Sinn derart mehr substantiell ist, wenn anders
er es je war, daß die dramatische Form ihr Gesetz hätte an
ihm und seiner Epiphanie. Das jedoch zerrüttet die Form bis
ins sprachliche Gefüge hinein. Das Drama vermag nicht
einfach negativ Sinn oder die Absenz von ihm als Gehalt
zu ergreifen, ohne daß dabei alles ihm Eigentümliche bis
zum Umschlag ins Gegenteil betroffen würde. Was dem
Drama wesentlich ist, war konstituiert durch jenen Sinn.
Wollte es ihn ästhetisch überleben, so geriete es inadäquat
zum Gehalt, würde zur klappernden Maschinerie welt-

anschaulicher Demonstration herabgesetzt wie vielfach in den existentialistischen Stücken. Die Explosion des metaphysischen Sinnes, der allein die Einheit des ästhetischen Sinnzusammenhangs garantierte, läßt diesen mit einer Notwendigkeit und Strenge zerbröckeln, die der des überlieferten dramaturgischen Formkanons nicht nachsteht. Einstimmiger ästhetischer Sinn, vollends dessen Subjektivierung in einer handfesten, tangiblen Intention, surrogierte eben jene transzendente Sinnhaftigkeit, deren Dementi selbst den Gehalt ausmacht. Die Handlung muß durch die eigene organisierte Sinnlosigkeit dem sich anbilden, was in dem Wahrheitsgehalt von Dramatik überhaupt sich zutrug. Solche Konstruktion des Sinnlosen hält auch nicht inne vor den sprachlichen Molekülen: wären sie, und ihre Verbindungen, rational sinnhaft, so synthesierten sie im Drama unabdingbar sich zu jenem Sinnzusammenhang des Ganzen, den das Ganze verneint. Die Interpretation des Endspiels kann darum nicht der Schimäre nachjagen, seinen Sinn philosophisch vermittelt auszusprechen. Es verstehen kann nichts anderes heißen, als seine Unverständlichkeit verstehen, konkret den Sinnzusammenhang dessen nachkonstruieren, daß es keinen hat. Abgespalten, prätendiert der Gedanke darin nicht länger, wie einst die Idee, Sinn des Gebildes selber zu sein; Transzendenz, die von seiner Immanenz erzeugt und garantiert würde. Statt dessen verwandelt er sich in eine Art Stoff zweiten Grades, so wie die Philosopheme, die in Thomas Manns Zauberberg und Doktor Faustus vorgetragen werden, gleich Stoffen ihr Schicksal haben, das jene sinnliche Unmittelbarkeit ersetzt, welche in dem in sich reflektierten Kunstwerk sich herabmindert. War bislang solche Stofflichkeit des Gedankens weithin unfreiwillig, die Not von Werken, die sich zwangsläufig mit der ihnen unerreichbaren Idee verwechselten, so stellt Beckett sich der Herausforderung und benutzt Gedanken sans phrase als Phrasen, Teilmaterialien des monologue intérieur, zu denen Geist selber wurde, dinghafter Rückstand von Bildung. Hat der vor-Beckettsche Existentialismus, wie wenn er der leibhaftige Schiller wäre, Philosophie als poetischen Vorwurf ausgeschlachtet, so präsentiert Beckett, gebildeter als irgendeiner, ihm die Rechnung: Philosophie, Geist selber deklariert sich als Ladenhüter, traumhafter Abhub der Erfahrungswelt, und der dichterische Prozeß als Verschleiß. Dégout, seit Baudelaire künstlerische Produktivkraft, ist in Becketts historisch vermittelten Regungen unersättlich. Was alles nicht mehr geht, wird zum Kanon, der ein Motiv der Vorgeschichte des Existentialismus, Husserls universale Weltvernichtung, aus dem Schattenreich der Methodologie erlöst. Totalitäre wie Lukács, die gegen den wahrhaft schrecklichen Vereinfacher als dekadent wüten, sind vom Interesse ihrer Chefs nicht schlecht beraten. Sie hassen an Beckett, was sie verrieten. Nur die nausea der Übersättigung, das taedium des Geistes an sich selber will, was ganz anders wäre; die verordnete Gesundheit jedoch nimmt mit der angebotenen Nahrung vorlieb, mit Hausmannskost. Becketts Degout läßt sich nicht nötigen. Auf die Ermunterung mitzuhalten, antwortet er mit Parodie, der der Philosophie, die seine Dialoge ausspuckt, nicht anders als der der Formen. Parodiert ist der Existentialismus selber; von seinen Invarianten nichts übrig als das Existenzminimum. Die Opposition des Dramas gegen Ontologie als den Entwurf eines wie immer auch Ersten und Bleibenden wird unmißverständlich an einer Dialogstelle, die ungewollt dem Wort Goethes vom alten Wahren eine Fratze schneidet, das zu allbürgerlicher Gesinnung verkam:

HAMM: Erinnerst du dich an deinen Vater?

CLOV (überdrüssig): Dieselbe Replik. (Pause) Du hast mir diese Frage millionenmal gestellt.

HAMM: Ich liebe die alten Fragen. (Schwungvoll) Ah, die
alten Fragen, die alten Antworten, da geht nichts drüber![1])
Gedanken werden mitgeführt und entstellt wie Tagesreste,
homo homini sapienti sat. Daher das Mißliche dessen, womit sich zu beschäftigen Beckett ablehnt, seiner Interpretation. Er zuckt die Achseln über die Möglichkeit von Philosophie heute, von Theorie überhaupt. Die Irrationalität der
bürgerlichen Gesellschaft in ihrer Spätphase ist widerspen-
stig dagegen, sich begreifen zu lassen; das waren noch gute
Zeiten, als eine Kritik der politischen Ökonomie dieser Gesellschaft geschrieben werden konnte, die sie bei ihrer
eigenen ratio nahm. Denn sie hat diese mittlerweile zum
alten Eisen geworfen und virtuell durch unmittelbare Verfügung ersetzt. Das deutende Wort bleibt deshalb unvermeidlich hinter Beckett zurück, während doch seine Dramatik gerade vermöge ihrer Beschränkung auf abgesprengte
Faktizität über diese hinauszuckt, durch ihr Rätselwesen auf
Interpretation verweist. Fast könnte man es zum Kriterium
einer fälligen Philosophie machen, ob sie dem gewachsen
sich zeigt.

Der französische Existentialismus hatte die Geschichte
angepackt. Diese verschlingt bei Beckett den Existentialismus. Im Endspiel entfaltet sich ein historischer Augenblick,
die Erfahrung, die im Titel des kulturindustriellen Schund-
buchs ›Kaputt‹ notiert war. Nach dem Zweiten Krieg ist
alles, auch die auferstandene Kultur zerstört, ohne es zu
wissen; die Menschheit vegetiert kriechend fort nach Vorgängen, welche eigentlich auch die Überlebenden nicht
überleben können, auf einem Trümmerhaufen, dem es noch
die Selbstbesinnung auf die eigene Zerschlagenheit verschlagen hat. Das wird dem Markt, als pragmatische Voraussetzung des Stücks, entrissen:

[1]) Samuel Beckett, Endspiel, Frankfurt am Main 1957, S. 33.

CLOV (Er steigt auf die Leiter und richtet das Fernglas nach draußen.): Mal sehen... (Er schaut, indem er das Fernglas hin und her schwenkt.) Nichts... (er schaut)... und nichts... (er schaut)... und wieder nichts. (Er läßt das Fernglas sinken und wendet sich Hamm zu.) Na? Beruhigt?

HAMM: Nichts rührt sich. Alles ist...

CLOV: Ni...

HAMM (heftig): Ich rede nicht mit dir! (Normale Stimme.) Alles ist... alles ist... alles ist was? (Heftig) Alles ist was?

CLOV: Was alles ist? In einem Wort? Das ist es, was du wissen willst? Moment mal. (Er richtet das Fernglas nach draußen, schaut, läßt das Fernglas sinken und wendet sich Hamm zu.) Kaputt![2])

Daß alle Menschen tot seien, ist unter der Hand eingeschmuggelt. Eine frühere Passage motiviert, warum die Katastrophe nicht erwähnt werden darf. Hamm ist vaguement selber schuld daran:

HAMM: Er ist natürlich tot, der alte Arzt.

CLOV: Er war nicht alt.

HAMM: Aber er ist tot.

CLOV: Natürlich. (Pause) Und DU fragst mich das?[3])

Der im Stück gegebene Zustand aber ist kein anderer als der, in dem es »keine Natur mehr gibt«[4]). Ununterscheidbar die Phase der vollendeten Verdinglichung der Welt, die nichts mehr übrig läßt, was nicht von Menschen gemacht wäre, die permanente Katastrophe, und ein zusätzlich von Menschen eigens bewirkter Katastrophenvorgang, in dem Natur getilgt ward und nach dem nichts mehr wächst:

HAMM: Sind deine Körner aufgegangen?

[2]) a.a.O., S. 27.
[3]) a.a.O., S. 23 f.
[4]) a.a.O., S. 14.

Clov: Nein.

Hamm: Hast du ein wenig gescharrt, um zu sehen, ob sie gekeimt haben?

Clov: Sie haben nicht gekeimt.

Hamm: Es ist vielleicht noch zu früh.

Clov: Wenn sie keimen müßten, hätten sie gekeimt, sie werden nie keimen.[5])

Die dramatis personae gleichen solchen, die den eigenen Tod träumen, in einem »Unterschlupf«, in dem es doch »Zeit wird, daß es endet«[6]). Der Weltuntergang ist diskontiert, als wäre er selbstverständlich. Jedes vermeintliche Drama des Atomzeitalters wäre Hohn auf sich selbst, allein schon, weil seine Fabel das historische Grauen der Anonymität, indem sie es in Charaktere und Handlungen von Menschen hineinschiebt, tröstlich verfälscht und womöglich die Prominenten anstaunt, die darüber befinden, ob auf den Knopf gedrückt wird. Die Gewalt des Unsäglichen wird nachgeahmt von der Scheu, es zu erwähnen. Beckett hält es nebulos. Über das aller Erfahrung Inkommensurable läßt nur euphemistisch sich reden, so wie man in Deutschland von der Ermordung der Juden spricht. Es ist zum totalen Apriori geworden, so daß das zerbombte Bewußtsein keinen Ort mehr hat, von dem aus es darauf sich besinnen könnte. Der desperate Stand der Dinge liefert in grausiger Ironie ein Stilisationsmittel, das jene pragmatische Voraussetzung vor der Kontamination mit kindischer Science Fiction schützt. Hätte wirklich Clov, wie sein mit common sense nörgelnder Gefährte ihm vorwirft, übertrieben, so änderte das wenig. Der partielle Weltuntergang, auf den dann die Katastrophe hinausliefe, wäre ein schlechter Witz; die Natur, von der die Eingesperrten abgeschieden sind, schon so

[5]) a.a.O., S. 15 f.
[6]) a.a.O., S. 9.

gut, als wäre sie gar nicht mehr da; was von ihr übrig ist, verlängert bloß die Qual.

Dies historische Notabene jedoch, die Parodie des Kierkegaardschen der Berührung von Zeit und Ewigkeit, verhängt zugleich ein Tabu über die Geschichte. Was nach existentialistischem Jargon die condition humaine wäre, ist das Bild des letzten Menschen, das die früheren, Humanität, frißt. Die Existentialontologie behauptet Allgemeingültiges in einem seiner selbst unbewußten Prozeß von Abstraktion. Während sie immer noch, nach der alten phänomenologischen These von der Wesensschau, sich gebärdet, als ob sie ihrer verpflichtenden Bestimmungen im Besonderen gewahr würde und dadurch Apriorität und Konkretheit mit einem Zauberschlag vereinte, destilliert sie, was ihr überzeitlich dünkt, heraus, indem sie eben jenes Besondere, in Raum und Zeit Individuierte durchstreicht, als welches Existenz Existenz ist und nicht deren bloßer Begriff. Sie wirbt um die, welche des philosophischen Formalismus überdrüssig sind und doch an das sich klammern, was einzig formal sich haben läßt. Zu solcher uneingestandenen Abstraktion setzt Beckett die schneidende Antithese durch eingestandene Subtraktion. Er läßt nicht das Zeitliche an der Existenz fort, die doch nur zeitlich eine wäre, sondern zieht von ihr ab, was die Zeit – die geschichtliche Tendenz – real zu kassieren sich anschickt. Er verlängert die Fluchtbahn der Liquidation des Subjekts bis zu dem Punkt, wo es in ein Diesda sich zusammenzieht, dessen Abstraktheit, der Verlust aller Qualität, die ontologische buchstäblich ad absurdum führt, zu jenem Absurden, in das bloße Existenz umschlägt, sobald sie in ihrer nackten sich selbst Gleichheit aufgeht. Kindische Albernheit tritt als Gehalt der Philosophie hervor, die zur Tautologie, zur begrifflichen Verdopplung der Existenz degeneriert, welche sie zu begreifen vorhatte. Lebte die neuere Ontologie von dem unerfüllten Versprechen der Konkretion ihrer Abstrakta, so wird in Beckett der Konkretismus der muschelhaft in sich verbackenen, keines Allgemeinen mehr fähigen, in purer Selbstsetzung sich erschöpfenden Existenz offenbar als das Gleiche wie der Abstraktismus, der es zur Erfahrung nicht mehr bringt. Ontologie kommt nach Hause als Pathogenese des falschen Lebens. Dargestellt wird es als Stand negativer Ewigkeit. Hat einmal der messianische Myschkin seine Uhr vergessen, weil ihm keine irdische Zeit gilt, so ist seinen Antipoden die Zeit verloren, weil sie noch Hoffnung hätte. Die gähnende Konstatierung Gelangweilter, das Wetter »sei wie gewöhnlich«[7]) öffnet ihren Höllenschlund:

HAMM: Aber es ist immer so abends, nicht wahr, Clov?
CLOV: Immer.
HAMM: Es ist ein Abend wie jeder andere, nicht wahr, Clov?
CLOV: Es scheint so.[8])

Gleich der Zeit ist das Zeitliche versehrt; zu sagen, es gäbe es nicht mehr, wäre schon zu tröstlich. Es ist und ist nicht, wie für den Solipsisten die Welt, deren Existenz er bezweifelt, während er sie mit jedem Satz konzedieren muß. So schwebt eine Dialogstelle:

HAMM: Und der Horizont? Nichts am Horizont?
CLOV (das Fernglas absetzend, sich Hamm zuwendend, voller Ungeduld): Was soll denn schon am Horizont sein? Pause.
HAMM: Die Wogen, wie sind die Wogen?
CLOV: Die Wogen? (Er setzt das Fernglas an.) Aus Blei.
HAMM: Und die Sonne?
CLOV (schauend): Keine.
HAMM: Sie müßte eigentlich gerade untergehen. Schau gut nach.

[7]) a.a.O., S. 25.
[8]) a.a.O., S. 16.

CLOV (nachdem er nachgeschaut hat): Denkste.

HAMM: Es ist also schon Nacht?

CLOV (schauend): Nein.

HAMM: Was denn?

CLOV (schauend): Es ist grau. (Er setzt das Fernglas ab und wendet sich Hamm zu. Lauter.) Grau! (Pause. Noch lauter.) GRAU![9])

Geschichte wird ausgespart, weil sie die Kraft des Bewußtseins ausgetrocknet hat, Geschichte zu denken, die Kraft zur Erinnerung. Das Drama verstummt zum Gestus, erstarrt mitten in den Dialogen. Von Geschichte erscheint bloß noch deren Resultat als Neige. Was bei den Existentialisten zum Ein für allemal des Daseins sich aufplusterte, ist geschrumpft zur Spitze des Historischen, die abbricht. Der Einwand von Lukács, bei Beckett seien die Menschen auf ihre Tierheit reduziert[10]), sperrt mit offiziellem Optimismus sich dagegen, daß aus den Residualphilosophien, die nach Abzug des zeitlich Zufälligen das Wahre und Unvergängliche sich gutschreiben möchten, das Residuum des Lebens geworden ist, das Fazit der Beschädigung. So unsinnig freilich wie, mit Lukács, Beckett eine abstrakt-subjektivistische Ontologie zu unterschieben und dann diese, um ihrer Weltlosigkeit und Infantilität willen, auf den ausgekramten Index entarteter Kunst zu setzen, wäre es, ihn als politischen Kronzeugen aufzurufen. Zum Kampf gegen den Atomtod ermuntert schwerlich ein Werk, das dessen Potential schon dem ältesten Kampf anmerkt. Der Simplificateur des Schreckens weigert sich, anders als Brecht, der Simplifikation. Er ist ihm aber gar nicht so unähnlich insofern, als seine Differenziertheit zur Empfindlichkeit gegen subjektive Differenzen wird, die zur conspicuous

[9]) a.a.O., S. 28.

[10]) vgl. Erpreßte Versöhnung, oben S. 166 und Georg Lukács, Wider den mißverstandenen Realismus, Hamburg 1958, S. 31.

consumption derer verkamen, welche Individuation sich leisten können. Daran ist ein sozial Wahres. Differenziertheit kann nicht absolut, unbesehen als positiv gebucht werden. Die Vereinfachung des Sozialprozesses, die sich anbahnt, relegiert sie zu den faux frais, etwa so, wie die Umständlichkeiten sozialer Formen, an denen Differenzierungsvermögen sich bildete, verschwinden. Was die Bedingung von Humanität war, Differenziertheit, gleitet in die Ideologie. Aber das unsentimentale Bewußtsein davon bildet nicht selbst sich zurück. Im Akt des Weglassens überlebt das Weggelassene als Vermiedenes wie in der atonalen Harmonik die Konsonanz. Der Stumpfsinn des Endspiels wird mit höchster Differenziertheit protokolliert und ausgehört. Die protestlose Darstellung allgegenwärtiger Regression protestiert gegen eine Verfassung der Welt, die so willfährig dem Gesetz von Regression gehorcht, daß sie eigentlich schon über keinen Gegenbegriff mehr verfügt, der jener vorzuhalten wäre. Gewacht wird darüber, daß es nur so und nicht anders sei, ein fein klingelndes Alarmsystem meldet, was zur Topographie des Stücks stimmt und was nicht. Beckett verschweigt aus Zartheit das Zarte nicht minder als das Brutale. Die Eitelkeit des Einzelnen, der die Gesellschaft anklagt, während sein Recht in die Akkumulation des Unrechts aller Einzelnen, das Unheil, selbst eingeht, manifestiert sich an peinlichen Deklamationen wie dem Deutschlandgedicht von Karl Wolfskehl. Das Zu spät, der versäumte Augenblick verdammt solche aufrufende Rhetorik zur Phrase. Nichts dergleichen in Beckett. Noch die Ansicht, er stelle negativ die Negativität des Zeitalters dar, paßte in jenes Konzept, dem zufolge man in den östlichen Satellitenländern, wo die Revolution als Verwaltungsakt durchgeführt ward, frisch-fröhlich nun der Spiegelung eines frisch-fröhlichen Zeitalters sich widmen muß. Das aller Spiegelbildlichkeit ledige Spiel mit Elementen der Realität, das keine Stellung bezieht und in solcher Freiheit, als der vom verordneten Betrieb, sein Glück findet, enthüllt mehr, als wenn ein Enthüller Partei nimmt. Schweigend nur ist der Name des Unheils auszusprechen. Im Grauen des letzten zündet das des Ganzen; aber einzig darin, nicht im Blick auf Ursprünge. Der Mensch, dessen allgemeiner Gattungsname schlecht in Becketts Sprachlandschaft paßt, ist ihm einzig das, was er wurde. Über die Gattung entscheidet ihr jüngster Tag wie in der Utopie. Aber im Geist muß noch die Klage darüber sich reflektieren, daß nicht mehr sich klagen läßt. Kein Weinen schmilzt den Panzer, übrig ist nur das Gesicht, dem die Tränen versiegten. Das liegt auf dem Grunde eines künstlerischen Verhaltens, wie es jene als inhuman denunzieren, deren Menschlichkeit bereits in Reklame fürs Unmenschliche übergegangen ist, auch wenn sie es noch gar nicht ahnen. Unter den Motiven von Becketts Reduktion auf den vertierten Menschen ist das wohl das innerste. Am Absurden seiner Dichtung hat teil, daß sie ihr Antlitz verhüllt.

Die Katastrophen, die das Endspiel inspirieren, haben jenen Einzelnen aufgesprengt, dessen Substantialität und Absolutheit das Gemeinsame zwischen Kierkegaard, Jaspers und der Sartreschen Version des Existentialismus war. Diese hatte noch dem Opfer der Konzentrationslager die Freiheit bescheinigt, was an Marter ihm angetan wird, innerlich anzunehmen oder zu verneinen. Das Endspiel zerstört derlei Illusionen. Der Einzelne selbst ist als geschichtliche Kategorie, Resultat des kapitalistischen Entfremdungsprozesses und trotziger Einspruch dagegen, als ein wiederum Vergängliches offenbar geworden. Die individualistische Position gehörte polar zum ontologischen Ansatz eines jeglichen Existentialismus, auch dessen von ›Sein und Zeit‹. Becketts Dramatik verläßt sie wie einen altmodischen Bunker. Nirgendwoher empfing die individuelle Erfahrung in ihrer Enge und Zufälligkeit die Autorität, sie selbst als Chiffre des Seins auszulegen, es sei denn, sie behauptete sich selbst als Grundcharakter des Seins. Gerade das aber ist die Unwahrheit. Die Unmittelbarkeit der Individuation trog; das, woran einzelmenschliche Erfahrung haftet, ist vermittelt, bedingt. Das Endspiel unterstellt, daß Autonomie- und Seinsanspruch des Individuums unglaubwürdig ward. Aber während das Gefängnis der Individuation als Gefängnis und Schein zugleich durchschaut wird – das Bühnenbild ist die imago solcher Selbstbesinnung –, vermag doch Kunst den Bann der abgespaltenen Subjektivität nicht zu lösen; einzig den Solipsismus zu versinnlichen. Beckett stößt damit auf ihre gegenwärtige Antinomie. Die Position des absoluten Subjekts, einmal aufgeknackt als Erscheinung eines übergreifenden und sie überhaupt erst zeitigenden Ganzen, ist nicht zu halten: der Expressionismus veraltet. Aber der Übergang in die verpflichtende Allgemeinheit gegenständlicher Realität, die dem Schein der Individuation Einhalt geböte, ist der Kunst verwehrt. Denn anders als die diskursive Erkenntnis des Wirklichen, von der sie nicht graduell sondern kategorial getrennt ist, gilt in ihr nur das, was in den Stand von Subjektivität eingebracht, was dieser kommensurabel ist. Versöhnung, ihre Idee, vermag sie zu konzipieren einzig als die zwischen dem Entfremdeten. Fingierte sie den Stand der Versöhnung, indem sie zur bloßen Dingwelt überliefe, so negierte sie sich selbst. Was als sozialistischer Realismus ausgeboten wird, ist nicht, wie man beteuert, über dem Subjektivismus, sondern hinter ihm zurück und zugleich dessen vorkünstlerisches Komplement; das expressionistische O Mensch und die ideologisch gewürzte soziale Reportage fügen lückenlos sich ineinander. Die unversöhnte Realität duldet in der Kunst keine Versöhnung mit dem Objekt; der Realismus, der an subjektive Erfahrung gar nicht heranreicht, geschweige über sie hinaus, mimt sie bloß.

Die Dignität von Kunst heute bemißt sich nicht danach, ob sie mit Glück oder Geschick jener Antinomie entschlüpft, sondern wie sie sie austrägt. Darin ist das Endspiel exemplarisch. Es beugt sich ebenso der Unmöglichkeit, in Kunstwerken noch nach der Sitte des neunzehnten Jahrhunderts darzustellen, Stoffe zu bearbeiten, wie der Einsicht, daß die subjektiven Reaktionsweisen, die anstelle von Abbildlichkeit das Formgesetz vermitteln, selber kein Erstes und Absolutes sind sondern ein Letztes, objektiv Gesetztes. Aller Gehalt der notwendig sich selbst hypostasierenden Subjektivität ist Spur und Schatten der Welt, aus der sie sich zurücknimmt, um nicht dem Schein und der Anpassung zu dienen, welche die Welt erheischt. Beckett antwortet darauf mit keinem unverlierbaren Vorrat sondern dem, was die antagonistischen Tendenzen eben noch, prekär und auf Widerruf, gestatten. Seine Dramatik ähnelt dem Spaß, den es im alten Deutschland bereiten mochte, zwischen den Grenzpfählen von Baden und Bayern sich herumzutreiben, als hegten sie ein Reich der Freiheit ein. Das Endspiel findet in einer Zone der Indifferenz von innen und außen statt, neutral zwischen den Stoffen, ohne die keine Subjektivität sich zu entäußern, keine auch nur zu sein vermöchte, und einer Beseeltheit, welche die Stoffe verschwimmen läßt, wie wenn sie das Glas angehaucht hätte, durch das jene erblickt werden. So karg sind die Stoffe, daß der ästhetische Formalismus gegen seine Widersacher drüben und hüben, die Stoffhuber des Diamat und die Dezernenten der echten Aussage, ironisch gerettet wird. Der Konkretismus der Lemuren, denen im doppelten Sinn der Horizont abhanden kam, geht unmittelbar in die äußerste Abstraktion über; die Stoffschicht selber bedingt ein Verfahren, durch das die Stoffe, indem sie eben noch als vergehende gestreift werden, geometrischen Formen sich nähern; das Engste wird zum Überhaupt. Die Lokalisierung des Endspiels in jener Zone äfft den Zuschauer mit der Suggestion eines Symbolischen, das sie gleich Kafka doch verweigert. Weil kein Sachverhalt bloß ist, was er ist, erscheint ein jeder als Zeichen eines Inneren, aber das Innere, dessen Zeichen er wäre, ist nicht mehr, und nichts anderes meinen die Zeichen. Die eiserne Ration an Realität und Personen, mit denen das Drama rechnet und haushält, ist eins mit dem, was von Subjekt, Geist und Seele im Angesicht der permanenten Katastrophe bleibt: vom Geist, der in Mimesis entsprang, die lächerliche Imitation; von der sich inszenierenden Seele die inhumane Sentimentalität; vom Subjekt seine abstrakteste Bestimmung: da zu sein und allein dadurch schon zu freveln. Becketts Figuren benehmen sich so primitiv-behavioristisch, wie es den Umständen nach der Katastrophe entspräche, und diese hat sie derart verstümmelt, daß sie anders gar nicht reagieren können; Fliegen, die zucken, nachdem die Klatsche sie schon halb zerquetscht hat. Das ästhetische principium stilisationis macht dasselbe aus den Menschen. Die ganz auf sich zurückgeworfenen Subjekte, Fleisch gewordener Akosmismus, bestehen in nichts anderem als den armseligen Realien ihrer zur Notdurft verhutzelten Welt, leere personae, durch die es wahrhaft bloß noch hindurchtönt. Ihre phonyness ist das Resultat der Entzauberung des Geistes als Mythologie. Um Geschichte zu unterbieten und dadurch vielleicht zu überwintern, besetzt das Endspiel den Nadir dessen, was auf dem Zenith der Philosophie die Konstruktion des Subjekt-Objekts beschlagnahmte: reine Identität wird zu der des Vernichteten, zu der von Subjekt und Objekt im Stand vollendeter Entfremdung. Waren bei Kafka die Bedeutungen geköpft oder verwirrt, so ruft Beckett der schlechten Unendlichkeit der Intentionen Halt zu: ihr Sinn sei Sinnlosigkeit. Das ist objektiv, ohne alle polemische Absicht, sein Bescheid an die Existentialphilosophie, welche Sinnlosigkeit selber, unterm Namen von Geworfenheit und später Absurdität, im Schutz der Äquivokationen des Sinnbegriffs zum Sinn verklärt. Beckett setzt ihm keine Weltanschauung entgegen, sondern nimmt ihn beim Wort. Was aus dem Absurden wird, nachdem die Charaktere des Sinns von Dasein heruntergerissen sind, das ist kein Allgemeines mehr – dadurch würde das Absurde schon wieder Idee – sondern trübselige Einzelheiten, die des Begriffs spotten, eine Schicht aus Utensilien wie in einer Notwohnung, Eisschränken, Lahmheit, Blindheit und unappetitlichen Körperfunktionen. Alles wartet auf den Abtransport. Diese Schicht ist nicht symbolisch, sondern die des nachpsychologischen Standes wie bei alten Leuten und Gefolterten.

Verschleppt aus der Innerlichkeit, sind Heideggers Befindlichkeiten, die Situationen von Jaspers materialistisch geworden. Die Hypostasis des Individuums und die der Situation harmonierten bei jenen. Situation war Zeitdasein schlechthin und die Totalität eines lebendigen Einzelnen als des primär Gewissen. Sie setzte Identität der Person voraus. Beckett erweist darin sich als der Schüler Prousts und der Freund von Joyce, daß er dem Begriff der Situation zurückgibt, was er sagt und was die Philosophie, die ihn ausbeutet, eskamotierte, die Dissoziation der Bewußtseinseinheit in Disparates, die Nichtidentität. Sobald aber das Subjekt nicht mehr zweifelsfrei mit sich identisch, kein in sich geschlossener Sinnzusammenhang mehr ist, verfließt auch seine Grenze gegen das Auswendige, und die Situationen der Innerlichkeit werden zu solchen der Physis zugleich. Das Gericht über die Individualität, welche der Existentialismus als idealistisches Kernstück konservierte, verurteilt den Idealismus. Nichtidentität ist beides, der geschichtliche Zerfall der Einheit des Subjekts und das Hervortreten dessen, was nicht selbst Subjekt ist. Das verändert, was mit Situation gemeint sein kann. Von Jaspers wird sie definiert als »eine Wirklichkeit für ein an ihr als Dasein interessiertes Subjekt«[11]). Er ordnet den Situationsbegriff ebenso dem als fest und identisch vorgestellten Subjekt unter, wie er unterstellt, der Situation wachse aus der Beziehung auf dies Subjekt Sinn zu; unmittelbar danach nennt er sie denn auch »eine nicht nur naturgesetzliche, vielmehr eine sinnbezogene Wirklichkeit«, die übrigens, merkwürdig genug, bereits bei ihm »weder psychisch noch physisch, sondern beides zugleich«[12]) sein soll. Indem jedoch der Anschauung Becketts die Situation tatsächlich beides wird, verliert sie ihre existentialontologischen Konstituentien: personale Identität und Sinn. Eklatant wird das am Begriff der Grenzsituation. Auch der stammt von Jaspers: »Situationen wie die, daß ich immer in Situationen bin, daß ich nicht ohne Kampf und ohne Leid leben kann, daß ich unvermeidlich Schuld auf mich nehme, daß ich sterben muß, nenne ich Grenzsituationen. Sie wandeln sich nicht, sondern nur in ihrer Erscheinung; sie sind, auf unser Dasein bezogen, endgültig.«[13]) Die Konstruktion des Endspiels nimmt das auf mit einem sardonischen: Wie bitte? Weisheiten wie die, daß »ich nicht ohne Leid leben kann, daß ich unvermeidlich Schuld auf mich nehme, daß ich sterben muß«, verlieren ihre Plattheit in dem Augenblick, in dem sie aus ihrer Apriorität herunter- und in die Erscheinung zurückgeholt werden; dann zerspringt das Edle und Affirmative, womit Philosophie die schon nach Hegel faule Existenz verziert, indem sie das nicht Begriffliche unter einen Begriff subsumiert, der die hochtrabend ontologisch genannte Differenz wegzaubert. Beckett stellt die Existentialphilosophie vom Kopf auf die Füße. Sein Stück reagiert auf Komik und ideologisches Unwesen von Sätzen wie: »Tapferkeit ist in

[11]) Jaspers, Philosophie, Berlin–Göttingen–Heidelberg 1956, II. Bd., S. 201 f.
[12]) a.a.O., S. 202.
[13]) a.a.O., S. 203.

der Grenzsituation die Haltung zum Tode als unbestimmte Möglichkeit des Selbstseins«[14]), mag Beckett sie kennen oder nicht. Das Elend der Teilnehmer am Endspiel ist das der Philosophie.

Die Beckettschen Situationen, aus denen sein Drama sich komponiert, sind das Negativ sinnbezogener Wirklichkeit. Sie haben ihr Modell an jenen des empirischen Daseins, die, sobald sie isoliert, ihres zweckrationalen und psychologischen Zusammenhangs durch den Verlust personeller Einheit entäußert werden, von sich aus spezifischen und zwingenden Ausdruck annehmen, den von Grauen. Sie begegnen schon in der Praxis des Expressionismus. Das Entsetzen, das Leonhard Franks Volksschullehrer Mager verbreitet, die Ursache seiner Ermordung, wird evident in der Beschreibung der umständlichen Art, in der Herr Mager vor der Schulklasse einen Apfel schält. Das Bedächtige, das so unschuldig aussieht, ist Figur des Sadismus: das Bild dessen, der sich Zeit nimmt, gleicht dem, der auf gräßliche Strafe warten läßt. Becketts Behandlung der Situationen, dem panischen und artifiziellen Derivat der einfältigen Situationskomik von anno dazumal, verhilft aber einem Sachverhalt zur Sprache, der schon an Proust bemerkt wurde. Heinrich Rickert, der in der posthumen Schrift ›Unmittelbarkeit und Sinndeutung‹ die Möglichkeit einer objektiven Physiognomik des Geistes, der nicht bloß projektiven »Seele« einer Landschaft oder eines Kunstwerks erwägt[15]), zitiert eine Stelle von Ernst Robert Curtius. Dieser hält es »nur für bedingt richtig..., wenn man in Proust lediglich oder vorwiegend einen großen Psychologen sieht. Ein Stendhal ist mit dieser Bezeichnung zutreffend charakterisiert. Er... steht damit in der kartesianischen Tradition des

[14]) a.a.O., S. 225.
[15]) Heinrich Rickert, Unmittelbarkeit und Sinndeutung, Tübingen 1939, S. 133 f.

französischen Geistes. Aber Proust erkennt die Trennung zwischen der denkenden und der ausgedehnten Substanz nicht an. Er zerschneidet die Welt nicht in Psychisches und Physisches. Man verkennt die Bedeutung seines Werkes, wenn man es aus der Perspektive des ›psychologischen Romans‹ betrachtet. Die Welt der Sinnendinge nimmt in Prousts Büchern denselben Raum ein wie die des Seelischen.« Oder: »Wenn Proust Psychologe ist, so ist er es in einem ganz neuen Sinne: indem er alles Wirkliche, auch die sinnliche Anschauung, in ein seelisches Fluidum taucht.« Dafür, »daß der übliche Begriff des Psychischen hier nicht paßt«, führt Rickert abermals Curtius an: »Aber damit hat der Begriff des Psychologischen seinen Gegensatz verloren – und eben darum taugt er nicht mehr zur Charakterisierung.«[16]) Die Physiognomik des objektiven Ausdrucks behält indessen allemal ein Enigmatisches. Die Situationen sagen etwas – aber was?; insofern konvergiert Kunst selber als Inbegriff von Situationen mit jener Physiognomik. Sie vereint äußerste Bestimmtheit mit deren radikalem Gegenteil. Bei Beckett wird dieser Widerspruch nach außen gestülpt. Was sonst hinter kommunikativer Fassade sich verschanzt, ist zum Erscheinen verurteilt. Proust hängt jener Physiognomik, aus einer unterirdischen mystischen Tradition, noch affirmativ nach, als öffnete die unwillkürliche Erinnerung eine Geheimsprache der Dinge; bei Beckett wird sie zu der des nicht länger Menschlichen. Seine Situationen sind die Gegenbilder des Unauslöschlichen, das in denen Prousts beschworen wird, abgerungen der Flut dessen, wogegen verängstigte Gesundheit mit Mordiogeschrei sich wehrt, der Schizophrenie. In ihrem Reich bleibt Becketts Drama seiner selbst mächtig. Es setzt noch sie in Reflexion:

HAMM: Ich habe einen Verrückten gekannt, der glaubte,

---

[16]) Ernst Robert Curtius, Französischer Geist im neuen Europa, 1925, S. 74 ff.; zitiert bei Heinrich Rickert, a.a.O., S. 133 ff., Fußnote.

das Ende der Welt wäre gekommen. Er malte Bilder. Ich hatte ihn gern. Ich besuchte ihn oft in der Anstalt. Ich nahm ihn an der Hand und zog ihn ans Fenster. Sieh doch mal! Da! die aufgehende Saat! Und! Sieh! Die Segel der Sardinenboote. Wie schön das alles ist! (Pause) Er riß seine Hand los und kehrte wieder in seine Ecke zurück. Erschüttert. Er hatte nur Asche gesehen. (Pause) Er allein war verschont geblieben. (Pause) Vergessen. (Pause) Der Fall ist anscheinend ... der Fall war keine ... keine Seltenheit.[17])

Die Wahrnehmung des Verrückten träfe mit der Clovs zusammen, der auf Geheiß durchs Fenster späht. Mit nichts anderem bewegt das Endspiel sich weg vom Tiefpunkt, als dadurch, daß es sich wie einen Schlafwandler anruft: Negation der Negativität. In Becketts Gedächtnis haftet etwa ein apoplektischer Mann mittleren Alters, der seinen Mittagsschlaf hält, ein Tuch über die Augen, um sich vor Licht oder Fliegen zu schützen; es macht ihn unkenntlich. Das durchschnittliche, kaum nur optisch ungewohnte Bild wird Zeichen erst dem Blick, der den Identitätsverlust des Gesichts, die Möglichkeit, seine Verhülltheit sei die eines Toten, das Abstoßende der physischen Sorge gewahrt, die den Lebendigen, indem sie ihn auf seinen Körper herunterbringt, schon unter die Leichen einreiht[18]). Beckett stiert auf solche Aspekte, bis der Familienalltag, aus dem sie stammen, zur Irrelevanz verblaßt; am Anfang ist das Tableau des mit einem alten Laken verhüllten Hamm, am Ende nähert er seinem Gesicht das Taschentuch, den letzten Besitz:

HAMM: Altes Linnen! (Pause) Dich behalte ich.[19])

Solche von ihrem Zusammenhang und dem Charakter der

---

[17]) Beckett, a.a.O., S. 37.
[18]) vgl. Max Horkheimer und Th. W. Adorno, Dialektik der Aufklärung. Amsterdam 1947, S. 279.
[19]) a.a.O., S. 67.

Person emanzipierten Situationen werden in einen zweiten. autonomen Zusammenhang hineinkonstruiert, ähnlich wie Musik die in ihr untertauchenden Intentionen und Ausdruckscharaktere zusammenfügt, bis ihre Folge ein Gebilde eigenen Rechtes wird. Eine Schlüsselstelle des Stücks –

> Wenn ich schweigen kann und ruhig bleiben, wird es aus sein mit jedem Laut und jeder Regung.[20] –

verrät das Prinzip, vielleicht als Reminiszenz daran, wie Shakespeare mit dem seinen in der Schauspielerszene des Hamlet verfuhr.

> HAMM: Dann sprechen, schnell, Wörter, wie das einsame Kind, das sich in mehrere spaltet, in zwei, drei, um beieinander zu sein, und miteinander zu sprechen, in der Nacht. (Pause) Ein Augenblick kommt zum anderen, pluff, pluff, wie die Hirsekörner des ... (er denkt nach) ... jenes alten Griechen, und lebenslänglich wartet man darauf, daß ein Leben daraus werde.[21]

Im Schauer des keine Eile Habens spielen solche Situationen auf die Gleichgültigkeit und Überflüssigkeit dessen an, was das Subjekt überhaupt noch tun kann. Erwägt Hamm, die Deckel der Mülleimer vernieten zu lassen, in denen seine Eltern hausen, so widerruft er den Entschluß dazu mit den gleichen Worten wie den zum Urinieren, der der Quälerei des Katheters bedarf:

> HAMM: Es eilt nicht.[22]

Der leise Abscheu vor Medizinfläschchen, zurückdatierend auf den Augenblick, da man der Eltern als physisch hinfällig, sterblich, auseinanderfallend inneward, scheint wider in der Frage:

> HAMM: Muß ich jetzt meine Pillen nehmen?[23]

[20] a.a.O., S. 55.
[21] a.a.O.
[22] a.a.O., S. 23.
[23] a.a.O., S. 11.

Miteinander Sprechen ist durchweg zum Strindbergischen Nörgeln geworden:

HAMM: Fühlst du dich in deinem normalen Zustand?

CLOV (gereizt): Ich sagte doch, daß ich mich nicht beklage.[24]),

und ein anderes Mal:

HAMM: Ich fühle mich etwas zu weit links. (Clov schiebt den Sessel unmerklich weiter. Pause.) Jetzt fühle ich mich etwas zu weit rechts. (Dasselbe Spiel.) Jetzt fühle ich mich etwas zu weit vorn. (Dasselbe Spiel.) Jetzt fühle ich mich etwas zu weit zurück. (Dasselbe Spiel.) Bleib nicht da! (d.h. hinterm Sessel.) Du machst mir angst.

Clov kehrt an seinen Platz neben dem Sessel zurück.

CLOV: Wenn ich ihn töten könnte, würde ich zufrieden sterben.[25])

Die Neige der Ehe aber ist die Situation, wo man sich kratzt:

NELL: Ich werde dich verlassen.

NAGG: Kannst du mich vorher noch kratzen?

NELL: Nein. (Pause) Wo?

NAGG: Am Rücken.

NELL: Nein. (Pause) Reib dich am Eimerrand.

NAGG: Es ist tiefer. Am Kreuz.

NELL: An welchem Kreuz?

NAGG: Am Kreuz. (Pause) Kannst du nicht? (Pause) Gestern hast du mich da gekratzt.

NELL (elegisch): Ah, gestern!

NAGG: Kannst du nicht? (Pause) Willst du nicht, daß ich dich kratze? (Pause) Weinst du schon wieder?

NELL: Ich versuchte es.[26])

Nachdem der abgedankte Vater und Präzeptor seiner El-

[24]) a.a.O., S. 10.
[25]) a.a.O., S. 25.
[26]) a.a.O., S. 20.

tern den als metaphysisch berühmten jüdischen Witz von der Hose und der Welt erzählt hat, bricht er selber in Lachen darüber aus. Die Scham, die einen ergreift, wenn jemand über die eigenen Worte lacht, wird zum Existential; Leben ist Inbegriff bloß noch als der alles dessen, wessen man sich zu schämen hätte. Subjektivität bestürzt als Herrschaft in der Situation, wo einer pfeift und der andere herbeikommt[27]). Wogegen aber die Scham sich sträubt, das hat seinen sozialen Stellenwert: in den Momenten, da Bürger als rechte Bürger sich benehmen, beflecken sie den Begriff der Humanität, auf dem ihr eigener Anspruch ruht. Geschichtlich sind Becketts Urbilder auch darin, daß er als menschlich Typisches einzig die Deformationen vorzeigt, die den Menschen von der Form ihrer Gesellschaft angetan werden. Kein Raum bleibt für anderes. Die Unarten und Ticks des normalen Charakters, die das Endspiel unausdenkbar steigert, sind jene längst alle Klassen und Individuen prägende Allgemeinheit eines Ganzen, das bloß durch die schlechte Partikularität, die antagonistischen Interessen der Subjekte hindurch sich reproduziert. Weil aber kein anderes Leben war als das falsche, wird der Katalog seiner Defekte zum Widerspiel der Ontologie.

Die Aufspaltung in Unverbundenes und Unidentisches ist jedoch an Identität gekettet in einem Theaterstück, das aufs traditionelle Personenverzeichnis nicht verzichtet. Nur gegen Identität, in ihren Begriff fallend, ist Dissoziation überhaupt möglich; sonst wäre sie die pure, unpolemische, unschuldige Vielfalt. Die geschichtliche Krisis des Individuums hat einstweilen ihre Grenze an dem biologischen Einzelwesen, ihrem Schauplatz. So endet der ohne Widerstand der Individuen hingleitende Wechsel der Situationen bei Beckett an den hartnäckigen Körpern, auf welche sie

[27]) vgl. a.a.O., S. 44.

regredieren. An solcher Einheit gemessen, sind die schizoiden Situationen komisch wie Sinnestäuschungen. Daher die prima vista zu bemerkende Clownerie der Verhaltensweisen und Konstellationen von Becketts Figuren[28]. Erklärt die Psychoanalyse den Clownshumor als Regression auf eine überaus frühe ontogenetische Stufe, dann steigt das Beckettsche Regressionsstück dort hinab. Aber das Lachen, zu dem es animiert, müßte die Lacher ersticken. Das wurde aus Humor, nachdem er als ästhetisches Medium veraltet ist und widerlich, ohne Kanon dessen, worüber zu lachen wäre; ohne einen Ort von Versöhnung, von dem aus sich lachen ließe; ohne irgend etwas Harmloses zwischen Himmel und Erde, das erlaubte, belacht zu werden. Ein intentioniert vertrotteltes double entendu vom Wetter lautet:

CLOV: Es wird wieder heiter. (Er steigt auf die Leiter und richtet das Fernglas nach draußen. Es entgleitet seinen Händen und fällt. Pause.) Ich tat es absichtlich. (Er steigt von der Leiter, hebt das Fernglas auf, prüft es und richtet es auf den Saal.) Ich sehe ... eine begeisterte Menge. (Pause) Na so was, dazu kann man wohl Fernrohr sagen. (Er läßt das Fernglas sinken und schaut Hamm an.) Na? Keiner lacht?[29]

Humor selbst ist albern: lächerlich geworden – wer könnte über komische Grundtexte wie den Don Quixote oder den Gargantua noch lachen –, und das Urteil über ihn wird von Beckett exekutiert. Noch die Witze der Beschädigten sind beschädigt. Sie erreichen keinen mehr; die Verfallsform, von der freilich aller Witz etwas hat, der Kalauer, überzieht sie wie Ausschlag. Wird Clov, der mit dem Fernglas Schauende, nach der Farbe gefragt und erschreckt Hamm durch das Wort grau, so korrigiert er sich durch die For-

---

[28] vgl. etwa Günther Anders, Die Antiquiertheit des Menschen, München 1956, S. 217.
[29] Beckett, a.a.O., S. 26.

mulierung »ein helles Schwarz«. Das verkleckst die Pointe
aus Molières Geizhals, der die angeblich gestohlene Kas-
sette als grau-rot beschreibt. Wie den Farben ist dem Witz
das Mark ausgesogen. Einmal sinnen die beiden Unhelden,
ein Blinder und ein Lahmer – der stärkere schon beides,
der schwächere wird es erst werden – auf einen »Trick«,
einen Ausweg, »irgendeinen Plan« à la Dreigroschenoper,
von dem sie nicht wissen, ob er Leben und Qual nur verlängern, oder beides mit der absoluten Vernichtung be-
enden soll:

CLOV: Ach so. (Er beginnt mit auf den Boden gerichtetem
Blick und den Händen auf dem Rücken hin- und herzu-
gehen. Er bleibt stehen.) Meine Beine tun mir weh, es ist
nicht zu glauben. Ich werde bald nicht mehr denken
können.

HAMM: Du wirst mich nicht verlassen können. (Clov geht
wieder.) Was machst du?

CLOV: Ich plane. (Er geht wieder.) Ah! (Er bleibt stehen.)

HAMM: Was für ein Denker! (Pause) Na und?

CLOV: Warte mal. (Er konzentriert sich. Nicht sehr über-
zeugt.) Ja ... (Pause. Überzeugter.) Ja. (Er richtet den
Kopf auf.) Ich hab's. Ich ziehe den Wecker auf.[30])

Das ist an den ursprünglich wohl ebenfalls jüdischen Witz
des Zirkus Busch assoziiert, wo der dumme August, der
seine Frau mit dem Freund auf dem Sofa ertappt hat, sich
nicht entschließen kann, die Frau oder den Freund hinaus-
zuwerfen, weil ihm beide zu lieb sind, und auf den Ausweg
verfällt, das Sofa zu verkaufen. Aber noch die Spur dämlich
sophistischer Rationalität wird weggewischt. Komisch ist
nur noch, daß mit dem Sinn der Pointe Komik selber eva-
poriert. So zuckt zusammen, wer bereits die oberste Stufe
einer Treppe erklommen hat, weiter steigt und ins Leere

[30]) a.a.O., S. 39.

tritt. Äußerste Roheit vollstreckt den Richtspruch übers Lachen, das längst teilhat an ihrer Schuld. Hamm läßt die
Rümpfe der Eltern, die in den Mülltonnen zu Babies geworden sind, vollends verhungern, Triumph des Sohns als
Vater. Dazu wird geschwatzt:

NAGG: Meinen Brei!

HAMM: Verfluchter Erzeuger!

NAGG: Meinen Brei!

HAMM: Ah! Keine Haltung mehr, die Alten. Fressen,
fressen, sie denken nur ans Fressen. (Er pfeift. Clov
kommt herein und bleibt neben dem Sessel stehen.) Sieh
mal an! Ich dachte, du wolltest mich verlassen.

CLOV: Oh, noch nicht, noch nicht.

NAGG: Meinen Brei!

HAMM: Gib ihm seinen Brei.

CLOV: Es gibt keinen Brei mehr.

HAMM: Es gibt keinen Brei mehr. Du wirst nie wieder
Brei bekommen.[31]

Noch dem unwiderruflichen Schaden fügt der Unheld den
Spott hinzu, die Entrüstung über die Alten, die keine Haltung mehr hätten, so wie diese sonst über die zuchtlose Jugend sich zu entrüsten pflegen. Was in diesem Ambiente an
Humanität fortwest: daß die beiden Alten den letzten
Zwieback miteinander teilen, wird durch den Kontrast zur
transzendentalen Bestialität abstoßend, der Rückstand der
Liebe zur schmatzenden Intimität. Soweit sie noch Menschen sind, menschelt es:

NELL: Was ist denn, mein Dicker? (Pause) Willst du
wieder mit mir schäkern?

NAGG: Schliefst du?

NELL: Oh, nein.

NAGG: Küßchen!

---

[31] a.a.O., S. 13.

NELL: Geht doch nicht.

NAGG: Mal versuchen.

Die Köpfe nähern sich mühsam aneinander, ohne sich berühren zu können, und weichen wieder auseinander.[32])

Wie mit dem Humor wird mit den dramatischen Kategorien insgesamt umgesprungen. Alle sind parodiert. Nicht aber verspottet. Emphatisch heißt Parodie die Verwendung von Formen im Zeitalter ihrer Unmöglichkeit. Sie demonstriert diese Unmöglichkeit und verändert dadurch die Formen. Die drei Aristotelischen Einheiten werden gewahrt, aber dem Drama selbst geht es ans Leben. Mit der Subjektivität, deren Nachspiel das Endspiel ist, wird ihm der Held entzogen; von Freiheit kennt es nur noch den ohnmächtigen und lächerlichen Reflex nichtiger Entschlüsse[33]). Auch darin beerbt Becketts Stück die Romane Kafkas, zu dem er ähnlich steht wie die seriellen Komponisten zu Schönberg: er reflektiert ihn nochmals in sich und krempelt ihn um durch Totalität seines Prinzips. Becketts Kritik an dem Älteren, welche die Divergenz zwischen dem Geschehenden und der gegenständlich reinen, epischen Sprache unwiderleglich hervorhebt, birgt dieselbe Schwierigkeit wie das Verhältnis der gegenwärtigen integralen Komposition zu der in sich antagonistischen Schönbergs: was ist die raison d'être der Formen, sobald ihre Spannung zu einem ihnen Inhomogenen getilgt ist, ohne daß doch darum der Fortschritt ästhetischer Materialbeherrschung zu bremsen wäre? Das Endspiel zieht sich aus der Affäre, indem es jene Frage sich zu eigen: thematisch macht. Was die Dramatisierung von Kafkas Romanen verwehrt, wird zum Vorwurf. Die dramatischen Konstituentien erscheinen nach ihrem Tod. Exposition, Knoten, Handlung, Peripetie und Kata-

[32]) a.a.O., S. 16 f.

[33]) vgl. Th. W. Adorno, Prismen, Berlin und Frankfurt am Main 1955, Aufzeichnungen zu Kafka, S. 329, Fußnote.

strophe kehren einer dramaturgischen Leichenbeschau als Dekomponierte wieder: für die Katastrophe etwa tritt die Mitteilung ein, daß es keine Nährpillen mehr gebe[34]). Jene Konstituentien sind gestürzt mit dem Sinn, zu dem einmal das Drama sich entlud; das Endspiel studiert wie im Reagenzglas das Drama des Zeitalters, das nichts von dem mehr duldet, worin es besteht. Zum Exempel: die Tragödie kannte auf der Höhe der Handlung, als Quintessenz der Antithese, äußerste Straffung des dramatischen Fadens, die Stichomythie; Dialoge, in denen ein Trimeter der einen Person auf den der anderen folgt. Die Form hatte dieses Mittels, als eines durch Stilisierung und offenbaren Anspruch der säkularen Gesellschaft allzu fernen, sich begeben. Beckett bedient sich seiner, als hätte die Detonation freigesetzt, was unterm Drama vergraben ward. Das Endspiel enthält Dialoge Zug um Zug, einsilbig, wie einst das Frageund Antwortspiel zwischen verblendetem König und Schicksalsboten. Aber worin dort die Kurve sich spannte, darin erschlaffen hier die Interlokutoren. Kurzatmig bis zum Verstummen bringen sie die Synthesis sprachlicher Perioden nicht mehr zustande und stammeln in Protokollsätzen, man weiß nicht ob solchen der Positivisten oder Expressionisten. Der Grenzwert des Beckettschen Dramas ist jenes Schweigen, das schon im Shakespeareschen Beginn des neueren Trauerspiels als Rest definiert war. Daß als eine Art Epilog aufs Endspiel ein Acte sans paroles folgt, ist dessen eigener terminus ad quem. Die Worte klingen wie Notbehelfe, weil das Verstummen noch nicht ganz glückte, wie Begleitstimmen zum Schweigen, das sie stören.

Was im Endspiel aus der Form wurde, läßt literarhistorisch fast sich nachzeichnen. In Ibsens Wildente vergißt der verkommene Photograph Hjalmar Ekdal, potentiell selber

---

[34]) vgl. Beckett, a.a.O., S. 56.

schon ein Unheld, der halbwüchsigen Hedwig, wie er es versprach, die Menukarte des üppigen Diners beim alten Werle mitzubringen, zu dem er, wohlweislich ohne seine Familie, eingeladen war. Das ist psychologisch motiviert aus seinem schlampig-egoistischen Charakter, zugleich aber symbolisch für Hjalmar, für den Handlungsgang, für den Sinn des Ganzen: das vergebliche Opfer des Mädchens. Die spätere Freudische Theorie der Fehlhandlung ist antizipiert, welche diese auslegt durch ihre Beziehung auf vergangene Erlebnisse der Person ebenso wie auf ihre Wünsche, also auf ihre Einheit. Freuds Hypothese, daß »all unsere Erlebnisse einen Sinn haben«[35]), übersetzt die überlieferte dramatische Idee in einen psychologischen Realismus, aus dem Ibsens Tragikomödie von der Wildente unvergleichlich noch einmal den Funken der Form schlug. Emanzipiert sich die Symbolik von ihrer psychologischen Determination, so verdinglicht sie sich zu einem an sich Seienden, das Symbol wird symbolistisch wie in Ibsens Spätwerken, etwa dem von der sogenannten Jugend überfahrenen Buchhalter Foldal im John Gabriel Borkmann. Der Widerspruch zwischen solchem konsequenten Symbolismus und dem konservativen Realismus wird zur Unzulänglichkeit der letzten Stücke. Damit aber zum Gärstoff des expressionistischen Strindberg. Dessen Symbole reißen sich los von den empirischen Menschen und werden zu einem Teppich verwoben, in dem alles symbolisch ist und nichts, weil alles alles bedeuten kann. Das Drama braucht nur des unausweichlich Lächerlichen solcher Pansymbolik innezuwerden, die sich selbst erledigt; es verwertend aufzugreifen, und die Beckettsche Absurdität ist auch der immanenten Dialektik der Form nach erreicht. Das nichts Bedeuten wird zur einzigen Bedeutung. Der tödlichste Schrecken der dra-

---

[35]) Sigmund Freud, Gesammelte Werke, XI. Bd., London 1940, Vorlesungen zur Einführung in die Psychoanalyse, S. 33.

matischen Personen, wenn nicht des parodierten Dramas
selber, ist der verstellt komische darüber, daß sie irgend
etwas bedeuten könnten

HAMM: Wir sind doch nicht im Begriff, etwas zu ... zu ...
bedeuten?

CLOV: Bedeuten? Wir, etwas bedeuten? (Kurzes Lachen.)
Das ist aber gut![36])

Mit dieser Möglichkeit, die längst von der Übermacht
einer Apparatur erdrückt ward, in der die Einzelnen aus-
wechselbar oder überflüssig sind, verschwindet auch die
Bedeutung der Sprache. Hamm, den die zum Taprigen verkommene Regung des Lebens im Gespräch der Eltern in der
Mülltonne aufbringt und der nervös wird, weil »es also
kein Ende nimmt«, fragt: »Worüber können sie denn reden,
worüber kann man noch reden?«[37]) Dahinter bleibt das Stück
nicht zurück. Es ist errichtet auf dem Grunde eines Sprach-
verbots und spricht es durch sein eigenes Gefüge aus. Dabei
weicht es der Aporie des expressionistischen Dramas nicht
aus: daß Sprache, selbst wo sie tendenziell zum Laut sich
verkürzt, ihr semantisches Element nicht abschütteln, nicht
rein mimetisch[38]) oder gestisch werden kann, etwa wie die
von der Gegenständlichkeit emanzipierten Formen der Malerei die Ähnlichkeit mit Gegenständlichem nicht ganz los-
werden. Die mimetischen Valeurs, einmal von den signifi-
kativen endgültig gesondert, geraten an Willkür und Zufall
und schließlich eine zweite Konvention. Wie das Endspiel
damit sich abfindet, unterscheidet es von Finnegans Wake.
Anstatt zu trachten, das diskursive Element der Sprache
durch den reinen Laut zu liquidieren, schafft Beckett es um
ins Instrument der eigenen Absurdität, nach dem Ritual der

[36]) Beckett, a.a.O., S. 29.
[37]) a.a.O., S. 22.
[38]) vgl. Th. W. Adorno, Voraussetzungen; in: Akzente 1961, Heft 4, und
dazu Max Horkheimer und Th. W. Adorno, Dialektik der Aufklärung, a.a.O.,
S. 37 ff.

Clowns, deren Geplapper zu Unsinn wird, indem er als Sinn sich vorträgt. Der objektive Sprachzerfall, das zugleich stereotype und fehlerhafte Gewäsch der Selbstentfremdung, zu dem den Menschen Wort und Satz im eigenen Munde verquollen sind, dringt ein ins ästhetische Arcanum; die zweite Sprache der Verstummenden, ein Agglomerat aus schnodderigen Phrasen, scheinlogischen Verbindungen, galvanisierten Wörtern als Warenzeichen, das wüste Echo der Reklamewelt, ist umfunktioniert zur Sprache der Dichtung, die Sprache negiert[39]). Darin berührt Beckett sich mit der Dramatik Eugène Ionescos. Ordnet ein späteres Stück von ihm sich um die imago des Tonbands, dann ähnelt die Sprache des Endspiels der aus dem abscheulichen Gesellschaftsspiel geläufigen, daß man den Unsinn, der während einer party geredet wird, insgeheim auf Band aufnimmt und dann den Gästen zur Demütigung vorspielt. Auskomponiert wird der Schock, über welchen bei solcher Gelegenheit das blöde Gekicher hinweghüpft. Wie die wache Erfahrung nach intensiver Lektüre Kafkas allerorten Situationen aus seinen Romanen zu beobachten meint, so bewirkt Bekketts Sprache eine heilsame Erkrankung des Erkrankten: wer sich selbst zuhört, bangt, ob er nicht ebenso redet. Längst schon schien dem, der das Kino verläßt, in den zufälligen Vorgängen auf der Straße die geplante Zufälligkeit des Films sich fortzusetzen. Zwischen den montierten Phrasen der Alltagssprache gähnt das Loch. Fragt einer der beiden mit der eingeschliffenen Gebärde des Abgebrühten, der der unverbrüchlichen Langeweile des Daseins sicher ist, »Was soll denn schon am Horizont sein?«[40]), so wird das sprachgewordene Achselzucken apokalyptisch, erst recht durch seine Allvertrautheit. Der glatten und aggressiven Regung

[39]) vgl. Th. W. Adorno, Dissonanzen, 2. Auflage, Göttingen 1958, S. 34 und 44.
[40]) Beckett, a.a.O., S. 28.

des gesunden Menschenverstands, »Was soll denn schon sein?«, wird das Eingeständnis des eigenen Nihilismus abgepreßt. Etwas später befiehlt Hamm, der Herr, dem soi-disant Diener Clov, zu einem Zirkuszweck, dem vergeblichen Versuch, einen Sessel hin- und herzuschieben, »den Bootshaken« zu holen. Dem folgt ein kleiner Dialog:

CLOV: Tu dies, tu das, und ich tu's. Ich weigere mich nie. Warum?

HAMM: Du kannst es nicht.

CLOV: Bald werde ich es nicht mehr tun.

HAMM: Du wirst es nicht mehr können. (Clov geht hinaus.) Ah, die Leute, die Leute, man muß ihnen alles erklären.[41])

Daß man »den Leuten alles erklären muß«, bläuen jeden Tag Millionen von Vorgesetzten Millionen von Untergebenen ein. Durch den Nonsens, den es an der Stelle begründen soll – Hamms Erklärung dementiert seinen eigenen Befehl –, wird aber nicht nur der von der Gewohnheit zugedeckte Aberwitz des Clichés grell beleuchtet, sondern zugleich der Trug des miteinander Sprechens ausgedrückt; daß die voneinander ohne Hoffnung Entfernten, indem sie konversieren, so wenig sich erreichen wie die beiden alten Krüppel in den Mülltonnen. Kommunikation, das universale Gesetz der Clichés, bekundet, daß keine Kommunikation mehr sei. Die Absurdität allen Sprechens ist nicht unvermittelt gegen den Realismus, sondern aus diesem entwickelt. Denn die kommunikative Sprache postuliert durch ihre bloße syntaktische Form schon, durch Logizität, Schlußverhältnisse, festgehaltene Begriffe, den Satz vom zureichenden Grunde. Dieser Forderung jedoch wird kaum mehr genügt: die Menschen, so wie sie miteinander reden, werden teils von ihrer Psychologie, dem prälogischen Unbewußten motiviert, teils verfolgen sie Zwecke, die, als

[41]) a.a.O., S. 36.

solche ihrer bloßen Selbsterhaltung, von jener Objektivität abweichen, welche die logische Form vorspiegelt. Jedenfalls heute kann man ihnen das mit ihren Tonbändern beweisen. Im Freudischen wie im Paretoschen Verstande ist die ratio der verbalen Kommunikation immer auch Rationalisierung. Ratio entsprang aber selber im selbsterhaltenden Interesse, und deshalb wird sie von den zwangsläufigen Rationalisierungen ihrer eigenen Irrationalität überführt. Der Widerspruch zwischen rationaler Fassade und unabdingbar Irrationalem ist selber bereits das Absurde. Beckett braucht ihn nur zu markieren, als Auswahlprinzip zu handhaben, und der Realismus, des Scheins rationaler Stringenz entkleidet, kommt zu sich selbst.

Sogar die syntaktische Form von Frage und Antwort ist unterminiert. Sie setzt eine Offenheit des zu Sagenden voraus, die, wie es schon Huxley nicht sich hat entgehen lassen, nicht mehr existiert. Der Frage ist die vorgezeichnete Antwort anzuhören, und das verdammt das Spiel von Frage und Antwort zum nichtig Wahnhaften des untauglichen Versuchs, durch den Sprachgestus der Freiheit die Unfreiheit der informativen Sprache zu verschleiern. Beckett reißt ihr den Schleier herunter, auch den philosophischen. Was sich da dem Nichts gegenüber alles radikal in Frage stellt, verhindert durch das der Theologie entwendete Pathos vorweg die erschrecklichen Folgen, auf deren Möglichkeit es pocht, und infiltriert durch die Gestalt der Frage die Antwort mit eben dem Sinn, den jene bezweifelt; nicht umsonst konnten im Faschismus und Vorfaschismus solche Destrukteure den destruktiven Intellekt so wacker schmälen. Beckett jedoch entziffert die Lüge des Fragezeichens: die Frage ist zur rhetorischen geworden. Gleicht die existentialphilosophische Hölle einem Tunnel, in dessen Mitte von der anderen Seite schon wieder das Licht hineinscheint, so reißt Becketts Dialog die Schienen des Gesprächs auf; der

Zug gelangt nicht mehr dorthin, wo es hell wird. Die alte Wedekindsche Technik des Mißverständnisses wird total. Der Verlauf der Dialoge selbst nähert dem Zufallsprinzip des literarischen Produktionsprozesses sich an. Er klingt, als wäre das Gesetz seines Fortgangs nicht die Vernunft von Rede und Gegenrede, nicht einmal deren psychologisches Ineinandergehaktsein, sondern ein Aushören, verwandt dem von Musik, die von den vorgegebenen Typen sich emanzipiert. Das Drama lauscht, was nach einem Satz wohl für ein anderer kommt. Von der eingängigen Unwillkürlichkeit solcher Fragen hebt die inhaltliche Absurdität erst recht sich ab. Auch das hat sein infantiles Modell an denen, die im zoologischen Garten darauf warten, was nun wohl im nächsten Augenblick das Nilpferd oder der Schimpanse anstellen werden.

Im Stande ihrer Zersetzung polarisiert sich die Sprache. Hier wird sie zum Basic English, oder Französisch, oder Deutsch einzelner Wörter, archaisch herausgestoßener Befehle im Jargon universaler Nichtachtung, der Zutraulichkeit unversöhnlicher Kontrahenten; dort zum Ensemble ihrer Leerformen, einer Grammatik, die aller Beziehung auf ihren Inhalt und damit ihrer synthetischen Funktion sich begeben hat. Den Interjektionen gesellen sich Übungssätze, Gott weiß wofür. Auch das hängt Beckett an die große Glocke: es ist eine der Spielregeln des Endspiels, daß die asozialen Partner, und mit ihnen die Zuschauer, sich immerzu in die Karten sehen. Hamm fühlt sich als Künstler. Er hat sich das Neronische qualis artifex pereo zur Maxime seines Lebens erkoren. Aber seine projektierten Erzählungen stranden an der Syntax:

HAMM: Wo war ich stehengeblieben? (Pause. Trübsinnig.) Es ist zerbrochen, wir sind zerbrochen. (Pause) Es wird zerbrechen.[42])

[42]) a.a.O., S. 41.

Zwischen den Paradigmata taumelt die Logik. Hamm und Clov unterhalten sich auf ihre autoritäre, gegenseitig sich abschneidende Weise:

HAMM: Öffne das Fenster.

CLOV: Wozu?

HAMM: Ich will das Meer hören.

CLOV: Du wirst es nicht hören.

HAMM: Selbst nicht, wenn du das Fenster öffnest?

CLOV: Nein.

HAMM: Es lohnt sich also nicht, es zu öffnen?

CLOV: Nein.

HAMM (heftig): Öffne es also! (Clov steigt auf die Leiter und öffnet das Fenster. Pause.) Hast du es geöffnet?

CLOV: Ja.[43])

Wenig fehlt, und man möchte in dem letzten »Also« Hamms den Schlüssel des Stücks suchen. Weil es sich nicht lohnt, das Fenster zu öffnen, weil Hamm das Meer nicht hören kann – vielleicht ist es ausgetrocknet, vielleicht bewegt es sich nicht mehr –, beharrt er darauf, daß Clov es öffne: der Unfug einer Handlung wird zum Grund, sie zu begehen, nachträgliche Legitimation von Fichtes freier Tathandlung um ihrer selbst willen. So sehen die zeitgemäßen Aktionen aus und wecken den Verdacht, daß es nie viel anders war. Die logische Figur des Absurden, die den kontradiktorischen Gegensatz des Stringenten als stringent vorträgt, verneint jeglichen Sinnzusammenhang, wie ihn die Logik zu gewähren scheint, um diese der eigenen Absurdität zu überführen: daß sie mit Subjekt, Prädikat und Kopula das Nichtidentische so zurichtet, als ob es identisch wäre, in den Formen aufginge. Nicht als Weltanschauung löst das Absurde die rationale ab; jene kommt in diesem zu sich selbst.

[43]) a.a.O., S. 51 f.

Die prästabilierte Harmonie von Verzweiflung herrscht zwischen den Formen und dem residualen Inhalt des Stücks. Das zusammengeschmolzene Ensemble zählt nur vier Köpfe. Zwei davon sind übermäßig rot, als wäre ihre Vitalität eine Hautkrankheit; die beiden Alten dafür übermäßig weiß wie schon keimende Kartoffeln im Keller. Recht funktionierende Körper haben sie alle nicht mehr, die Alten bestehen nur noch aus Rümpfen, die Beine haben sie übrigens nicht bei der Katastrophe sondern offenbar bei einem privaten Unfall mit dem Tandem in den Ardennen, »am Ausgang von Sedan«[44]) verloren, wo regelmäßig eine Armee die andere zu vernichten pflegt; man soll sich nicht einbilden, gar so viel hätte sich geändert. Noch die Erinnerung an ihr bestimmtes Unglück jedoch wird beneidenswert angesichts der Unbestimmtheit des allgemeinen, sie lachen dabei. Im Unterschied zu den expressionistischen Vätern und Söhnen haben zwar alle Eigennamen, alle vier jedoch sind einsilbig, four letter words gleich den obszönen. Die praktischen und familiären Abkürzungen, die in angelsächsischen Ländern beliebt sind, werden als Stümpfe von Namen entblößt. Einigermaßen gebräuchlich, wenn auch obsolet, ist nur der der alten Mutter, Nell; Dickens verwendet ihn für das rührende Kind der Old Curiosity Shop. Die drei anderen Namen sind erfunden wie für Litfaßsäulen. Der Alte heißt Nagg, nach Assoziation von nagging, vielleicht auch einer deutschen: das traute Paar ist es durchs Nagen. Sie diskutieren darüber, ob man das Sägemehl in ihren Mülleimern erneuert hat; es ist aber kein Sägemehl mehr sondern Sand. Nagg konstatiert, früher sei es Sägemehl gewesen, und Nell antwortet überdrüssig: »Früher.«[45]), wie eine Frau eingefroren wiederholte Aussagen ihres Gatten hämisch preisgibt. So mesquin der Streit über Sägemehl

[44]) a.a.O., S. 18.
[45]) a.a.O.

oder Sand, so entscheidend ist der Unterschied in der Residualhandlung, Übergang vom Minimum zum Nichts. Was Benjamin an Baudelaire rühmte, die Fähigkeit, mit äußerster Diskretion ein Äußerstes zu sagen[46]), kann Beckett reklamieren; der Allerweltstrost, es könne immer noch schlimmer kommen, wird zum Verdammungsurteil. In dem Reich zwischen Leben und Tod, wo nicht einmal mehr leiden sich läßt, ist der Unterschied von Sägemehl und Sand der ums Ganze; Sägemehl, kümmerliches Nebenprodukt der Dingwelt, wird Mangelware und sein Entzug Verschärfung der lebenslänglichen Todesstrafe. Daß die beiden in Mülleimern logieren – ein analoges Motiv kommt übrigens in Camino Real von Tennessee Williams vor, sicherlich ohne daß eines der Stücke vom anderen abhängig wäre –, nimmt wie Kafka die Konversationsphrase buchstäblich. »Heute werden die Alten in den Mülleimer geworfen«, und es geschieht. Das Endspiel ist die wahre Gerontologie. Die Alten sind nach dem Maß der gesellschaftlich nützlichen Arbeit, die sie nicht mehr leisten, überflüssig und wären wegzuwerfen. Das wird dem wissenschaftlichen Brimborium einer Fürsorge entrissen, die unterstreicht, was sie negiert. Das Endspiel schult für einen Zustand, wo alle Beteiligten, wenn sie von der nächsten der großen Mülltonnen den Deckel abheben, erwarten, die eigenen Eltern darin zu finden. Der natürliche Zusammenhang des Lebendigen ist zum organischen Abfall geworden. Unwiderruflich haben die Nationalsozialisten das Tabu des Greisenalters umgestoßen. Becketts Mülleimer sind Embleme der nach Auschwitz wiederaufgebauten Kultur. Die Nebenhandlung aber geht weiter als zu weit, zum Untergang der beiden Alten. Verweigert wird ihnen die Kinderspeise, ihr Brei, ersetzt durch einen Zwieback, den die Zahnlosen nicht mehr kauen

[46]) vgl. Walter Benjamin, Schriften I, Frankfurt am Main 1955, S. 457.

können, und sie ersticken, weil der letzte Mensch zu sensibel ist, um den vorletzten ihr Leben zu gönnen. Verklammert ist das mit der Haupthandlung dadurch, daß das Verenden der beiden Alten vorwärts treibt zu jenem Ausgang des Lebens, dessen Möglichkeit das Spannungsmoment bildet. Hamlet wird variiert: Krepieren oder Krepieren, das ist hier die Frage.

Den Namen des Shakespeareschen Helden kürzt grimmig der des Beckettschen ab, der des liquidierten dramatischen Subjekts den des ersten. Assoziiert wird dabei auch einer der Söhne Noahs und damit die Sintflut: der Stammherr der Schwarzen, der in einer Freudischen Negation die weiße Herrenrasse substituiert. Endlich bedeutet ham actor auf Englisch den Schmierenkomödianten. Becketts Hamm, Schlüsselgewaltiger und ohnmächtig in eins, spielt, was er nicht mehr ist, als hätte er jene jüngste soziologische Literatur gelesen, die das zoon politikon als Rolle definiert. Persönlichkeit war, wer mit Geschick so sich aufspielte wie nun der hilflose Hamm. Sie mag bereits im Ursprung Rolle gewesen sein, Natur, die sich als Übernatur geriert. Der Wechsel der Situationen des Stücks veranlaßt eine von Hamms Rollen; drastisch empfiehlt ihm gelegentlich eine Regiebemerkung, er solle »mit der Stimme des vernunft-begabten Wesens« reden; in seiner umständlichen Erzählung posiert er den »Erzählerton«. Erinnerung ans Unwiederbringliche wird zum Schwindel. Retrospektiv verdammt der Zerfall die Kontinuität des Lebens, durch die es Leben allein ward, als selber fiktiv. Die Differenz des Tonfalls von Menschen, die erzählen, und solchen, die unmittelbar reden, hält Gericht übers Identitätsprinzip. Beides alterniert in Hamms großer Rede, einer Art eingeschobener Arie ohne Musik. Bei den Bruchstellen pausiert er, mit den Kunstpausen des ausgedienten Heldendarstellers. Zur Norm der Existentialphilosophie, die Menschen sollten, weil sie schon gar nichts anderes mehr sein können, sie selber sein, setzt das Endspiel die Antithese, daß genau dies Selbst nicht das Selbst sondern die äffische Nachahmung eines nicht Existenten sei. Hamms Verlogenheit bringt die Lüge an den Tag, die darin steckt, daß man Ich sagt und damit jene Substantialität sich zuschreibt, deren Gegenteil der Inhalt dessen ist, was vom Ich zusammengefaßt wird. Bleibendes ist als Inbegriff des Ephemeren dessen Ideologie. Von dem aber, was der Wahrheitsgehalt des Subjekts war, vom Denken, wird nur noch die gestische Hülse konserviert. Die beiden tun, als ob sie sich etwas überlegten, ohne daß sie überlegen:

HAMM: Das ist alles drollig, in der Tat. Sollten wir uns mal halb tot lachen?

CLOV (nachdem er überlegt hat): Ich könnte mich heute nicht mehr halb tot lachen.

HAMM (nachdem er überlegt hat): Ich auch nicht.[47])

Hamms Gegenspieler ist schon dem Namen nach, was er ist, der nochmals lädierte Clown, dem man den Endbuchstaben abgeschnitten hat. Gleich klingt ein wohl veralteter Ausdruck für den Pferdefuß des Teufels, ähnlich das kurrente Wort für Handschuh. Er ist der Teufel seines Meisters, den er mit dem Schlimmsten bedroht: ihn zu verlassen, und gleichzeitig dessen Handschuh, mit dem jener die Dingwelt berührt, zu der er nicht unmittelbar mehr gelangt. Aus solchen Assoziationen ist nicht nur Clovs Gestalt, sondern ihr Zusammenhang mit der anderen konstruiert. Auf der alten Klavierausgabe von Strawinskys Ragtime für elf Instrumente, einem der bedeutendsten Stücke aus dessen surrealistischer Phase, stand eine Picassozeichnung, die, angeregt wohl vom Titel »Rag«, zwei verlumpte Figuren zeigt, Vorfahren der Vagabunden Wladimir und Estragon, die auf

47) Beckett, a.a.O., S. 48.

Herrn Godot warten. Die virtuose Graphik ist in einer einzigen Linie verschlungen. Von ihrem Geist ist der Doppel-Sketch des Endspiels, ebenso wie die ramponierten Wiederholungen, die Becketts gesamtes Werk unwiderstehlich herbeizieht. In ihnen ist Geschichte storniert. Wiederholungszwang ist der regressiven Verhaltensweise des Eingesperrten abgesehen, der es immer wieder versucht. Beckett trifft sich mit jüngsten Tendenzen der Musik nicht zuletzt darin, daß er, der Westliche, Züge aus Strawinskys radikaler Vergangenheit, die beklemmende Statik der zerfällten Kontinuität, mit avancierten expressiven und konstruktiven Mitteln aus der Schönbergschule amalgamiert. Auch die Umrisse von Hamm und Clov sind die einer einzigen Linie; die Individuation zur säuberlich selbständigen Monade wird ihnen versagt. Sie können nicht ohne einander leben. Die Macht Hamms über Clov scheint darauf zu beruhen, daß nur er weiß, wie der Speiseschrank aufgeht, etwa wie nur ein Prinzipal die Kombination kennt, auf die das Schloß eines Kassenschranks eingestellt ist. Er wäre bereit, ihm das Geheimnis zu verraten, wenn Clov schwüre, ihn – oder »uns« – »zu erledigen«. In einer fürs Gewebe des Stücks überaus charakteristischen Wendung antwortet Clov: »Ich könnte dich nicht erledigen«, und als mokierte das Stück sich über den Mann, der Vernunft annimmt, sagt Hamm: »Dann wirst du mich nicht erledigen.«[48]) Auf Clov ist er angewiesen, weil dieser allein noch verrichten kann, was beide am Leben erhält. Das aber ist von fraglichem Wert, weil beide wie der Kapitän des Gespensterschiffs fürchten müssen, nicht sterben zu können. Das bißchen, das zugleich alles ist, wäre, daß daran doch vielleicht etwas sich ändert. Diese Bewegung, oder ihr Ausbleiben, ist die Handlung. Sie wird freilich nicht viel expliziter als das motivisch

[48]) a.a.O., S. 33.

wiederholte »Irgend etwas geht seinen Gang«[49]), so abstrakt
wie die reine Form der Zeit. Eher wird die Hegelsche Dialektik von Herr und Knecht, an die Günther Anders schon
bei Gelegenheit von Godot erinnerte, verlacht, als daß sie,
nach den Sitten der traditionellen Ästhetik, gestaltet wäre.
Der Knecht kann nicht mehr die Zügel ergreifen, um Herrschaft abzuschaffen. Der Verstümmelte wäre dazu kaum
fähig, und für die spontane Aktion ist es, nach der geschichtsphilosophischen Sonnenuhr des Stückes, sowieso zu
spät. Clov bleibt nichts übrig, als auszuwandern in die für
die Abgeschiedenen nicht vorhandene Welt, mit einigen
Chancen, dabei zu sterben. Selbst auf die Freiheit zum
Tode darf er sich nicht verlassen. Zwar bringt er den Entschluß zu gehen auf, kommt auch wie zum Abschied herein:
»Panama, Tweedrock, hellgelbe Handschuhe, Regenmantel
überm Arm, Schirm und Koffer«[50]), mit einer musikalisch
starken Schlußwirkung. Aber man sieht nicht seinen Ab-
gang, sondern er bleibt »regungslos und teilnahmslos mit
auf Hamm gerichtetem Blick bis zum Ende stehen.«[51]) Das
ist eine Allegorie, aus der die Intention verpuffte. Von Unterschieden abgesehen, die entscheiden mögen oder ganz
gleichgültig sein, ist sie identisch mit dem Anfang. Kein
Zuschauer und kein Philosoph wüßte zu sagen, ob es nicht
wieder von vorn beginnt. Dialektik pendelt aus.

Musikhaft ist die Handlung des Stücks insgesamt komponiert, über zwei Themen wie vormals Doppelfugen. Das
erste Thema ist, daß es zu Ende gehen soll, die unscheinbar
gewordene Schopenhauersche Verneinung des Willens zum
Leben. Hamm stimmt es an; die Personen, die keine mehr
sind, werden zu Instrumenten ihrer Situation, als hätten
sie Kammermusik zu spielen. »Hamm, der im Endspiel

[49]) a.a.O., S. 16; vgl. S. 29.
[50]) a.a.O., S. 66.
[51]) a.a.O.

blind und unbeweglich im Rollstuhl sitzt, ist von allen bizarren Instrumenten Becketts das mit den meisten Tönen, dem überraschendsten Klang.«[52]) Hamms Unidentität mit sich selbst motiviert den Verlauf. Während er das Ende will, als das der Qual schlecht unendlicher Existenz, ist er besorgt um sein Leben wie ein Herr in den ominösen besten Jahren. Überwertig sind ihm die minderen Paraphernalien von Gesundheit. Er fürchtet aber nicht den Tod, sondern daß er mißlingen könnte; das Kafkasche Motiv des Jägers Grachus hallt nach[53]). So wichtig wie die eigene Notdurft ist ihm, daß der zum Schauen bestellte Clov kein Segel, keine Rauchfahne erspäht; daß keine Ratte und kein Insekt mehr sich regt, mit denen das Unheil von vorn anheben könne; auch nicht das vielleicht überlebende Kind, das doch die Hoffnung wäre und auf das er lauert wie Herodes der Metzger auf den agnus dei. Das Insektenvertilgungsmittel, das vom Anbeginn auf die Vernichtungslager hinauswollte, wird zum Endprodukt der Naturbeherrschung, die sich selbst erledigt. Inhalt des Lebens ist nur noch: daß nichts Lebendiges sei. Alles was ist, soll einem Leben gleichgemacht werden, das selber der Tod ist, die abstrakte Herrschaft. – Das zweite Thema ist Clov zugeordnet, dem Diener. Nach einer freilich sehr verdunkelten Geschichte lief er Schutz suchend Hamm zu; aber er hat auch manches vom Sohn des wütend impotenten Patriarchen. Dem Ohnmächtigen den Gehorsam kündigen, ist das Allerschwerste, unwiderstehlich sträubt sich das Geringfügige, Überholte gegen die Abschaffung. Kontrapunktiert sind die beiden Handlungen dadurch, daß der Todeswille Hamms eins ist mit seinem Lebensprinzip, während der Lebenswille Clovs den Tod beider herbeiführen dürfte; Clov sagt: »Draußen

[52]) Marie Luise von Kaschnitz, Vortrag über Lucky, Frankfurter Universität.
[53]) vgl. Th. W. Adorno, Prismen, a.a.O., S. 341.

ist der Tod.«[54]) Die Antithese der Helden ist denn auch nicht fixiert, sondern ihre Regungen vermischen sich; gerade Clov redet zuerst vom Ende. Schema des Verlaufs ist das Endspiel des Schachs, eine typische, einigermaßen normierte Situation, durch Zäsur vom Mittelspiel und seinen Kombinationen getrennt; diese fehlen auch im Stück, Intrige und plot werden stillschweigend suspendiert. Nur Kunstfehler oder Unglücksfälle wie der, daß irgendwo noch Lebendiges wächst, könnten Unvorhergesehenes stiften, nicht der findige Geist. Fast leer ist das Feld, und was zuvor geschah, ist kümmerlich nur aus den Stellungen der paar Figuren abzulesen. Hamm ist der König, um den alles sich dreht und der selber nichts vermag. Das Mißverhältnis zwischen dem Schach als Zeitvertreib und der unmäßigen Anstrengung, die es involviert, wird auf der Bühne zu dem zwischen athletisch sich Gebärdenden und dem Gummigewicht dessen, was sie tun. Ob die Partie mit einem Patt oder einem ewigen Schach ausgeht, oder ob Clov siegt, wird, als wäre die Gewißheit darüber schon zuviel Sinn, nicht eindeutig; übrigens ist es wohl auch gar nicht so wichtig, im Patt käme alles zur Ruhe wie im Matt. Sonst entragt dem Kreis einzig das flüchtige Bild jenes Kindes[55]), hinfälligste Reminiszenz an Fortinbras oder den Kinderkönig. Es könnte gar Clovs eigenes, verlassenes Kind sein. Aber das schräge Licht, das von dorther in den Raum fällt, ist so schwach wie die hilflos helfenden Arme, die am Ende von Kafkas Prozeß zum Fenster sich hinausstrecken.

Thematisch wird die Endgeschichte des Subjekts in einem Intermezzo, das seine Symbolik sich gestatten kann, weil es die eigene Hinfälligkeit, und damit die seines Sinnes, vor Augen stellt. Die Hybris des Idealismus, die Inthronisation

[54]) Beckett, a.a.O., S. 13.
[55]) vgl. a.a.O., S. 62.

des Menschen als Schöpfers im Zentrum der Schöpfung, hat sich in dem »Innenraum ohne Möbel« verschanzt wie ein Tyrann in seinen letzten Tagen. Dort wiederholt er mit winzig verkleinerter Imagination, was einmal der Mensch gewesen sein wollte; was ihm der gesellschaftliche Zug nicht anders als die neue Kosmologie entwand, und wovon er doch nicht loskommt. Clov ist seine male nurse. Von ihm läßt Hamm im Rollsessel in die Mitte jenes Interieurs sich schieben, zu dem die Welt wurde und zugleich der Innenraum seiner eigenen Subjektivität:

> HAMM: Laß mich eine kleine Runde machen. (Clov stellt sich hinter den Sessel und schiebt ihn ein Stück voran.) Nicht zu schnell. (Clov schiebt den Sessel weiter.) Eine kleine Runde um die Welt. (Clov schiebt den Sessel weiter.) Scharf an der Wand entlang. Dann wieder zurück in die Mitte. (Clov schiebt den Sessel weiter.) Ich stand doch genau in der Mitte, nicht wahr?[56])

Der Verlust der Mitte, den das parodiert, weil jene Mitte selbst schon Lüge war, wird zum armseligen Gegenstand nörgelnder und kraftloser Pedanterie:

> CLOV: Wir haben die Runde noch nicht beendet.
> HAMM: Zurück an meinen Platz. (Clov schiebt den Sessel wieder an seinen Platz und hält ihn an.) Ist das hier mein Platz?
> CLOV: Ja, dein Platz ist hier.
> HAMM: Stehe ich genau in der Mitte?
> CLOV: Ich werde nachmessen.
> HAMM: Ungefähr! Ungefähr!
> CLOV: Da.
> HAMM: Stehe ich ungefähr in der Mitte?
> CLOV: Es scheint mir so.
> HAMM: Es scheint dir so! Stell mich genau in die Mitte!

[56]) a.a.O., S. 24.

CLOV: Ich hole den Zollstock.

HAMM: Ach was! So in etwa. (Clov schiebt den Sessel unmerklich weiter.) Genau in die Mitte![57]

Was aber in dem blöden Ritual vergolten wird, ist nichts, was das Subjekt erst verübt hätte. Subjektivität selbst ist die Schuld; daß man überhaupt ist. Ketzerisch fusioniert sich die Erbsünde mit der Schöpfung. Sein, das Existentialphilosophie als Sinn von Sein ausposaunt, wird zu dessen Antithesis. Panische Angst vor Reflexbewegungen des Lebendigen peitscht nicht nur zu unermüdlicher Naturbeherrschung an: sie heftet sich ans Leben selbst als den Grund des Unheils, zu dem Leben wurde:

HAMM: Alle, denen ich hätte helfen können. (Pause) Helfen! (Pause) Die ich hätte retten können. (Pause) Retten! (Pause) Sie krochen aus allen Ecken. (Pause. Heftig.) Überlegen Sie doch, überlegen Sie! Sie sind auf der Erde, dagegen ist kein Kraut gewachsen![58]

Daraus zieht er das Fazit: »Das Ende ist im Anfang und doch macht man weiter.«[59] Das autonome Sittengesetz schlägt antinomistisch um, reine Herrschaft über Natur in Pflicht zum Ausrotten, die stets schon dahinter lauerte:

HAMM: Schon wieder Komplikationen! (Clov steigt von der Leiter.) Wenn es nur nicht wieder losgeht!

Clov rückt die Leiter näher ans Fenster, steigt hinauf und setzt das Fernglas an. Pause.

CLOV: Oh je, oh je, oh je, oh je!

HAMM: Ein Blatt? Eine Blume? Eine Toma... (er gähnt) ...te?

CLOV (schauend): Du kriegst gleich Tomaten! Jemand! Da ist jemand!

HAMM (hört auf zu gähnen): Na ja, geh ihn ausrotten.

[57] a.a.O., S. 25.
[58] a.a.O., S. 54.
[59] a.a.O.

(Clov steigt von der Leiter. Leise.) Jemand! (Mit bebender Stimme.) Tu deine Pflicht![60])

Über den Idealismus, dem solcher totale Pflichtbegriff entstammt, urteilt eine Frage des verhinderten Rebellen Clov an seinen verhinderten Herrn:

CLOV: Gibt es Sektoren, die dich besonders interessieren? (Pause) Oder bloß alles?[61])

Das klingt wie die Probe auf Benjamins Einsicht, eine angeschaute Zelle Wirklichkeit wiege den Rest der ganzen übrigen Welt auf. Das Totale, reine Setzung des Subjekts, ist das Nichts. Kein Satz klingt absurder als dieser vernünftigste, der das Alles zum Nur kontrahiert, dem Trugbild der anthropozentrisch beherrschbaren Welt. So vernünftig jedoch dies Absurdeste, so wenig läßt der absurde Aspekt von Becketts Stück sich wegdisputieren, nur weil seiner die eilfertige Apologetik und die Begierde des Abstempelns sich bemächtigte. Ratio, vollends instrumentell geworden, bar der Selbstbesinnung und der auf das von ihr Entqualifizierte, muß nach dem Sinn fragen, den sie selber tilgte. In dem Stand aber, der zu dieser Frage nötigt, bleibt keine Antwort als das Nichts, das sie als reine Form bereits ist. Die geschichtliche Unausweichlichkeit dieser Absurdität läßt sie ontologisch erscheinen: das ist der Verblendungszusammenhang der Geschichte selbst. Becketts Drama durchschlägt ihn. Der immanente Widerspruch des Absurden, der Unsinn, in dem Vernunft terminiert, öffnet emphatisch die Möglichkeit eines Wahren, das nicht einmal mehr gedacht werden kann. Er untergräbt den absoluten Anspruch dessen, was nun einmal so ist. Die negative Ontologie ist die Negation von Ontologie: Geschichte allein hat gezeitigt, was die mythische Gewalt des Zeitlosen sich aneignete. Die geschichtliche Fiber von Situation und Sprache bei Beckett

60) a.a.O., S. 61.
61) a.a.O., S. 57.

konkretisiert nicht more philosophico ein Ungeschichtliches –
eben dieser Usus der existentialistischen Dramatiker ist
so kunstfremd wie philosophisch rückständig. Sondern das
Ein für allemal Becketts ist die unendliche Katastrophe;
erst »daß die Erde erloschen ist, obgleich ich sie nie brennen
sah«[62]) begründet Clovs Antwort auf Hamms Frage:
»Meinst du nicht, daß es lange genug gedauert hat?«: »Seit
jeher schon.«[63]) Vorgeschichte dauert fort, das Phantasma
von Ewigkeit ist selber nur deren Fluch. Nachdem Clov dem
ganz Gelähmten über das berichtete, was er von der Erde
sieht, nach der zu schauen jener ihm gebot[64]), vertraut
Hamm ihm als sein Geheimnis an:

CLOV (vertieft): Hmm.

HAMM: Weißt du was?

CLOV (dergleichen):Hmm.

HAMM: Ich bin nie dagewesen.[65])

Die Erde ward noch nie betreten; das Subjekt ist noch
keines.

Bestimmte Negation wird dramaturgisch durch konse-
quente Verkehrung. Die beiden Sozialpartner qualifizieren
ihre Einsicht, es gebe keine Natur mehr, mit dem bürgerlichen »Du übertreibst«[66]). Besonnenheit ist das probate
Mittel, Besinnung zu sabotieren. Sie veranlaßt zur melancholischen Reflexion:

CLOV (traurig): Niemand auf der Welt hat je so verdreht
gedacht wie wir.[67])

Wo sie der Wahrheit am nächsten kommen, fühlen sie in
gedoppelter Komik ihr Bewußtsein als falsches; so spiegelt
sich der Zustand, an den Reflexion nicht mehr heranreicht.

[62]) a.a.O., S. 65.
[63]) a.a.O., S. 38.
[64]) a.a.O., S. 56.
[65]) a.a.O., S. 58.
[66]) a.a.O., S. 14.
[67]) a.a.O.

Mit der Technik von Verkehrung ist aber das ganze Stück gewoben. Sie transfiguriert die empirische Welt in das, als was sie desultorisch schon beim späten Strindberg und im Expressionismus benannt war. »Das ganze Haus stinkt nach Kadaver... Das ganze Universum.«[68]) Hamm, der danach auf »das Universum pfeift«, ist ebenso der Urenkel Fichtes, der die Welt verachtet, weil sie nichts als Rohmaterial und Produkt ist, wie der, welcher keine Hoffnung weiß denn die kosmische Nacht, die er mit Poesiezitaten erfleht. Zur Hölle wird die Welt als absolute: nichts anderes ist als sie. Graphisch hebt Beckett den Satz Hamms hervor: »Jenseits ist... die ANDERE Hölle.«[69]) Er läßt eine vertrackte Metaphysik des Diesseits durchscheinen, mit Brechtischem Kommentar:

CLOV: Glaubst du an das zukünftige Leben?

HAMM: Meines ist es immer gewesen. (Clov geht und schlägt die Tür hinter sich zu.) Peng! Das saß![70])

In seiner Konzeption kommt Benjamins Idee einer Dialektik im Stillstand nach Hause:

HAMM: Es wird das Ende sein, und ich werde mich fragen, durch was es wohl herbeigeführt wurde, und ich werde mich fragen, durch was es wohl... (er zögert.) ... warum es so spät kommt. (Pause) Ich werde da sein, in dem alten Unterschlupf, allein gegen die Stille und... (Er zögert.) ... die Starre. Wenn ich schweigen kann und ruhig bleiben, wird es aus sein mit jedem Laut und jeder Regung.[71])

Jene Starre ist die Ordnung, die Clov angeblich liebt und die er als Zweck seiner Verrichtungen definiert:

CLOV: Eine Welt, in der alles still steht und starr wäre

[68]) a.a.O., S. 39.
[69]) a.a.O., S. 24.
[70]) a.a.O., S. 41.
[71]) a.a.O., S. 54 f.

und jedes Ding seinen letzten Platz hätte, unterm letzten Staub.[72])

Wohl wird das alttestamentarische Zu Staub sollst du werden übersetzt in: Dreck. Zur Substanz des Lebens, das der Tod ist, werden dem Stück die Exkretionen. Aber das bilderlose Bild des Todes ist eines von Indifferenz. In ihm verschwindet der Unterschied zwischen der absoluten Herrschaft, der Hölle, in der Zeit gänzlich in den Raum gebannt ist, in der schlechterdings nichts mehr sich ändert, – und dem messianischen Zustand, in dem alles an seiner rechten Stelle wäre. Das letzte Absurde ist, daß die Ruhe des Nichts und die von Versöhnung nicht auseinander sich kennen lassen. Hoffnung kriecht aus der Welt, in der sie so wenig mehr aufbewahrt wird wie Brei und Praliné, dorthin zurück, woher sie ihren Ausgang nahm, in den Tod. Aus ihm zieht das Stück seinen einzigen Trost, den stoischen:

CLOV: Es gibt so viele schreckliche Dinge.

HAMM: Nein, nein, es gibt gar nicht mehr so viele.[73])

Bewußtsein schickt sich an, dem eigenen Untergang ins Auge zu sehen, als wollte es ihn überleben wie die beiden ihren Weltuntergang. Proust, über den Beckett in seiner Jugend einen Essay schrieb, soll versucht haben, den eigenen Todeskampf in Notizen zu protokollieren, die der Beschreibung von Bergottes Tod hätten eingefügt werden sollen. Das Endspiel führt diese Absicht aus wie das Mandat aus einem Testament.

[72]) a.a.O., S. 46.
[73]) a.a.O., S. 38.

Zur Schlußszene des Faust, in: *Akzente,* 1959, Heft 6, S. 567 ff. Dort war vermerkt: »Im Gespräch neckte ich einmal Benjamin um seiner Vorliebe für aparte und entlegene Stoffe willen mit der Frage, wann er wohl eine Interpretation des Faust schriebe, und er parierte, ohne zu zögern: wenn sie in Fortsetzungen in der Frankfurter Zeitung erscheint. Die Erinnerung an dies Gespräch veranlaßte die Niederschrift der hier veröffentlichten Fragmente.«

Balzac-Lektüre, unpubliziert.

Valérys Abweichungen, in: *Die Neue Rundschau,* 71. Jahrg., 1960, Heft 1, S. 1 ff.

Kleine Proust-Kommentare, ursprünglich ein Vortrag für den Hessischen und den Süddeutschen Rundfunk, zur Feier des Abschlusses der deutschen Ausgabe der Recherche. Marianne Hoppe las die ausgewählten Abschnitte, der Autor sprach die Kommentare dazu. Unverändert publiziert in: *Akzente,* 1958, Heft 6, S. 564 ff.

Wörter aus der Fremde, ursprünglich ein Vortrag für den Hessischen Rundfunk, gedruckt in: *Akzente,* 1959, Heft 2, S. 176 ff.

Blochs Spuren, in: *Neue Deutsche Hefte,* April 1960, S. 14 ff.

Erpreßte Versöhnung, in: *Der Monat,* 11. Jahrg., November 1958, S. 37 ff.

Versuch, das Endspiel zu verstehen, unpubliziert. Teile wurden beim 7. Suhrkamp-Verlags-Abend am 27. Februar 1961 in Frankfurt/M. vorgetragen.

Zur Schlußszene des Faust, in: *Akzente,* 1959, Heft 6, S. 567 ff. Dort war vermerkt: »Im Gespräch neckte ich einmal Benjamin um seiner Vorliebe für aparte und entlegene Stoffe willen mit der Frage, wann er wohl eine Interpretation des Faust schriebe, und er parierte, ohne zu zögern: wenn sie in Fortsetzungen in der Frankfurter Zeitung erscheint. Die Erinnerung an dies Gespräch veranlaßte die Niederschrift der hier veröffentlichten Fragmente.«

Balzac-Lektüre, unpubliziert.

Valérys Abweichungen, in: *Die Neue Rundschau,* 71. Jahrg., 1960, Heft 1, S. 1 ff.

Kleine Proust-Kommentare, ursprünglich ein Vortrag für den Hessischen und den Süddeutschen Rundfunk, zur Feier des Abschlusses der deutschen Ausgabe der Recherche. Marianne Hoppe las die ausgewählten Abschnitte, der Autor sprach die Kommentare dazu. Unverändert publiziert in: *Akzente,* 1958, Heft 6, S. 564 ff.

Wörter aus der Fremde, ursprünglich ein Vortrag für den Hessischen Rundfunk, gedruckt in: *Akzente,* 1959, Heft 2, S. 176 ff.

Blochs Spuren, in: *Neue Deutsche Hefte,* April 1960, S. 14 ff.

Erpreßte Versöhnung, in: *Der Monat,* 11. Jahrg., November 1958, S. 37 ff.

Versuch, das Endspiel zu verstehen, unpubliziert. Teile wurden beim 7. Suhrkamp-Verlags-Abend am 27. Februar 1961 in Frankfurt/M. vorgetragen.

Vom selben Verfasser

Kierkegaard, Konstruktion des Ästhetischen. Tübingen 1933
Neue, um eine Beilage erweiterte Ausgabe, Frankfurt 1962

Philosophie der neuen Musik
Tübingen 1949, 2. Aufl. Frankfurt 1958

Minima Moralia. Reflexionen aus dem beschädigten Leben
Berlin und Frankfurt 1951, 3. Aufl. Frankfurt 1965

Versuch über Wagner. Berlin und Frankfurt 1952
Taschenbuchausgabe Knaur, München/Zürich 1964

Prismen. Kulturkritik und Gesellschaft. Frankfurt 1955
Taschenbuchausgabe dtv, München 1963

Dissonanzen. Musik in der verwalteten Welt
Göttingen 1956, 3., erweiterte Aufl. 1963

Zur Metakritik der Erkenntnistheorie
Studien über Husserl und die phänomenologischen Antinomien
Stuttgart 1956

Noten zur Literatur I
Frankfurt 1958, 4. Aufl. 1963 · Bibliothek Suhrkamp Bd. 47

Noten zur Literatur III
Frankfurt 1965 · Bibliothek Suhrkamp Bd. 146

Klangfiguren. Musikalische Schriften I
Berlin und Frankfurt 1959

Mahler. Eine musikalische Physiognomik
Frankfurt 1960, 2. Aufl. 1964 · Bibliothek Suhrkamp Bd. 61

Einleitung in die Musiksoziologie.
Zwölf theoretische Vorlesungen
Frankfurt 1962

Eingriffe. Neun kritische Modelle
Frankfurt 1963, 3. Aufl. 1964 · edition suhrkamp 10

Drei Studien zu Hegel
Frankfurt 1963 · edition suhrkamp 38

Der getreue Korrepetitor.
Lehrschriften zur musikalischen Praxis
Frankfurt 1963

Quasi una fantasia. Musikalische Schriften II
Frankfurt 1963

Moments musicaux. Neu gedruckte Aufsätze 1928–1962
Frankfurt 1964 · edition suhrkamp 54

Jargon der Eigentlichkeit. Zur deutschen Ideologie
Frankfurt 1964, 2. Aufl. 1965 · edition suhrkamp 91

Von Max Horkheimer und Th. W. Adorno:

Dialektik der Aufklärung. Philosophische Fragmente
Amsterdam 1947

Sociologica II. Reden und Vorträge. Frankfurt 1962

In englischer Sprache:

The Authoritarian Personality by Th. W. Adorno, Else Frenkel-Brunswik,
Daniel J. Levinson, R. Nevitt Sanford (Studies in Prejudice, edited by
Max Horkheimer and Samuel H. Flowermann, Volume I), New York 1950